D0310530

Stemmen

Bezoek onze internetsite *www.karakteruitgevers.nl*
voor informatie over al onze boeken en softwareproducten.

Christa von Bernuth

Stemmen

Karakter Uitgevers B.V.

Oorspronkelijke titel: Die Stimmen
© 2001 by Wilhelm Goldmann Verlag, a division of Verlagsgruppe Random House GmbH, München, Germany
Vertaling: Peter de Rijk
© 2004 Karakter Uitgevers B.V., Uithoorn
Omslag: Studio Jan de Boer
Foto achterplat: © Michael Kammeter

ISBN 90 6112 352 6
NUR 332

Proloog

Het zou haar niet lukken. Zelfs dat niet: haar vlucht.

Ze bekeek zichzelf vanuit een denkbeeldig perspectief van bovenaf en zag een vrouw met ongekamde haren, die in paniek 's nachts door een bergbos strompelde. Ze hield even in, verlamd door schaamte omdat ze haar angst niet kon uitschakelen. Ik haat mezelf, dacht ze, en die formulering, die zo vertrouwd klonk als een mantra, stelde haar enkele seconden lang gerust. Haar knieën trilden, haar tanden klapperden, maar ze kon tenminste weer gewoon ademhalen. Ze ademde diep in en richtte haar hoofd op.

De kleine open plek voor haar lichtte op in het witte maanlicht. Je kon je hier onmogelijk oriënteren. Ze keek uit op een landschap vol silhouetten, die mogelijk rotsen of met struikgewas bedekte heuvels waren. Ze legde haar hoofd in haar nek. De kille gloed van de maan brandde in haar ogen. Misschien lag het aan de herfstachtige heldere berglucht dat ze die zonder enige romantische associatie opeens in zijn ware gedaante zag: als een dode planeet, die ondergeschikt aan een andere planeet in een voor eeuwig vastgelegde baan door het heelal raasde...

De maan is geen planeet. De maan is een Trabant. Je haalt alles door elkaar.
Ze sloot haar ogen en ging op haar hurken zitten. Alles werd weer erger. Weer hoorde ze het gekreun van Peter, gestamelde liefdesverklaringen aan het adres van zijn ex-vriendin Sabine, die met een starre blik aan een druipende kaars zat te frummelen en Peter helemaal niet zag. De atmosfeer in het hutje werd steeds claustrofobischer, tot de een na de ander wankelend naar buiten liep om over te geven of zich verder aan zijn angsten en waanvoorstellingen over te geven. En tijdens deze algemene verwarring had zij haar kans schoon gezien.

Beslist vergeefse moeite.

Hij had dat allemaal zo voorbereid, dat wist ze opeens zeker. Ze sperde haar ogen open: een nieuwe gedachte, een nieuwe angst. *Op deze leeftijd nemen ze alles waarvan ze een kick krijgen,* had hij een of twee maanden geleden nog tegen haar gezegd en daarbij vast en zeker weer aan zijn eigen jeugd gedacht. Aan de tijden waarin ook hij alles genomen had waarvan hij een kick kreeg, ter verhoging van de *joie de vivre*, zoals hij het noemde (als een echte leraar Frans). Levensvreugde. Ze vertrok vol verachting haar gezicht. In werkelijkheid moesten de drugs hem bieden waarvoor andere mensen juist bang waren: sterke, gevaarlijke gevoelens als lust, verdriet, liefde, woede en angst.

Maar dat was allemaal lang geleden. Hij had tegenwoordig geen hasj, LSD of alcohol nodig, want hij had haar. En inderdaad had het haar jarenlang gevleid dat zij de enige was die hem kon geven wat hij bij zichzelf miste. Waarbij 'geven' trouwens niet het juiste woord was. Hij haalde bij haar weg wat hij nodig had.

En toch was het min of meer haar eigen schuld, want zij had het jarenlang laten voortduren. Ze trok zijn parka wat strakker tegen zich aan; ze had die gepakt omdat ze haar eigen jas in de gauwigheid niet had gevonden. Goretex, met fleece-voering, eigenlijk veel te hightech voor een dom wicht als zij. Ze was niet geschapen voor een zelfstandig leven. Als het erop aankwam, zocht ze steeds weer een man die haar van de last van een onafhankelijk bestaan kon bevrijden en zich in ruil daarvoor van alles mocht voorzien wat ze te bieden had.

Haar schoonheid, die ondanks haar voortdurende ontevredenheid toch nog vaag zichtbaar was. Haar scherpzinnige, analytische geest, die door gebrek aan uitdagingen niet erg soepel meer was, maar zeker weer te activeren viel. Haar geduld en vriendelijkheid, de enige eigenschappen die helemaal nog niet aangetast waren.

Of toch wel? Misschien gedroeg hij zich daarom de laatste tijd zo anders. Ze stond berustend op en liep langzaam door het bedauwde gras. Terug naar de anderen, terug naar hem. Het had allemaal geen zin. Na enkele passen bleef ze weer staan. Het maanlicht was nu minder kil en angstwekkend, maar de contouren en afstanden werden nog altijd vertekend. Aarzelend probeerde ze de weg te vinden. Een moment lang dreigde ze weer in paniek te raken. Ze had geen idee meer uit welke richting ze gekomen was. Rondom haar, op een afstand van misschien tien of dertig meter, zag ze een schijnbaar ondoordringbare muur van naaldbomen.

Had ze nu werkelijk gedacht dat ze zomaar weg kon lopen? Het was hoogstens twee of drie graden; ze kon vannacht echt niet in de openlucht doorbrengen, want ze had zich niet warm genoeg aangekleed. En stel dat het begon te regenen of als ze de weg terug naar het dal zelfs bij daglicht niet kon vinden? Het was 28 september en plotselinge weersverslechteringen kwamen nogal eens voor.

Nog afgezien ervan dat het hem heel goed zou uitkomen als ze zelf een eind aan haar leven zou maken. Dan hoefde hij niet actief te worden.

Uiteindelijk zette ze zich in beweging. Het was beslist beter om in een willekeurige richting te lopen dan hier ter plekke kou te blijven lijden. *Als een muis in de val,* dacht ze huiverend, omdat dit zo dicht bij de waarheid was.

Haar eigen waarheid, haar eigen subjectieve gevoel over zichzelf. Ze had nu het einde van de open plek bereikt en baande zich een weg tussen struiken en takken die de doorgang versperden, in een plotselinge inktzwarte duisternis. Ergens zou er een eind aan de duisternis komen, hield ze zich voor, en dan zou ze weten wat ze moest doen.

Ze begon schamper te lachen, wat in de oorverdovende stilte om haar heen ziekelijk en misplaatst klonk. De natuur leek opeens alleen vanwege haar de adem in te houden. Ze bevoelde een boomstronk die met vochtig, koud mos bedekt was, en ging daarop zitten. Ze raakte bevangen door een gevoel van krachteloosheid dat zo elementair en definitief leek dat het haar opeens allemaal niets meer kon schelen. Ze zou doodgaan, hoe dan ook, omdat ze te lang gewacht had. En dat kon net zo goed hier gebeuren.

Ze zag een beeld voor zich: ze stond voor de boekenplanken in een grote boekhandel, overweldigd door het aanbod. Ze was niet in staat het boek te vinden waarvoor ze een treinreis van een uur had gemaakt. Een verkoopster bracht haar ten slotte naar de afdeling pockets en zocht het boek voor haar op. *Met mij niet meer,* stond er in cursieve zwarte kapitalen op een witte ondergrond. Ondertitel: *Mishandelde vrouwen bevrijden zichzelf.*

Dat was nu een half jaar geleden, en ze had zich niet bevrijd. Niet dat het boek geen openbaring geweest was, integendeel. Ze had met groeiende spanning haar absurde verwerkingsstrategieën en levensleugens stuk voor stuk teruggevonden. Ja, het was een opluchting geweest om vast te stellen dat er veel vrouwen waren die zich door hun levenspartner lieten behandelen als een... tja, zoals in vorige eeuwen lijfeigenen misschien behandeld werden. Jarenlang had ze voor zichzelf ontkend dat *het* niet alleen voorkwam, maar ook een naam had. *Het* was niets bijzonders, niets unieks, maar de normale gang van zaken in veel huwelijken en andere relaties. *Het* werd ook allang niet meer doodgezwegen. *Het* was juist een geliefd thema in tv-series, talkshows en programma's met deskundigenpanels die ze wijselijk altijd weggezapt had, zelfs als hij helemaal niet in de kamer was. Want ze wilde niet tot die vrouwen behoren die *het* regelmatig overkwam. In elkaar gedoken zaten die vrouwen zich voor glimlachende, zelfbewuste presentatrices te beklagen, vervuld van zelfmedelijden. Mislukte vrouwen, die hun leven niet op orde wisten te krijgen.

Zo wilde zij niet zijn. En als ze er met niemand over sprak, dan kon ze zich op goede momenten voorstellen dat *het* nooit meer zou gebeuren. Als ze zich tenminste goed gedroeg.

Na al die jaren geloofde ze nog steeds dat ze het onder controle had. Tot ze weer een verkeerde beweging maakte, een verkeerde opmerking plaatste of op het verkeerde moment helemaal niets zei of juist te veel of weer eens vergat dat hij er een hekel aan had als ze de kraan bij de afwas helemaal opendraaide – verspilde – of dat hij het niet prettig vond als ze de post in de keuken neerlegde in plaats van op zijn bureau, waar die toch hoorde, verdomme nog aan toe. Hij geloofde dat ze dat opzettelijk deed. Nee: hij deed alsof hij geloofde dat ze het opzettelijk deed, zodat hij een reden had om *het* te doen. Maar het idiote was dat hij deels zelfs gelijk had. Soms raakte ze bevangen door een idioot, suïcidaal verlangen om hem heel bewust in de kaart te spelen. Dan verdiende ze zijn behandeling tenminste. Dan was ze er tenminste actief bij betrokken. Het ergste, afgezien van de pijn, was het idee dat niets wat ze deed of naliet, een rol speelde.

Ze had het boek gekocht omdat je een boek weg kon leggen als het je te veel werd. In het begin werd het haar al snel te veel, maar de laatste hoofdstukken verslond ze alsof ze dreigde te verhongeren. Alles, werkelijk alles werd daarin verklaard, zelfs haar eigen onmacht een eind aan de zaak te maken.

Sommige daders dronken, anderen raakten geen alcohol aan. Sommigen waren werkloze ambachtslui, anderen (zoals hij) waren mannen van academisch niveau die maatschappelijk in aanzien stonden. Sommigen gedroegen zich ook in het openbaar agressief, anderen (zoals hij) gedroegen zich dan juist buitengewoon vriendelijk. Sommigen vonden het eigenlijk normaal hun agressie bot te vieren op degene die hen het meest nabij was, anderen (zoals hij) construeerden ingewikkelde rechtvaardigingsstrategieën om de verantwoording voor hun eigen gedrag op hun partner af te wentelen. Maar één ding hadden ze allemaal gemeen: ze veranderden hun gedrag niet vanzelf. Vrouwen hadden slechts de mogelijkheid hen te verlaten of hen met passende dreigementen tot een therapie over te halen. Maar tot een therapie zou ze hem nooit kunnen overhalen, dat hoefde ze niet eens te proberen. Volgens hem had zíj een probleem, niet hij.

'... Blijf zitten, verdomme nog aan toe! Dat is alleen maar een ijsblokje tegen het bloed. Ja, pak het op en druk het tegen je hals, dan vermindert de zwelling direct. Ik weet het, ik had niet zo...

Je snapt gewoon niet dat die eindeloze telefoontjes met je zus mijn vrije avond verpesten. Ik zit hier de hele middag schoolrepetities te corrigeren en dan wil ik 's avonds wel een beetje rustig...'

'Jij heb je rust gehad. Ik ben speciaal naar de slaapkamer gegaan.'

Een zwakke tegenwerping op beleefde toon, maar toch snakt ze naar adem, geschokt door haar moed. Hier in de badkamer is het heel krap, vol gladde, harde vlakken en hoeken, die gemakkelijk schoon te maken zijn. (Ze zou zweren dat hij zelfs op het toppunt van zijn woede op dergelijke bijzaken let. In zijn heiligdom, zijn werkkamer, vinden dergelijke uitbarstingen namelijk nooit plaats.) Terwijl hij haar zachtjes over haar wang strijkt, krimpt ze onwillekeurig ineen. Hij kan het niet weten, maar ze haat aanrakingen direct daarna. Vaak is hij daarna opeens teder en soms wil hij zelfs met haar naar bed. De intentie is goed – de intimiteit herstellen – en daarom klemt ze meestal haar tanden op elkaar en laat hem begaan. Maar ditmaal – ze weet werkelijk niet welke duivel in haar gevaren is – ditmaal trekt ze zijn hand gewoon weg en kijkt hem aan. Ze slaat haar ogen niet neer, zoals ze anders altijd doet om zich als het ware onzichtbaar te maken.

Ze is gek geworden. Zo meteen zal dát weer gebeuren, en dan is het ook gebeurd met de late avondfilm waarmee ze gewoonlijk afleiding vindt voor haar ellende.

Maar er gebeurt niets. Na een eindeloos lijkende minuut laat hij zijn hand onhandig zakken, alsof die helemaal niet bij hem hoort. Stilte. Ze zit op de rand van de badkuip en drukt met klamme vingers het ijsblokje tegen haar hals. Hij staart haar ongelovig aan, alsof ze een volledig vreemde voor hem is. Dan draait hij zich om en loopt weg.

Dat is het begin van het einde. Ze heeft een ongeschreven wet gebroken die ze tot op dat moment niet eens kon omschrijven.

Confronteer me niet met wat geweest is. Misschien is dat het.

Ze schrok op. Enkele seconden lang was ze werkelijk ingedut. Ze keek op de klok: half drie. Het liefst was ze op de koude, vochtige grond gaan liggen, maar ze wist dat ze nu niet in slaap kon komen. Misschien moest ze om hulp roepen. Maar er was hier geen mens. En van de groep in de hut was intussen zeker niemand meer in staat iemand te helpen, en haar al helemaal niet.

Behalve hij natuurlijk.

Maar hoe zou zijn 'hulp' eruitzien?

Weg. Ze moest weg. Het deed er niet toe waarheen. Vol weerzin om zich in te spannen stond ze op, schudde met haar rechterbeen dat door de kou verdoofd was en begon met de zware bergschoenen aan haar voeten langzaam verder te lopen. Ze liep bergafwaarts en hoopte bij toeval op iets te stuiten dat ze kende. Het pad naar het dal, of de weg naar de hut. Een kwestie van geluk. Ze begon zacht een willekeurig melodietje te neuriën, alsof er geen problemen waren, alsof ze niet helemaal in haar eentje was. Vanaf de dag dat ze zijn hand weggeschoven had en zijn blik niet had ontweken, had *het* een nieuw, ander aanzien gekregen. Hij deed nu gewoon zwijgend wat naar zijn mening gedaan moest worden, zonder de woordenvloed vol motivaties en verklaringen daarna, voorgedragen met zijn gedistingeerde stem die vroeger een essentieel onderdeel van het gehele programma geweest was. Het leek alsof hij zich vanaf nu helemaal niet meer wilde blootgeven. Het leek alsof ze Blauwbaards geheim ontdekt had.

Maar dat was niet het geval. Ze had nooit werkelijk begrepen waarom hij *het* deed. Ze had alleen vermoedens gehad. In al die jaren had ze het hem nooit gevraagd. En waarom? Omdat ze wist dat hij het zelf niet wist (en ook helemaal niet wilde horen)? Omdat ze wist dat hij haar de schuld zou geven?

Misschien was dat het. Hij had uiteindelijk toch erkend dat hij met een vrouw als zij niet in harmonie kon samenwonen. En dus wilde hij van haar af.

Sinds die dag had ze het gevoel dat hij van haar af wilde. Ze huiverde bij die gedachte, zoals zo vaak.

Want er waren geen goede momenten meer, avonden zoals vroeger waarop ze over God en de wereld, politiek, films en het Duitse schoolsysteem gediscussieerd hadden. Nachten waarin hij alleen maar teder en hartstochtelijk was, zonder een spoortje woede en agressie. Die momenten waren in de loop der jaren toch al steeds zeldzamer geworden. Maar sinds die dag twee of drie maanden geleden behandelde hij haar in de perioden waarin hij niet buiten zinnen was, gewoon alsof ze lucht voor hem was. Het leek wel alsof hij wilde dat ze vanzelf begreep dat het voorbij was. Met zijn onverschillige, geïrriteerde blik leek hij te zeggen: Ga toch eindelijk weg. Laat me met rust.

En dan was het ook nog eens zo dat ze beiden een geheim deelden dat niet bekend mocht worden. Aangenomen dat hij zich inderdaad liet scheiden, hoe kon hij dan zeker weten dat ze niet uit wraak besloot niet langer te zwijgen en alles eruit flapte wat ze jarenlang opgekropt had? Bij de regeling van de scheiding bijvoorbeeld, als het om de alimentatie ging. Hij was door zijn gedrag chantabel geworden, en dat zou hij weten ook. Er was een gynaecoloog die de bloeduitstortingen op haar buik, borst, bovenbenen en heupen gezien had en haar vermoedens had geuit (die ze echter pertinent ontkend had, maar dat deden zoveel vrouwen in haar situatie). Er waren getuigen. Was hem dat duidelijk?

Had hij daarom nooit over scheiden gepraat? Omdat hij de zaak liever anders wilde regelen?

Ze wist dat ze het gevaar liep in een *idee fixe* verstrikt te raken. Maar hoe meer ze erover nadacht, des te perfecter leek alles in elkaar te passen. Ze beeldde zich echt niet in dat hij zich eraan ergerde dat zij een blok aan zijn been was. Die ergernis was echt, zichtbaar en voelbaar. Soms geloofde ze dat ze zijn blik in haar rug voelde, brandend van aversie.

Van dit besef was het nog maar een kleine stap naar haar verdenking, hoe gruwelijk die ook was. Welke mogelijkheden had hij dan zonder gevaar en voor altijd van haar af te komen? Zelfs bij een scheiding die redelijk vriendschappelijk geregeld werd, was er nog altijd een klein risico dat ze op een bepaald moment toch ging praten. Ze kon bijvoorbeeld zijn nieuwe vriendin, die hij vast en zeker al snel zou opscharrelen, een waarschuwing geven. Ze kon hem misschien zelfs aangeven. Dan zou hij zijn baan en reputatie kwijt zijn en had hij ook nog een proces aan zijn broek. Misschien wist hij zelfs van de polaroids af die ze een week geleden, nadat *het* voor de laatste keer gebeurd was, in het geheim van haar verwondingen gemaakt had. Ze had ze goed verborgen, maar mogelijk was hij er toch achter gekomen en dan was de rest hem natuurlijk ook duidelijk geworden. Want waarom zou ze dergelijke foto's hebben gemaakt als ze die niet tegen hem wilde gebruiken?

Paste het dan niet in het beeld dat hij haar er op de tocht naar de afgelegen berghut zonder stroom en telefoon beslist bij had willen hebben? Mogelijke getuigen – zijn leerlingen – had hij op die manier handig uitgeschakeld. Die zouden in hun huidige toestand nog niet eens iets merken van een bominslag.

Voor haar zag ze nu een grijswitte vlek die langzaam groter werd. Was dat een teken? Opeens glimlachte ze ondanks de kou, haar vermoeidheid en het verschrikkelijke verkleurde gevoel in armen en benen. Ze dacht dat ze nu precies wist wat ze moest doen. In haar situatie waren er niet veel mogelijkheden. Ze moest beslissen of het ja of nee was. Wilde ze door haar man omgebracht worden, terwijl ze hem nooit iets had aangedaan? Nee, nee! Hij had in de loop van hun lange huwelijk zijn uiterste best gedaan om haar moed, zelfbewustzijn en vitaliteit systematisch te ondermijnen, tot op de dag waarop hij moest vaststellen dat er verbazingwekkend genoeg nog een restje weerstand bleek te zijn dat hij niet kon breken. Een kiem van rebellie waarvan niemand kon zeggen of die levensvatbaar was of zich zou uitbreiden, maar die in elk geval aanwezig was.

En op dit moment betekende dat voor haar dat het haar misschien toch zou lukken. Om zonder hem te kunnen leven, die tot nu tot het middelpunt van haar gedachten en emoties, haar hartstochten en angsten was. Misschien kon ze zelfs helemaal zonder man. Wel had ze altijd al geweten dat ze niet bepaald een 'geëmancipeerde vrouw' was. Ze had altijd al, zelfs als jong meisje, een heel gewoon gezin met een paar kinderen gewild, met een man als hoofd. Maar ze had geen kinderen gekregen en hij had geweigerd de oorzaak voor zijn onvruchtbaarheid door een arts te laten vaststellen (het moest aan hem liggen, want bij haar was alles in orde). En zo kwam het dat ze slechts een deel van een echtpaar geworden was, niet van een gezin, en tot nu toe had ze geloofd dat ze zich daarmee tevreden moest stellen. Maar eigenlijk hoefde dat helemaal niet per se. Eigenlijk was ze nog jong genoeg om opnieuw te beginnen. Misschien kon ze zelfs zwanger worden. Er waren tegenwoordig zoveel moeders van boven de veertig. Ze hoefde de rest van haar leven toch niet met een man door te brengen die ze...

Nog altijd kon ze *het* niet onder woorden brengen, zelfs niet in gedachten. Maar dat was nu het geringste van haar problemen.

De grijze vlek werd groter, haar tred werd steeds sneller en vaster, tot ze op een rotsplateau kwam dat haar merkwaardig bekend voorkwam. De aanblik ervan was overweldigend. Onder haar lag een gapende zwarte kloof, waaruit schijnbaar uit het niets een steile, puntige rots omhoog stak, badend in het sneeuwwitte licht van de maan. De zwakke wind die de bomen deed ruisen, was plotseling weggevallen en er heerste nu een onheilspellende, onwerkelijke stilte. Opeens wist ze waar ze zich bevond: in directe omgeving van de hut. Ze had zonder het te beseffen bergop en bergafwaarts een rondje gelopen. Het leek alsof ze weer helemaal opnieuw moest beginnen. Deze gedachte benam haar opeens alle moed, die ze enkele momenten geleden nog had weten te vergaren.

Achter zich hoorde ze geluid. Misschien een nachtdier dat door het kreupelhout liep. Ze wilde zich omdraaien, maar tegelijk ook weer niet, alsof ze een vermoeden had dat ze liever niet op waarheid controleerde. Weer geknak, en ditmaal was het beslist van brekende takken afkomstig. Er kwam iets van achteren op haar af. Een mens. Ze wilde zich omdraaien en iets zeggen, maar het ijzige ding had haar hals al beetgepakt. Haar hals werd ingesneden, haar huid afgeschaafd, onder gruwelijke pijn. Ze probeerde haar vingers tussen de dunne draad te krijgen die haar de adem benam, maar er werd veel te hard aan getrokken. Ze maakte met haar ellebogen boksbewegingen naar achteren. Ze wilde beslist blijven leven! Nu pas wist ze hoe graag! Maar dat kon niet voorkomen dat de vreselijke pijn haar van haar krachten beroofde. Ze dacht nog: *als ik net doe alsof ik bewusteloos ben en me laat vallen, dan...* Maar het was al te laat voor dergelijke trucs. Toch leek haar dood een zachte val in een prachtig, kleurrijk licht.

Eerste deel

1

'Drie... twee... een, drie... drie... een,' zingen de meisjes. 'Kies mij,' roept er een in wit ondergoed met ruches en strijkt over haar monsterlijke borsten. 'Bel! Me! Op!' beveelt een domina in een donkere leren bikini die diep in haar huid snijdt.

De afstandsbediening valt met een klap op de grond, en Mona wordt wakker.

Ze is vergeten het licht uit te doen. Een kaal peertje aan het plafond verlicht de lelijke kast van donkerbruin fineer, het grauwe tapijt met de uitgebleekte vlek onder de vensterbank en haar nog altijd niet helemaal uitgepakte koffer, hoewel ze al twee weken van vakantie terug is. De televisie voor haar bed staat te hard aan. Buiten ligt de duisternis op de loer.

Het is misschien twee of drie uur, te laat om iemand op te bellen of om uit te gaan, te vroeg om op te staan. Bedtijd. Ze haat dit. De uren tussen twee en vier zijn de eenzaamste ter wereld.

Soms helpt het als ze zich wijsmaakt dat ze wakker wil blijven. Soms slaapt ze juist dan in. Wat haar gegarandeerd wakker houdt, is de gedachte dat ze morgen een zware dag heeft.

Morgen heeft ze een zware dag.

Ze vraagt zich af of ze naar Lukas moet kijken. Dan herinnert ze zich dat Lukas vannacht bij zijn vader is, en vrijwel op hetzelfde moment valt ze in een diepe slaap.

Gravelottestrasse, een pas gerenoveerd oud huis met een gele gevel. Er staan twee surveillancewagens met zwaailichten voor de deur, de straat is afgesloten voor het normale verkeer. Mona parkeert dubbel. Het is zes uur 's ochtends en het is donker en koud. De pers is weg, iedereen is weg. Er staat een man met zijn armen over elkaar bij de open huisdeur; het licht valt van achteren op hem, zodat alleen zijn silhouet zichtbaar is. Waarschijnlijk is het Fischer. Ze heeft hem opdracht gegeven op haar te wachten. Al was het maar omdat ze veel te laat ingelicht werd, namelijk bijna twee uur later dan alle anderen van MB1, Moordbrigade 1.

Het is Fischer. Mona loopt op hem toe en ziet meteen hoe zijn gezicht versombert als hij haar ontwaart. Ze is een vrouw, en ze werd als chef boven hem geplaatst.

'Hoe ver is de technische recherche?' vraagt ze, terwijl ze samen in de krappe lift stappen waarin ze veel te dicht op elkaar moeten staan. Ze probeert vriendelijk te zijn. Hij kan er niets aan doen dat niemand haar ingelicht heeft.

'Tamelijk ver. Ze hebben net pauze.'

'Nu al etenstijd? Rijkelijk vroeg.'

Fischer glimlacht niet, maar staart onbewogen naar het plafond, terwijl de lift zich traag in beweging zet. In het zwakke plafondlicht van de liftcabine stelt Mona vast dat zijn kortgeknipte donkere haar op zijn voorhoofd al lichter wordt. Ze stelt zich voor hoe hij elke ochtend bezorgd zijn inhammen in de spiegel bestudeert. En dat terwijl hij nog jong is, misschien halverwege de twintig. Onder zijn ogen liggen donkere schaduwen. Hij is al sinds vier uur vanochtend in touw.

De MB1 had dienst en zij, de nieuwe chef, had er vanaf het begin bij moeten zijn. Wiens schuld is het dat ze als laatste op de plaats van het delict verschijnt?

'Is Berghammer hier geweest?' vraagt ze. Berghammer is chef van afdeling 11, waartoe de vijf moordbrigades behoren. Bij zaken als deze, die spectaculair beginnen, duikt hij graag zelf op.

'Ja,' zegt Fischer. Mona sluit haar ogen. Berghammer is hier geweest, iedereen is hier al geweest, maar zij niet.

'Hoe ziet het er boven uit?' vraagt ze.

'Gewurgd, zou ik zeggen. Met iets heel gemeens. Je zult het zo wel zien.'

'Heeft iemand uit het huis...?'

'Niemand heeft iets gemerkt. Niemand is iets opgevallen, niemand heeft wat gezien, enzovoort. Drie zijn er niet. Er was hier nogal een oploop daarnet. We moesten de mensen echt toeschreeuwen voordat ze het veld ruimden.'

De lift komt schommelend tot stilstand op de vijfde verdieping en de deuren gaan open. Fischer wijst op een houten trap naar boven. 'Hij woont op de zesde verdieping. Dakwoning, waarschijnlijk later vergroot.'

'Hm.' Ze lopen naar boven en trekken de witte beschermende overalls aan die naast de huisdeur klaar liggen.

'Niet slecht, hè?' zegt Fischer, die Mona's zwijgen juist interpreteert. De woning neemt de hele zolderverdieping in beslag. Er is geen gang, maar alleen een enorm hoge ruimte met schuine wanden, die op een minstens drieënhalf meter hoog venster met aangrenzend dakterras toeloopt, waarvoor de bouwer waarschijnlijk een heel legioen ambtenaren van de welstandscommissie heeft moeten omkopen.

'Is dit hier de enige kamer?' vraagt Mona.

'Dat lijkt alleen maar zo,' zegt Fischer grijnzend. 'Hierachter zijn de slaapkamer, keuken en badkamer.'

'En het slachtoffer?'

'In de slaapkamer. Ziet er echt vreselijk uit.'

'Ach, het is niet mijn eerste lijk.'

'Ik bedoel echt gruwelijk.' Fischer trekt weer zijn beledigde gezicht.

De man ligt naakt op de grond, met zijn armen en benen iets gespreid. Uit een diepe, verkorte wond in zijn hals is zoveel bloed gestroomd dat het lichte tapijt helemaal donkerrood verkleurd is. Het gezicht van de man is blauwgrijs aangelopen. Zijn ogen zijn gesloten, alsof hij slaapt. Een merkwaardig detail, want vaak zijn de ogen van doden minstens tot spleten geopend of krampachtig dichtgeknepen. De dader heeft ze misschien na afloop dichtgedrukt. Het raam is gesloten en de stank nauwelijks te verdragen. Waarschijnlijk ligt dat aan de verwarming die helemaal opengedraaid is, waardoor het ontbindingsproces al begonnen is.

Nee. Het is geen lucht van ontbinding, dat zou veel te vroeg zijn. De dode heeft zich leeg gescheten.

Mona heeft slachtoffers van bendeoorlogen gezien, zwervers met ingeslagen schedels en vrouwen die door gewelddadige echtgenoten doodgeslagen waren en die door hun eigen bloedneuzen gestikt waren, maar hier is dat heel anders.

Haar normale werkdag heeft niets met dit tafereel te maken. De chique omgeving, de dode met het mooie lichaam, en dan al dat bloed, de verwrongen gelaatstrekken. De aanblik is op een afstotende manier geknipt voor een film.

Fischer verbreekt het stilzwijgen. 'Je zou eerst kunnen denken dat iemand hem de keel heeft doorgesneden.'

'Maar?' Mona kan zich er niet toe zetten er dieper op in te gaan. Nog niet. Dat is vreemd, want normaal gesproken is ze niet zo kleinzerig. De stank kan het ook niet zijn. In ontbinding verkerende lijken stinken veel erger.

'De identificatiedienst wilde op jou wachten tot ze met hun werk begonnen.'

'Nou nou, wat vriendelijk van ze!'

'Kijk eens naar de wondranden,' zegt Fischer, haar sarcastische opmerking negerend. Toch klinkt zijn stem wat vriendelijker.

Mona voelt zich gedwongen toch naar het lijk toe te lopen en buigt zich over hem heen. Ze ademt zo oppervlakkig mogelijk tussen haar tanden door.

'De wondranden zijn een beetje gerafeld, als je het mij vraagt,' zegt Fischer achter haar. Zijn stem klinkt zelfverzekerd en geagiteerd. Hij wil lof toegezwaaid krijgen, dat is wel duidelijk. En lof kost niets, terwijl de sfeer erdoor opklaart.

'Eh... goed,' zegt Mona daarom. 'Ik denk dat je gelijk hebt. Misschien was het mes... niet goed scherp.' Een afschuwelijke gedachte. In dat geval was de dood nog pijnlijker geweest.

'Of het was helemaal geen mes.'

'Wat dan wel?' Ze maakt van de gelegenheid gebruik om zich om te draaien.

'Een garrot,' zegt Fischer.

'Wat?' Ze snakte naar frisse lucht.

'Wurgstokjes. Een draad met twee handgrepen aan het eind. Gaat snel, je hebt geen vuurwapen nodig en het maakt geen lawaai.'

'Zo.' Langzaam loopt ze naar de deur.

'Precies.' Fischer loopt achter haar aan.

Eindelijk zijn ze weer in de woonkamer. Ze staan een beetje hulpeloos in de reusachtige ruimte. Je kunt immers niet zomaar gaan zitten. 'Waar heb je dat vandaan? Dat met die wurgstokjes?'

'Van de politieschool? Misschien heb ik het ook gewoon ergens gelezen.'

'Klinkt... eh... overtuigend genoeg.'

'Wie is het eigenlijk?'

Fischer haalt zijn notitieboekje uit zijn broekzak en dreunt de aantekeningen op. 'Konstantin Steyer, artdirector en adjunct-directeur van reclamebureau Weber & Partner in de Giselastrasse.'

'Artdirector? Wat mag dat wel zijn?'

'Dat schijnt een soort chef-graficus te zijn, verantwoordelijk voor de vormgeving van advertenties.'

'Hoe oud is hij?'

'Hij is 39. Geboren in Hannover. Stond sinds zeventien jaar in München ingeschreven. Heeft hier gestudeerd. Voorzover we weten, bestaan er geen verdenkingen tegen hem. Hij heeft niet eens strafpunten op zijn rijbewijs.'

'Wie heeft hem gevonden?'

'Zijn vriendin, Karin Stolowski.'

'Wanneer?'

'Klaarblijkelijk vannacht om drie uur. Precies zoals hij er nu bij ligt. Ze heeft hem niet aangeraakt. Ze werd bij de aanblik van het lijk volstrekt hysterisch, rende de woning uit, is met de fiets naar haar eigen huis gereden en heeft daar alles aan haar huisgenote verteld, die ze uit haar slaap had gehaald, waarna ze allebei met de vriend van de huisgenoot hierheen zijn gereden; om kort te gaan, tegen vier uur hebben ze de meldkamer gealarmeerd. Is tot twintig minuten geleden hier geweest.'

'Wie?'

'Karin Stolowski, wie anders? Ze liet zich niet naar huis sturen en heeft de hele tijd zitten janken.' Hij praat erg snel, wat erg ongewoon is voor de mensen in deze streek.

'Waarom vannacht om drie uur? Ik bedoel, wat moest ze bij hem en wat heeft ze daarvoor gedaan?'

'Ze hadden ruzie gemaakt, zegt Karin Stolowski. Ze zegt dat ze op haar fiets door de stad was gaan rijden, iets was gaan drinken en toen naar hem teruggereden was om het weer goed te maken. Misschien was er coke of XTC in het spel.'

'Hoe dat zo? Zijn er drugs in de woning gevonden?'

Fischer schudt zijn hoofd, alsof dat een volstrekt misplaatste vraag is. 'Bij sporenonderzoek is niets gevonden, maar dat zegt niets, nietwaar? Die lui gebruiken toch allemaal. Ter stimulering van de creativiteit, ha, ha.' Hij vertrekt vol verachting zijn mondhoeken. Mona meent zich te herinneren dat hij vroeger bij de narcoticabrigade gewerkt heeft.

'Wanneer is Stolowski bij hem weggegaan?' vraagt ze.

'Tegen half twaalf.'

'Heeft ze iemand gezien?'

'Misschien in de kroeg, waar ze tussen twaalf en twee wat gedronken heeft. Ze weet het niet zeker.'

'Niemand dus.'

Fischer wipt van het ene been op het andere, alsof hij haast heeft. Hij is sowieso voortdurend in beweging. Hij plukt aan zijn lippen, slaat zijn armen over elkaar, laat ze weer hangen, stopt zijn handen in zijn broekzakken, haalt ze er weer uit... Ze wordt er nerveus van, van die heimelijke vijandigheid.

'Kun je niet gewoon rustig stil blijven staan?'

'Ik bén rustig. Als mijn manier van doen je niet bevalt...'

'Laat maar. Je bent gewoon een onrustig type.'

'Ik ben helemaal geen onrustig type, hoe kom je daarbij? Ben je psychologe of zo?'

'Je bent misschien overgevoelig. Het was helemaal geen kritiek, alleen maar een opmerking.'

Fischer komt langzaam weer tot bedaren. 'We moeten dat nog nagaan,' zegt hij.
'Wat?'
'Jemig...' Hij sluit zijn ogen even. 'Het alibi van Karin Stolowski.'
'Wat is ze voor een type?'
'Ze is 29, studeert rechten, vierdejaars.'
'En? Hoe komt ze over?'
'Volstrekt normaal. Helemaal in tranen zelfs.'
'Waar is ze nu?' vraagt Mona na een korte pauze.
'Een patrouille heeft haar naar huis gebracht. Ze woont in Schwabing, in de Königinstrasse.'
'Is er iemand bij haar?'
'Ja, haar huisgenoot. Die heeft haar thuis opgewacht.'
'We gaan erheen,' zegt Mona.
'Eerlijk gezegd geloof ik niet dat ze in staat is verhoord te worden.'
'Kan zijn, maar ik wil haar in elk geval zien om me een beeld van haar te vormen. Bel haar op de afdeling op, goed? We verschuiven de ochtendbespreking naar half negen.'

Karin Stolowski huilt, en het ziet er niet naar uit dat ze daar snel mee zal ophouden. Ze hoort waarschijnlijk in een kliniek te zitten of in elk geval psychologische begeleiding te krijgen. Die laatste mogelijkheid bestaat bij de politie, maar slachtoffers maken daar zelden gebruik van. Ze worden erop gewezen, maar in alle consternatie vergeten ze het, en als ze er later weer aan denken, na al het gedoe met de politie en de begrafenis, dan durven ze er waarschijnlijk niet meer naar te vragen.
Karin Stolowski heeft niets te zeggen. Konstantin Steyer en zij hadden pas drieënhalve maand een verhouding en waren volgens haar erg gelukkig. Niets wijst erop dat zij de dader is. Karin Stolowski die wurgstokjes fabriceert? Waanzin. Een motief is er ook niet; de huisgenote bevestigt zonder aarzeling dat 'Konstantin en Karin ontzettend gek op elkaar waren'. Niets.
'Kent u de collega's en vrienden van meneer Steyer?' vraagt Mona. Het moet omzichtig klinken, maar dat lukt waarschijnlijk niet. Mona is niet erg goed in troosten.
'Niet allemaal,' zegt Karin Stolowski. Haar stem klinkt moe en hees door de overvloed aan tranen. Haar gezicht is niet opgemaakt en ze ziet er in het tl-licht van de gemeenschappelijke keuken doorwaakt uit. Ze haalt haar vingers met werktuiglijke gebaren door haar dichte korte haar.
'Is er iemand met wie uw vriend ruzie had?'

22

'Nee. Weet ik niet. Konni was...' Opnieuw bittere tranen. Fischer gaat bij het keukenraam staan en kijkt belangstellend naar de muur tegenover hem. Buiten wordt het langzaam licht. Mona pakt Karin Stolowski's hand. Die is erg slap. De huid is erg zacht, bijna doorschijnend. Een kinderhand, met afbladderende donkerrode nagellak. Mannen zijn dol op dergelijke handen, die hebben iets voornaams. Mona's handen zijn krachtig, met brede, kortgeknipte nagels.

'Weet u, we zouden u graag met rust laten. Maar u bent misschien onze belangrijkste getuige. Als u ons niets kunt zeggen, zullen we de moordenaar van uw vriend mogelijk nooit vinden.'

Legt ze het er te dik bovenop? Het gesnik wordt in elk geval zachter, de huisgenote geeft haar wat keukenpapier zodat ze haar tranen kan drogen. Ten slotte zegt Karin Stolowski: 'Hij praatte niet veel over zijn werk. De eigenaars van het bureau moeten echt niet goed wijs zijn.'

'Hoe dat zo?' vraagt Mona. Misschien leidt dit ergens toe.

'Konni heeft... had... ontzettend veel ideeën, echt te gekke creatieve ideeën, maar de eigenaars zijn van het soort vooral-niks-uitproberen-want-het-mocht-eens-beter-zijn-dan-het-beproefde. Ze hebben de kwaliteiten van Konni echt nooit erkend.'

'Aha.' Verkeerd gedacht.

Fischer blijft doen alsof het hem niets aangaat. Ze moet alles alleen doen.

'Konni wilde daar weg. Al lang. Maar de baan bij Weber en Partner wordt redelijk goed betaald, en het is tegenwoordig riskant om helemaal voor jezelf te beginnen...'

'Daarom bleef hij toch liever daar.' Een werknemer die gelooft dat hij beter is dan zijn chefs. Maar daardoor wordt zelfs de opvliegendste chef nog geen moordenaar.

'Verder mocht iedereen Konni graag. Hij had geen vijanden, daarvoor was hij veel te...' Opnieuw gesnotter. En een verwijtende blik van de huisgenote vanwege het gebrek aan invoelingsvermogen van de Duitse politie. Mona staat op, Fischer maakt zich eindelijk los van zijn geliefde vensterbank.

'Hoe gaat het nu verder?' vraagt de huisgenote op de gang. 'Komt u nog terug of was dit alles?'

Mona kijkt haar aan. Het gezicht van de huisgenote is bleek en een beetje opgezwollen. Een lange trui verhult haar figuur. Ze is veel petieteriger dan Karin Stolowski. Eigenlijk bevalt dit haar wel. Karin is nu helemaal van haar.

'Bent u haar vriendin?' vraagt Mona.

'Ja. Nou ja, eigenlijk wel.'

Als Karin niet toevallig iets beters te doen heeft.

'U moet Karin steunen. Ze heeft nu hulp nodig.'

'En u? Ik bedoel, moet Karin nog naar het bureau komen?'

'Ze moet naar het bureau komen zodra het beter met haar gaat. We moeten weten wat er de avond voor de moord gebeurd is. Ze mag nu dus niet weggaan. Althans niet zonder dat tegen ons te vertellen. Kunt u haar dat duidelijk maken?'

'Goed.'

'Ik heb mijn visitekaartje bij haar neergelegd en het adres van de psychologische dienst. Ze moet daar beslist heen gaan. We komen morgen nog een keer bij haar langs.'

'Dat vertel ik haar dan wel.'

'Je hebt me echt heel goed geholpen.'

Fischer antwoordt niet. In de auto stinkt het naar koude rook. Mona bedenkt dat ze niet ontbeten heeft. Haar maag is een pijnlijk gat. Als ze nu iets eet, dan wordt ze misschien misselijk. Ze zit weer in een dal. Dat komt doordat ze 's nachts vaak zo slecht slaapt. 'Hallo, ik ben met je in gesprek.'

'Je had alles toch prima onder controle.' Fischer heeft de auto gestart, alsof haar geklets hem niets interesseert.

'Wat bedoel je daarmee?'

Fischer slaat af, de Leopoldstrasse in. 'Geweldig verhoor. Je hebt niet eens gevraagd wat er 's avonds voorgevallen is. Je had in elk geval een lijst moeten laten maken van de mensen die Steyer kennen.'

'Ze was helemaal op. Bovendien staat het je vrij om bij het volgende verhoor jouw ideeën eveneens tot uiting te laten komen. Dat ik je chef ben, wil nog niet zeggen dat ik je gemuilkorfd heb.'

Fischer zwijgt weer. Hij houdt het stuur losjes met één hand vast en doet alsof Mona er helemaal niet is. Hoe moet ze nu reageren? Moet ze hem op zijn nummer zetten? Of moet ze het op de vriendelijke manier proberen? Probeer je oprecht iets op een vriendelijke manier, of is de vriendelijke manier slechts een ander begrip voor lafhartigheid tegenover de medewerker?

Dit is haar eerste echte leidinggevende functie. Sinds haar aanstelling wordt ze volgens salarisschaal A12 betaald. Eerst was ze in A11 hoofdinspecteur Recherche, nu is ze in A12 nog steeds hoofdinspecteur Recherche; bij zoveel functieschalen zijn er op een gegeven moment niet genoeg namen meer. HIR de luxe heet haar titel onder ingewijden. Of ze het ooit tot A13 weet te brengen? Ze zou dan eerste hoofdinspecteur worden, EHIR. Mona slaakt onwillekeurig een zucht. Dan zou ze het zich kunnen permitteren om Lukas naar de internationale school te sturen. Daar worden de leerlingen 's morgens met de bus afgehaald en 's middags om vier uur weer thuisgebracht. En Lukas zou dan vloeiend Engels en Frans leren en dan hoefde zij zich niet voortdurend zorgen te maken of hij in de naschoolse opvang wel goed beziggehouden wordt en of er wel gecontroleerd wordt of hij zijn huiswerk doet en zo.

Maar als het zo doorgaat als tot nu toe, kan ze dat vergeten.

Misschien ligt het alleen aan haar vermoeidheid. Mona weet opeens zeker dat ze zich na tien minuten slaap een stuk beter zou voelen. Op zulke dagen kan ze soms aan niets anders denken.

Het was een heel vreemd gevoel om de dood van een bekende zwart op wit uit de krant te moeten ervaren. Althans, om er meer over te ervaren, zogezegd. Ze was immers al op de hoogte. Ze had direct de avondeditie van de *Abendzeitung* beneden in het centraal station gekocht, waar die door verkopers in kleermakerszit op de koude tegels werd aangeboden. En dat terwijl ze niet eens in de buurt woonde.

Toen ze de kop 'Vreselijke moord in Haidhausen' gelezen had, was het moeilijk geweest om rustig te blijven. Het liefst had ze de krant ter plekke doorgebladerd, maar dat zou misschien opgevallen zijn. Aan de andere kant: wat dan nog. Ze was een anonieme voorbijgangster, die best haar krant in een voetgangerspassage kon lezen zonder dat iemand dat meteen verdacht zou hoeven te vinden.

Nadat ze lang had staan twijfelen nam ze toch maar met de doorgebladerde krant onder haar arm de roltrap naar de stationshal. Vandaar liep ze naar de perrons en ging langs een van de sporen op een bank zitten. Het was haar vaste plekje, waar ze vaak hele middagen doelloos rondhing. Enkele van de Turkse en Italiaanse bagagewagenchauffeurs, die met hun rupsachtige voertuigen handig tussen de mensenmenigte door laveerden, kenden haar al en zeiden haar gedag, maar accepteerden dat ze meestal niet erg spraakzaam was. Ze vouwde de krant open.

Succesvol grafisch ontwerper uit München gruwelijk vermoord; politie tast volledig in het duister

Het was zijn eigen vriendin die de 39-jarige grafisch ontwerper Konstantin S. dood aantrof, in zijn eigen bloed liggend. 's Nachts om drie uur had de studente Karin S. haar geliefde in zijn woning in de Gravelottestrasse in Haidhausen opgezocht, waar ze de gruwelijke ontdekking in de slaapkamer deed. Volgens het eerste onderzoek van de politie is de keel van Konstantin S. met bruut geweld doorgesneden. Over een mogelijke dader of motief kon de politie geen mededelingen doen. Konstantin S. wordt door zijn vrienden als een beminnelijk, ruimdenkend persoon zonder vijanden omschreven. 'Hij zou nog geen vlieg kwaad doen,' zo omschrijft een geschokte buurvrouw hem, de indruk bevestigend die Konstantin S. overal achterliet. De artdirector van een reclamebureau in Schwabingen was ook bij collega's en ondergeschikten geliefd. Een collega: 'Ik begrijp het niet. We zijn allemaal bedroefd over de dood van een geweldig mens.'

Enzovoort, enzovoort. Ze glimlachte. Beminnelijk persoon, erg grappig. O ja, Konni was verdomd beminnelijk geweest, tenminste wanneer het in zijn kraam te pas kwam. Zo niet, dan gedroeg hij zich als...
Dat hij nu dood was, vervulde haar met een diepe, ongezonde bevrediging. Eindelijk had ze hem verslagen. Hij was zo vitaal geweest dat ze zich in zijn aanwezigheid soms als een zombie gevoeld had, maar dat was nu afgelopen. Ze was vrij. De afgunst, het gevolg van een nooit beantwoorde hartstocht, was voor eens en voor altijd vervlogen. Ze hoefde zichzelf niet meer te haten omdat ze niet zo kon zijn als hij. Ze had gewonnen.
Doden waren verliezers. Niets dat ze ooit meegemaakt, gepresteerd of nagelaten hadden, was nog belangrijk. Dood zijn betekende dat je nooit bestaan had. Natuurlijk, er waren mensen als Goethe, Beethoven of – vooruit dan maar – Hitler, wier sporen niet direct na hun overlijden vervaagden. Maar Konni was gewoon een mislukte kunstenaar geweest. Ze kon een grijns nauwelijks onderdrukken en boog zich verder over de krant heen. Haar bruine ogen flitsten snel van links naar rechts om te controleren of iemand naar haar keek.
Op dat moment hoorde ze de piepende remmen van een binnenlopende trein. Ze keek op en stelde verward vast dat het perron vol mensen was die zich langs haar bank drongen en haar blikken toewierpen alsof ze hier iemand opzettelijk hinderde, terwijl ze alleen maar rustig op die bank zat. Ze kon het omgevingslawaai nu niet meer buitensluiten; het drong zich nu in volle omvang aan haar op. Gelach, geklets, het schrapende geluid van koffers die over de perrontegels geschoven of getrokken werden, het doffe gebons van rubberzolen, het scherpe geklikklak van hoge hakken boorde zich in haar hersenen. Ze moest hier weg; ze kon het niet langer uithouden hier.
Tegelijkertijd wilde ze niet nu al weer terug naar haar huis, dat smerige hol. Langzaam werd het haar duidelijk dat ze een tijdje echt geloofd had

dat Konni's dood haar leven zou kunnen veranderen. Maar haar leven bleef precies zoals het was, of Konni er nu was of niet. Leeg. En nu nog leger, omdat een van degenen weg was met wie ze tijdenlang omgegaan was.

Niets had een positieve wending genomen. Integendeel, alles was nog erger geworden. Ze stond op, vouwde de krant zorgvuldig op en liep met slepende passen op de stationsuitgang af.

2

Toen Mona zeven jaar geleden voor het eerst op Afdeling 11 kwam voor haar sollicitatiegesprek bij de moordbrigade, had ze zich bijna vergist. Ze stond eerst voor een kebabtent en toen voor een Pizza Hut, tot ze constateerde dat haar bestemming daar precies tussenin lag. Niets wijst erop dat op deze plek in de buurt van het centraal station een politiebureau gevestigd is. Het gebouw zelf ziet er al even vervallen uit als de omgeving waar het staat. Hier bevinden zich de afdelingen 11 tot en met 14: moordbrigade, overlijdensonderzoek, georganiseerde criminaliteit, mensenhandel, prostitutie en de OFA, Berghammers beroemde profilerteam dat zich met dader-analyse bezighield. Jarenlang was Mona ingedeeld bij MB3.

We willen graag een vrouw in deze functie, had Berghammer tegen haar gezegd nadat hij haar de promotie tot chef van MB1 aangeboden had. *Maar je zult het niet gemakkelijk krijgen.*

Als ze er nu over nadenkt: ze hadden haar de functie aangeboden alsof ze die aan de straatstenen niet konden slijten. Ze had wellicht moeten informeren of er geen andere interne gegadigden waren. Aan de andere kant: zoiets vraag je niet als je bevorderd wilt worden.

Mona's nieuwe kantoor meet ongeveer twaalf vierkante meter en lijkt nog kleiner omdat de kasten links en rechts vol dikke ordners staan. Omdat ze hier pas tien dagen is, heeft ze nog geen tijd gehad zich met de recente zaken bezig te houden.

De telefoon gaat. Een intern telefoontje. 'Mona, iedereen is er.' De bespreking.

'Ik kom meteen.'

Zij is hier de enige vrouw in een leidinggevende functie. De collega's, die ze al jaren in elk geval van gezicht kent, staren haar sinds haar promotie als een soort fabeldier aan, als ze hun blik al niet afwenden. Niemand gedraagt zich onbeleefd of zelfs openlijk vijandig tegen haar, maar zodra ze een kamer binnenkomt, stopt de conversatie opeens en nemen de gezichten van de aanwezigen een neutrale, nietszeggende uitdrukking aan. Erger nog: wat ze ook zegt, het wordt óf met een demonstratieve geïrriteerde blik voor kennis aangenomen óf gewoonweg genegeerd.

En als ze zich dat allemaal niet slechts inbeeldt, dan gaat het hier om het verschijnsel 'psychische terreur op het werk', een inzicht waarmee ze niets opschiet. Na diverse zelfmoorden van vernederde politieagentes hebben de afdelingschefs opdracht gekregen discriminatie actief te bestrijden. Waar dat in de praktijk op neerkomt, ziet ze hier dagelijks. Een muur van stilzwijgen kun je niet 'actief bestrijden'. Je moet namelijk net doen alsof die niet bestaat. Dan bestaat de kans dat die muur in de loop der tijd vanzelf verdwijnt. Dat houdt Mona zichzelf althans elke ochtend voor als ze weer vol tegenzin naar haar werk gaat, dat momenteel zeker niet ideaal is, maar nog altijd beter dan helemaal geen werk.

Mona opent de deur van de vergaderzaal. Ze wordt ontvangen met geroezemoes.

'Dat kan toch niet waar zijn! Ik geloof het niet.'

'Ik zeg het je toch! Kijk dan zelf!'

'Wat is er aan de hand?' vraagt Mona. Direct, ronduit en onomwonden, zoals een cheffin volgens haar moet zijn. Vijf mannen en een vrouw draaien zich naar haar toe, verstommen en slaan hun ogen neer. Mona ademt diep in en richt zich tot Fischer.

'Hans, vertel me eens waar dit over gaat?'

Fischer is in tweestrijd of hij haar erbij zal betrekken of niet. Maar uiteindelijk moet hij het haar toch zeggen, denkt ze, want zij leidt tenslotte het onderzoek. Ze kan heel rustig blijven. Dat is het enige, denkt ze. Rustig blijven en de langste adem hebben. Het is een soort ingeving, en ze voelt zich er meteen beter bij.

'Er is een fax binnengekomen van de ouders van het slachtoffer. Er is een identieke fax naar de pers gegaan.'

Mona gaat op een van de beige beklede bureaustoelen zitten. 'Je bedoelt dat de ouders van Konstantin Steyer ons een fax hebben gestuurd? Hoe dat zo? Die zijn toch al verhoord.' De vraag waarom ze hierover niet eerder geïnformeerd is, verdringt ze.

'Ze willen een klacht indienen. Over de voortgang van het onderzoek,' zegt Fischer terwijl hij haar de fax geeft. Ze leest die snel door en overlegt even bij zichzelf.

'We verschuiven de bespreking naar half elf.'

'Wind je toch niet zo op. Jij kunt er toch niets aan doen dat die lui onzin verkopen.' Mona kijkt haar collega Armbrüster ongelovig aan. EHIR Armbrüster, hoofd van de MB4. Hij heeft haar een functie aangeboden.

29

Hij praat met haar alsof ze zijn gelijke is. Dat is beide nog nooit gebeurd. Sinds ze haar nieuwe functie heeft, pleegt Armbrüster haar bewust te negeren.

'Hoe moet ik dan reageren volgens jou?' vraagt Mona en hoort tot haar ergernis dat haar stem iets te opgewonden klinkt.

'Staat een van beiden onder verdenking?' Armbrüster zag er misschien wel goed uit als hij zijn haar anders liet knippen. Zijn haren zijn veel te opzichtig golvend geföhnd. Maar dat is absoluut Mona's probleem niet.

'Nee. Ze waren met vrienden op een receptie in Hannover. We hebben dat met de collega's in Hannover nog eens gecheckt.'

'Goed, dan is die brief dus geen afleidingsmanoeuvre. Bel ze op en vraag of ze werkelijk al naar de pers gestapt zijn. In Hannover zitten ze toch een heel eind van die moord vandaan. Ze kennen de plaatselijke media helemaal niet.'

'Was dat maar waar. Ze logeren sinds eergisteren in het Raffael. Ze hebben ook al een paar korte interviews gegeven.'

Armbrüster fluit tussen zijn tanden door. Een vage uienlucht waait over het bureau. 'In het Raffael!'

'Tja, ze zijn niet echt arm, denk ik.'

'Ga met ze praten. Misschien hebben ze alleen iemand nodig die hun hand vasthoudt. Maar laat me je één ding vertellen: Je zult weinig plezier aan deze zaak beleven. Rijke doden leveren altijd gedonder op.'

'Dat zal best. Het is mijn eerste rijke dode.'

De bespreking duurt kort, want er is niets nieuws te melden. Zes man hebben in drie dagen achttien mensen verhoord. Kennissen, vrienden, collega's, buren, ouders, Steyers werkster, de postbode, de werknemers van de sushi-bezorgservice waar Steyer vaste klant was. Niemand heeft iets gezien of gehoord. Niemand spreekt een verdenking uit, niemand een duidelijk motief, niemand heeft iets te melden dat op een spoor lijkt. Niet iedereen heeft een alibi, maar zolang ze niet verdacht zijn, is dat ook niet nodig.

'Die man had geen vijanden,' zo vat Fischer samen.

'Dat kan toch nauwelijks waar zijn,' zegt Mona.

'Dat kan heel goed waar zijn. Roofmoordenaars kennen hun slachtoffer meestal niet eens.'

'Je weet dat daar geen sprake van kan zijn. Zelfs Steyers portefeuille was niet eens gestolen.'

'De dader werd gestoord.'

'Door wie? Waarom heeft hij of zij zich tot nu toe niet bij ons gemeld, gezien alle media-aandacht?'

Fischer zwijgt. Ze hebben hierover al gediscussieerd. Fischer gaat uit van de stelling dat gezien het onderzoek tot nu toe iets anders dan roofmoord uit te sluiten is, dus moet het roofmoord geweest zijn. Volgens zijn scenario heeft de inbreker heel normaal bij de huisdeur aangebeld en heeft Steyer hem argeloos binnengelaten. Eerste tegenwerping: inbraak volgens de overrompelingsmethode komt voor, maar meestal overdag, niet midden in de nacht. Tweede tegenwerping: waarom heeft hij na zijn daad niets meegenomen, hoewel hij naar hun beste weten niet gestoord werd? Omdat hij plotseling in paniek raakte na het bloedbad dat hij aangericht had, zo luidt Fischers tweede theorie. Die baseert hij op het inzicht dat de meeste criminelen crimineel worden omdat ze voor een legaal baantje gewoonweg te stom zijn.

Mona weet dat dat meestal klopt. Misschien bestaat een klein percentage van de inbrekers uit echte gentlemen, maar zij heeft er nog nooit een ontmoet. En toch gelooft ze niet in roofmoord.

'Een garrot is een ijzeren halsboei. In Spanje en Portugal werd daarmee vroeger de doodstraf voltrokken,' zegt de forensisch patholoog-anatoom, een kleine ronde man met een gezonde gelaatskleur, professor aan een instituut voor forensische geneeskunde. Hij heet Herzog en wordt vanwege zijn gedrongen postuur en zijn zelfbewuste lichaamshouding door de collega's van Afdeling 11 Napoleon genoemd. Mona is minstens een kop groter dan hij, maar hij schenkt haar zoals gewoonlijk een blik alsof het omgekeerde het geval is.

Ze staan op de begane grond van het Instituut voor Forensische Geneeskunde voor de zware, matglanzende metalen deuren van de koelruimtes. Er klinkt gerommel waarna een van de deuren openzwaait. Een jonge man met een kale schedel rijdt de brancard met het afgedekte lijk van Konstantin Steyer naar buiten.

'Waar moet ik hem neerzetten?'

'Zet hem maar bij het raam,' zegt Herzog en wenkt Mona hem te volgen. Zijn forse stappen klinken hol in de hoge betegelde ruimte. Het ruikt een beetje naar ontsmettingsmiddel.

'Sinds wanneer werkt u eigenlijk in uw nieuwe functie?' vraagt Herzog op ontspannen toon.

'Sinds bijna twee weken,' zegt Mona, hoewel ze zeker weet dat Herzog daar allang van op de hoogte is. Fischer was gisteren tenslotte bij de sectie aanwezig.

'Bedankt, Bernd,' zegt Herzog tegen de jongeman, die zich daarna terugtrekt. Mona slaat het witte plastic zeil over het lijk weg. Door het vale daglicht dat op Steyer valt, ziet zijn huid er nog grauwer en levenlozer uit. Van de kin tot de genitaliën loopt een lange naad. Ook de halswond is met grote steken dichtgenaaid.

'Fischer zegt dat hij niet gestikt is. Klopt dat?'

Herzog glimlacht. Als de vraag hem al irriteert, dan laat hij dat niet merken. Waarom zou Fischer tegen haar liegen? Er bestaat immers een sectieprotocol. 'Laten we het zo zeggen: hij zou gestikt zijn. Als hij niet al eerder door een luchtembolie overleden was.'

'Aha.'

Herzog buigt zich over het lijk heen en legt zijn vinger op een plek op de halswond. 'Door het zeer dunne, zeer harde wurginstrument werd de halsslagader geraakt, vandaar ook al het bloed. Als de halsslagader bloedt, dan kan onderdruk ontstaan. Er wordt lucht in de bloedsomloop gezogen, het hart pompt schuim rond, zogezegd. Er ontstaan krampen. Dan houdt het hart op met slaan.'

'Hoelang heeft het geduurd?'

'Ongeveer zes minuten, denk ik. Na vier minuten treedt bewusteloosheid in.'

'Welk moordwapen?'

'Fischer heeft me op het idee gebracht en ik denk dat dat wel eens plausibel kon zijn; waarschijnlijk een relatief dun stuk draad met twee houten handgrepen aan de einden zodat het niet in de handen snijdt. Begrijpt u?' Herzog maakt een pantomimebeweging met beide handen, alsof hij aan een expander trekt. 'Je legt dat ding bij de betreffende persoon om zijn nek en trekt plotseling aan de grepen. Een eenvoudig, geluidloos en relatief efficiënt wapen. De onderdelen zijn bij elke bouwmarkt verkrijgbaar.'

'Is hij bedwelmd? Drugs, barbituraten en zo?'

'Benzodiazepine,' zegt Herzog zo snel dat het lijkt alsof hij op de vraag gewacht heeft.

Mona spitst de oren. Dat heeft Fischer niet tegen haar gezegd.

'Valium of zo?'

'Ja, bijvoorbeeld. Het zou valium geweest kunnen zijn. In elk geval een tranquillizer. Hoe bevalt het u in uw nieuwe functie? Nog hartelijk gefeliciteerd trouwens.'

'Dank u. En de dosis?'

Herzog glimlacht weer, en opeens voelt Mona de aandrang hem in vertrouwen te nemen. Maar daarvoor is hun onderlinge afstand te groot.

'Relatief hoog, maar niet hoog genoeg. Hij was niet onder invloed, als u dat bedoelt. Misschien lichtelijk versuft, maar verder geheel bij zinnen.'

Mona begrijpt het niet. Herzog zegt: 'Ik denk dat hij het zelf heeft inge-
nomen. Mogelijk regelmatig en gedurende langere tijd. Begrijpt u me
goed, een arts heeft hem dat voorgeschreven, heel normaal. Als psycho-
farmacum. Bevond hij zich in een crisis?'
'Weet ik niet. Iedereen die we ondervraagd hebben, zegt het tegendeel.
Nog ziektes?'
'Verder niets. Hij was kerngezond en fit. Alle organen normaal. Volkomen normaal. Werkelijk betreurenswaardig, als u begrijpt wat ik bedoel.'
Mona knikt en werpt een blik op het lijk van Konstantin Steyer, dat nu
voor de begrafenis kan worden vrijgegeven. Een mooi lijk, zeggen ze hier
op het platteland als de begrafenis en de koffiemaaltijd waardig zijn verlopen. Voor Mona krijgt deze uitdrukking opeens weer haar letterlijke
betekenis terug. Konstantin Steyer is nog altijd mooi, ondanks de halswond, ondanks de grove naad die zijn lichaam ontsiert en ondanks het
feit dat de dood hem van alle persoonlijke kenmerken beroofd heeft.
Maar hij heeft nog steeds fijne gelaatstrekken, zijn donkere haar is dicht
en vol en zijn lichaam slank, breedgeschouderd en krachtig. Geen junk,
geen drinker, geen dakloze die verzwakt is door tal van aandoeningen,
geen mislukt individu dat zijn leven eigenlijk al achter zich heeft. In
plaats daarvan zag ze iemand die graag geleefd had en nog veel van plan
was geweest. Die indruk maakte hij in elk geval op de rest van de wereld.
'Onze zoon was alles voor ons,' staat in de brief van de ouders die ook
naar de plaatselijke media is gestuurd. 'Hij was een verdraagzaam, beminnelijk en vrolijk mens. Hij gaf nooit aanleiding tot haat of agressie.
We zullen daarom niet rusten tot degene gepakt is die zijn leven op zo'n
gruwelijke wijze beëindigd heeft. Daarvoor eisen wij aanzienlijk meer
medewerking van de kant van de plaatselijke autoriteiten. Het is bijvoorbeeld ronduit schandalig dat we niet voortdurend over de voortgang van
het onderzoek geïnformeerd worden. (Als daarvan al sprake is... we hebben niet de indruk!) In plaats daarvan werd ons kortaf meegedeeld dat er op
dit moment geen verdachten waren, maar dat elk mogelijk spoor gevolgd
zou worden. Om met dergelijke gevoelloze holle frasen afgescheept te worden nadat je net je enige kind hebt verloren, is bitter en kan door ons niet
getolereerd worden...'
Enzovoort. Mona ziet de krantenkoppen al voor zich. 'Ouders van de vermoorde man klagen recherche aan.' Ze heeft de Steyers op aanraden van
Armbrüster opgebeld en zich bij die gelegenheid tot de belofte laten verleiden dat ze hen vanavond in Hotel Raffael op de hoogte zal brengen van de
vorderingen in het onderzoek. En dat was mogelijk een fout. Maar de moeder van Steyer begon vreselijk te snikken aan de telefoon, en daarom leek

het haar veiliger naar hen toe te gaan. Veiliger dan een zenuwinstorting te riskeren die de pers helemaal in rep en roer zou brengen.

'Nog even over die garrot,' zegt ze tegen Herzog, terwijl ze het lijk langzaam weer toedekt, maar hals en gezicht vrij laat.

'Het was geen garrot. Dat heb ik u toch uitgelegd. Wie heeft u dat toch wijsgemaakt?'

'Dat was Fischer. Vanwege de wondranden.'

'Goed, dat met die draad heb ik u uitgelegd. Geen garrot, maar een draad.'

'Ja,' zegt Mona. 'Ik ben echt niet traag van begrip. Vergeet u die garrot.' Ze heeft te luid gesproken. Ze moet zich beter beheersen. Ze reageert te emotioneel en geeft zich daardoor bloot. Maar dan haalt ze onwillekeurig toch zo diep adem dat Herzog haar nieuwsgierig aankijkt.

'Voelt u zich niet goed?'

'Jawel hoor,' zegt Mona en merkt op hetzelfde moment dat haar maag omdraait door de hele atmosfeer hier. De oude, vergeelde tegels, de betonnen vloer, de drie grijze stenen sectiekuipen midden in de ruimte. Het lijk zelf. Ze heeft er al zoveel gezien. Ze heeft al zo vaak dat geluid gehoord als een stoffelijk overschot op de brancard gelegd wordt – het is een doffe luide 'plong', omdat het verslapte spiervlees de klap van de botten op het metaal niet meer kan dempen – ze is bij ontelbaar veel obducties geweest, heeft de stank van kots, urine en ontbindend vlees doorstaan, evenals de aanblik van bloed en lichaamsvloeistoffen die gorgelend door de afvoer van de sectiekuip verdwenen. En toch is het elke keer weer anders.

'Er zou hier eens opnieuw betegeld moeten worden,' zegt ze uiteindelijk.

'Voor een renovatie hebben we helaas geen geld, dat weet u toch,' zegt Herzog, terwijl hij haar blijft aankijken.

'Tja, het is overal hetzelfde.' Mona weet zich te beheersen. 'Goed, nog even over het moordwapen. Die draad.'

'Ja,' zegt Herzog. Eindelijk wendt hij zijn blik af en hervindt zijn professionaliteit. 'De wondranden zijn rafelig, niet glad zoals bij een messteek. Bovendien lopen ze over de hele hals, dus ook over de nek van het slachtoffer. Het laatste is een aanwijzing voor een wurgwapen. Wilt u de wond in de nek zien? Dan moet ik de dode omdraaien.'

'Nee, nee.'

'Hier bij de oogleden ziet u de puntvormige kwetsuren die met absolute zekerheid op een wurgwapen wijzen. Daar bestaat echt geen twijfel over. Ik zou zeggen dat de dader uit alle macht heeft getrokken, en wel zo stevig dat de halsslagader is getroffen.'

'Bedoelt u dat de dader dat wilde? Absolute zekerheid dat Steyer werkelijk zou sterven, bedoel ik?'

Lichtblauwe ogen achter kleurloze wimpers staren haar indringend aan. 'Ik denk dat iedere dader die van plan is een moord te plegen heel graag zeker wil weten dat zijn opzet slaagt.'

Mona glimlacht met samengeperste lippen. 'Geen opwelling?'

Herzog glimlacht nu ook. 'U moet het opsporingsonderzoek doen. Naar mijn mening fabriceert niemand een dergelijk wapen als hij dat niet gebruiken wil. Ik geloof dat die garrot, of hoe u het ook wilt noemen, slechts één doel had, namelijk iemand te doden.

Zacht geel licht, elegant modern interieur. Mona kauwt op een snee witbrood. Mevrouw Steyer heeft zich even zorgvuldig opgemaakt als bij een officieel bezoek. Haar man staart uitdrukkingsloos voor zich uit. Zijn perfect geknipte haar zit nogal warrig en zijn dure jasje is gekreukt, alsof hij het al dagen niet uitgetrokken heeft. Konstantin Steyer was hun enige zoon. Nu hebben ze alleen elkaar nog, en Mona bedenkt dat dat idee waarschijnlijk voor beiden het ergst is: ze zijn nu uitsluitend op elkaar aangewezen. Zonder de bemiddelaar, ter wille van wie ze het zo lang geprobeerd hebben met elkaar uit te houden.

Wat verwachten ze? Troost? Die is er niet. De moordenaar op een presenteerblaadje? Ze hebben nog niet eens een verdachte. Zelfs over de toedracht weten ze nauwelijks iets.

'Wat wilt u eten?' vraagt meneer Steyer met hese stem. Hij schraapt zijn keel, hoest.

'Niets, dank u. Koffie misschien.'

'Maar ik...'

'Alstublieft,' zegt zijn vrouw. 'Doet u ons alstublieft een plezier en eet wat met ons mee. Uiteraard op onze kosten.'

'Alstublieft! U moet toch honger hebben na zo'n lange dag...'

'Hou op, Renate! Je brengt haar nog in verlegenheid.' Maar hij houdt Mona voor de tweede maal de menukaart voor met een gezichtsuitdrukking die haar ertoe verleidt er toch een blik op te werpen.

Ze bestelt uiteindelijk een *Tafelspitz* – gekookt rundvlees in soep – die duur is, maar nog altijd goedkoper dan de meeste andere gerechten. Mevrouw Steyer bestelt een wortelcrèmesoep, meneer Steyer een salade. Beide zijn aanzienlijk goedkoper dan de Tafelspitz.

'Hoe ver bent u? Hebt u een verdachte?'

Steyers stem klinkt nu behoorlijk wat opgewekter, hij zit meer rechtop en komt weer optimistischer en energieker over. Dat is momenteel zijn enige doel, dat houdt hem in leven. Vergelding. In Amerika laten de verwanten van vele vermoorde slachtoffers zich de kans niet ontgaan om bij de terechtstelling van de dader aanwezig te zijn. Alsof ze hoopten dat de executie iets ongedaan zou maken. Maar dat gevoel van genoegdoening is niet blijvend. In plaats daarvan keert de pijn vroeg of laat nog heviger en indringender terug, want na de door de staat voltrokken wraakactie blijft er niets over om die pijn te compenseren.

Mona heeft daarover een artikel bewaard. Als iemand omgebracht wordt, dan roepen de nabestaanden hier te lande al snel om de doodstraf. Mona kopieert het artikel dan voor hen. Of dat zin heeft, weet ze niet. Misschien in sommige gevallen wel. Bij Steyer zou het zeker geen zin hebben. Die zou zijn motieven niet eens toegeven. Hij zou met een abstract begrip als 'gerechtigheid' op de proppen komen en er stellig in geloven dat het hem alleen daarom te doen was, en niet om bijvoorbeeld het verdriet zo lang mogelijk op afstand te houden.

Mona zegt: 'We hebben tot nu toe geen verdachte. Geen spoor, niets. Ik zou u liever iets anders vertellen, maar ik schiet er niets mee op om u voor te liegen. Uw zoon was succesvol. Iedereen mocht hem, iedereen had het beste met hem voor. Hij moet een vijand gehad hebben, maar we weten niet wie dat geweest kan zijn. We zijn radeloos, en daarom kom ik bij u. U bent al ondervraagd, maar misschien weet u toch nog iets dat ons verder kan helpen.'

'Wat kunnen we doen?' vraagt mevrouw Steyer vurig. Je ziet aan haar dat ze iets wil ondernemen, niet zomaar zinloos wil blijven zitten treuren. Hun maaltijden worden opgediend, maar geen van drieën schenkt er aandacht aan.

'Uw zoon Konstantin woonde sinds zeventien jaar in München. Hij heeft u vier- tot vijfmaal per jaar bezocht, en de kerstdagen heeft hij altijd bij u doorgebracht. Verder had hij nauwelijks nog bekenden of vrienden in Hannover. Klopt dat?'

'Ja, dat klopt. Als hij in Hannover was, dan was dat vanwege ons,' zegt mevrouw Steyer.

'Hij heeft nooit iemand anders bezocht als hij bij u was? Geen oude schoolvrienden?'

'Nee, Hannover was voor hem voltooid verleden tijd. Alleen nog interessant omdat wij daar wonen. Maar dat geeft ook helemaal niet bij een volwassen man.'

'U hebt hem tamelijk vaak hier bezocht. Waar hebt u dan gelogeerd? Bij hem?'

'Nee, nee. Hier, in het hotel. Maar we hebben wel vaak bij hem gegeten.

Hij kon erg goed koken...' Mevrouw Steyer valt stil, vecht tegen de tranen. Alles komt weer terug. Steeds zal het verdriet aanwezig zijn, de rest van haar leven zal ze er altijd door gekweld worden. Ze zal nooit meer gelukkig zijn. Het is een afschuwelijk idee, maar nog erger is de overtuiging die steeds sterker wordt: misschien is het haar schuld. Misschien straft God haar ervoor dat ze de goede tijden niet voldoende op waarde geschat heeft, dat ze niet dankbaar genoeg is geweest voor alles wat ze had.

'Zal ik maar stoppen? Het is laat, u bent moe.'

'Nee... Nee, niet. Ik red het wel.'

'Als u hier bij hem was, hebt u dan vrienden van hem leren kennen?'

Steyer onderbreekt haar ongeduldig. 'Neem me niet kwalijk, maar dat hebben we toch allemaal al aan uw collega's verteld. We hebben u de namen van de paar mensen gegeven die wij via Konstantin kenden, we hebben...'

'De personen op wie u ons gewezen hebt, zijn allemaal nagetrokken. Er was niemand bij die een reden kon hebben om uw zoon iets aan te doen.'

Steyer schudt zijn hoofd, nu weer rustiger. 'We hebben samen met uw collega's een lijst gemaakt. Er stonden niet meer dan vijf of zes namen op. Meer mensen hebben we bij Konstantin niet leren kennen, heel zeker niet.'

'Vertelt u me dan iets over Konstantin. Over zijn karakter, over zijn schaduwzijden. Niemand is altijd gelukkig, niemand is zonder fouten. U kent hem beter dan zijn beste vrienden. Denkt u eens na. Op welk gebied waren er problemen?'

Ze kijken elkaar aan, denken na. Ze doen zichtbaar hun best.

'Hij was echt een zondagskind,' zegt mevrouw Steyer ten slotte.

'Ja, dat zeggen ze allemaal. Maar niemand is altijd gelukkig.'

Zwijgen. Mona vraagt zich af of ze over de benzodiazepines in zijn bloed moet vertellen. Over de buisjes met valiumtabletten die de recherche in het bad van Konstantin Steyer aangetroffen heeft. In plaats daarvan begint ze haar Tafelspitz te eten. Het vlees is koud geworden en voelt taai en draderig aan in haar mond. Koud, dood vlees. Ze legt haar vork voorzichtig op haar bord en neemt een slok water. De tijd lijkt even te haperen en dan stil te blijven staan.

Dan zegt mevrouw Steyer met een onnatuurlijk hoge, geagiteerde stem: 'Ik weet gewoon niet waar u heen wilt. U stelt de zaak zo voor alsof mijn zoon schuld zou hebben aan... Dat is niet waar. Dat is niet waar!'

Ze springt op en de stoel valt achter haar om. Haar gezicht is zo bleek dat Mona en Steyer automatisch eveneens opstaan, maar mevrouw Steyer heft als een agent van de verkeerspolitie haar hand op zodat ze beiden midden in hun actie stilhouden.

'Konstantin is niet schuldig aan zijn dood. Er waren geen schaduwzijden, geen verborgen zaken...'
'Ik geloof dat u me verkeerd begrepen hebt.'
'Houd uw mond!'
Steyer kijkt zijn vrouw ontsteld aan. 'Renate, je moet...'
'Houd jij ook je mond! Jij bent hier niet de enige die het recht heeft zich op te winden!'
'Natuurlijk niet, maar...'
'Nu ben ik aan de beurt!'
'Goed dan, mevrouw Steyer,' zegt Mona. 'Wij houden allebei onze mond en u zegt wat u te zeggen hebt. Maar we gaan wél weer zitten. Is dat goed wat u betreft?' Ze werpt een blik door het halflege restaurant. De overige gasten turen ingespannen naar hun bord, de obers houden zich op de achtergrond.
Steyer zet de stoel van zijn vrouw rechtop en houdt die voor haar gereed. Mevrouw Steyer gaat snel weer zitten. Haar gezichtsuitdrukking is nog altijd gespannen en geagiteerd. Haar man blijft achter haar staan en kijkt op haar neer alsof hij trots op haar is. Misschien is hij dat ook. Misschien heeft hij haar nog nooit zo meegemaakt.
'Enkele dagen geleden,' zegt mevrouw Steyer ten slotte, 'stond ik in de tuin en voerde een gesprek met de postbode. Hij is al tamelijk oud en kent Konstantin al sinds hij klein was. Hij vraagt altijd naar hem, dat is echt ontroerend. Hij zegt altijd dat Konstantin een van de beleefdste, vriendelijkste en vrolijkste kinderen was die hij ooit gekend heeft. Die ochtend hoorde ik de telefoon overgaan en ben naar binnen gelopen. Ik heb die oude man gewoon laten staan omdat ik een telefoontje van de garage verwachtte waar mijn auto een beurt kreeg. Maar het was de politie.' Ze huilt, haar hoofd met haar rechterhand ondersteunend. Mona wacht en voelt zich niet op haar gemak. Het moment waarop ze de kwestie met de valium ter sprake had willen brengen, is definitief voorbij. Misschien morgen. Steyer wenkt ten slotte de ober, waarna Mona afscheid neemt.

Het is al na elven als ze de Schleissheimer Strasse inrijdt om haar zoon af te halen. Lukas' vader Anton heeft de woning drie jaar geleden gekocht. Het huis waarin ze zich bevindt ziet er zo verwaarloosd uit dat het bijna een bouwval lijkt. Maar dat is gezichtsbedrog. Anton heeft de woning toentertijd voor een spotprijs weten te kopen, ondanks de relatief gunstige ligging tussen de Schelling- en de Theresienstrasse, omdat de bouwkundige staat van het huis voor andere kapitaalkrachtig geïnteresseerden niet aantrekkelijk genoeg was. Maar hij heeft de woning op de zesde verdieping tot een gezellige maisonnette met dakterras verbouwd. Die verbouwing heeft hem waarschijnlijk nog eens het dubbele van de koopprijs gekost, maar nu geniet hij van de enthousiaste blikken van zijn bezoekers als hij ze door zijn fraaie bezit rondleidt.

Je moet de mogelijkheden van een zaak weten te herkennen, zegt hij altijd.

Voordat Mona haar reservesleutel in het slot kan steken, trekt hij de deur open.

'Waar ben jij zolang geweest?'

Maar hij klinkt niet boos, eerder geëmotioneerd. Hij is gekleed in een wit, ietwat gekreukeld linnen overhemd en een zwarte linnen broek, die beslist een flink bedrag gekost hebben. Hij ruikt een uur in de wind naar zijn favoriete aftershave van Joop. Wie hem niet kent, zou kunnen denken dat hij zich voor Mona zo opgedirkt had. Maar Mona kent hem al heel wat jaartjes en weet dat zelfs het bezoek van zijn belastingadviseuse – een stevig gebouwde vrouw van in de zestig – hem aanleiding geeft zich piekfijn uit te dossen. Waar het om gaat, is dat het bezoek vrouwelijk is.

'Wat sta je daar nou?' Hij slaat stralend zijn armen om haar heen. Mona verstijft onwillekeurig. Ze voelt zich als een houten plank, volkomen onbeweeglijk. Zo gaat het altijd. Ze heeft tijd nodig om warm te worden. Anton is tot nu toe de enige man in haar leven die zich daar helemaal nooit aan lijkt te storen. Hij houdt haar in dergelijke gevallen simpelweg vast en wacht tot ze zich heeft ontspannen. Anton is nauwelijks groter dan zij, maar heeft brede schouders en een stevig postuur met een beginnend buikje, dat hij sinds jaar en dag door training probeert kwijt te raken.

Het is jammer dat ze geen stel meer kunnen zijn.

'Je ruikt lekker,' zegt Anton, alsof hij haar gedachten gelezen heeft. Hij begraaft zijn gezicht in haar haren.

'Ach kom.'

'Ja, echt. Naar zweet en werk. Zweet is...'

'Het parfum van de arbeider,' zegt Mona, terwijl ze zich voorzichtig van hem losmaakt. 'Jij hebt ook altijd dezelfde spreekwoorden paraat.' Maar het gaat al beter met haar.

'Wil je een glas wijn voordat je vertrekt? Lukas slaapt al.'

Mona weet hoe de avond eindigt als ze nu ja zegt. Maar aan de andere kant: voor wie moet ze zich eigenlijk voortdurend beheersen? Goed, Anton balanceert met zijn zakelijke activiteiten op de rand van de illegaliteit en hij heeft ook al in de bak gezeten wegens bedrieglijke bankbreuk, en het zou haar carrière schade kunnen toebrengen als iemand van haar collega's wist dat de vader van haar zoon auto's naar Polen transporteert en daarmee een hoop geld verdient, onder gegarandeerd niet altijd kosjere omstandigheden.

Ze is op dit moment zelfs bang dat er weer een onderzoek tegen hem loopt. Ze heeft zoiets gehoord.

Maar aan de andere kant: Wat kan het schelen. Hij is nog altijd de beste vader die ze zich voor Lukas kan wensen.

'Goed,' zegt ze daarom. En niet alleen daarom, als ze eerlijk is.

3

Als Mona de volgende dag van de lunch terugkomt, wordt ze opgewacht door een kleine man met grijs haar. Hij zit op de bezoekersstoel met een wijnrode aktetas op zijn schoot. Ze heeft hem nog nooit gezien.

'Ze hebben me verteld dat u de eh... collega bent die de zaak met de garrotmoordenaar behandelt.

'Garrotmoordenaar? Wie zou dat dan moeten zijn?'

De man houdt een *Bildzeitung* omhoog. 'Politie zoekt de garrotmoordenaar.'

'Hoe weet u dat van die garrot? Daarover is met geen woord gesproken op de persconferentie!' Mona verstomt. Wie is die man? Is hij soms van *Bild?* Ze kent de politieverslaggever van *Bild,* maar misschien is er een nieuwe. 'Wie bent u eigenlijk?'

Hij stelt zich voor als Egon Bode. Inspecteur van de recherche, politiedistrict Miesbach. Volgens hem, zegt hij, zou er een verband zijn met een zaak waaraan hij bezig is.

'Een moord?'

'Ja zeker, een moord. Een vrouw, gewurgd in de nacht van 28 op 29 september. Waarschijnlijk ook met zo'n garrot of hoe dat ook heet. Echt heel smerig.'

'Het was geen garrot. Een garrot is een halsboei...'

'Maar het staat hier toch!'

'Gelooft u altijd alles wat in *Bild* staat?'

'Hier staat dat het een stuk draad met twee handgrepen eraan was.'

'Dat vermóéden we.'

'Zeker. En wij ook.'

Mona haalde diep adem. Ze heeft een hamburger met patat gegeten en voelt zich aangenaam loom.

'Die moord heeft in Miesbach plaatsgevonden?'

'Nee. In Tirol, bij Telfs in de bergen. Maar de vrouw woonde in Issing, in het district Miesbach.'

'Was ze daar op vakantie? In Tirol, bedoel ik?'

'Ik zou het geen vakantie noemen. Ze was met haar man en tien leerlingen op een soort excursie. Ze hebben in een berghut overnacht.'
'Was ze lerares?'
'Nee, haar man. Hij is leraar Frans op een internaat aan de Tegernsee, in Issing om precies te zijn. Kent u dat?'
'Wat, dat internaat? Nee.'
'In elk geval was ze er in Telfs alleen maar bij als extra toezichthouder.'
'Aha.'
'In de nacht van 28 op 29 september heeft ze de hut verlaten. Niemand weet waarom. De volgende ochtend is ze in een kloof gevonden. Gewurgd, zoals ik al zei. Waarschijnlijk met een draad, zegt onze patholoog. Ze heeft veel bloed verloren. De slagader was getroffen. Daarna is ze twintig meter diep in de kloof gevallen, of geworpen.'
Mona kijkt op haar kalender. 'Vandaag is het 20 oktober. Die zaak speelde zich drie weken geleden op minstens honderd kilometer afstand af. Ik zie geen verband.'
'O nee? Hoeveel garrotmoordenaars bent u al tegengekomen?'
Het blijft even stil.
'Niet een,' geeft Mona toe. De band van haar Levi's zit te strak en ze vraagt zich af hoe ze onopvallend het bovenste knoopje los kan maken. 'Soms bestaat toeval nu eenmaal,' zegt ze in plaats daarvan. 'Zoals deze moorden van amokmakers. Soms gebeurt er maandenlang niets en dan zijn er verspreid over het hele land opeens drie tegelijk.'
Maar daarmee weet Mona nog niet eens zichzelf te overtuigen.

De laatste dag van zijn leven bracht Konstantin Steyer bij het reclamebureau Weber & Partner door. 's Ochtends maakte hij diverse lay-outs en voerde een gesprek met een freelance fotograaf die met Weber & Partner zaken wilde doen. Aansluitend ontwierp Steyer een eerste concept voor de advertentiepagina van een sterkedrankfabrikant. 's Middags at hij samen met een van de eigenaars van het reclamebureau en een klant in een Italiaans restaurant in de Ungererstrasse.
's Middags werd een vergadering bijeengeroepen omdat een klant zonder reden op het laatste moment afgehaakt was en ze gezamenlijk wilden bespreken wat er misgegaan was. Steyer had zich daarbij volstrekt normaal gedragen, zegt iedereen. Niemand was iets bijzonders opgevallen.
Steyer verliet het reclamebureau tegen 19.30 uur. Karin Stolowski haalde hem af. Ze wilde hem verrassen en had de ingrediënten voor een Indiase kipcurry gekocht. Ze reden naar zijn huis. Tussen 20 en 21 uur bereidden ze de kip, daarna aten ze.

Tijdens het eten vertelde Karin Stolowski dat haar ouders haar dat weekend zouden bezoeken en bij die gelegenheid graag de nieuwe vriend van hun dochter wilden leren kennen. In haar getuigenverklaring staat: 'Ik zocht daar niets bijzonders achter, maar Konstantin was er helemaal niet enthousiast over. Hij kwam steeds met vreemde uitvluchten. Hij moest in het weekend werken, hij was nu niet in de stemming voor een ontmoeting met onbekenden, het kon later toch ook nog wel.' Karin Stolowski dacht eerst dat hij een grapje maakte. Waarom was het zo'n probleem om met haar ouders uit eten te gaan? Hij hoefde dan toch niet meteen met haar te trouwen?

Ze had een fout begaan door er steeds op door te blijven gaan. Uiteindelijk was hij echt kwaad geworden. Hij had er een hekel aan als hij zich zo moest vastleggen, hij had geen zin om als schoonzoon in spe gepresenteerd te worden, ze moest hem niet lastigvallen met al die flauwekul, hij zat al tot zijn nek in de shit.

Wat bedoelde hij daarmee, met dat 'tot zijn nek in de shit'?

Karin Stolowski weet het niet. Geen van de ondervraagden weet het. Het is goed mogelijk dat hij dat zomaar in het wilde weg gezegd heeft.

In elk geval escaleerde de ruzie, waarna ze uiteindelijk de woning verliet. Daarbij hoopte ze natuurlijk dat hij haar zou tegenhouden. Maar hij had haar alle vijf verdiepingen naar beneden laten hollen. Op straat had ze nog eenmaal naar het raam omhoog gekeken. Maar hij had haar niet eens nagekeken. Ze had bijna het gevoel gehad dat hij bewust ruzie geschopt had om van haar af te komen.

Behalve de moordenaar is Karin Stolowski de laatste die Steyer in leven gezien heeft. De voorlopige toxicologische analyses hebben niets bijzonders opgeleverd. Geen vreemd weefsel onder Steyers vingernagels, geen sporen van een gevecht. De vezelanalyse van zijn kledingstukken is nog niet klaar.

'En zij kan het niet geweest zijn?' vraagt EHIR Krieger, hoofd van de moordbrigade en Mona's directe baas.

'Wie? Stolowski? In geen geval,' zegt Mona. 'Dat meisje is zo...' Er valt haar geen ander woord dan 'onschuldig' in, maar dat lijkt haar niet passend. 'Voordat iemand zoals zij een moord begaat, moet er ongelooflijk veel gebeurd zijn.'

'Misschien had ze slechte ervaringen met mannen opgedaan, die zich opgestapeld hebben. Misschien had ze reden om jaloers te zijn. Hebben jullie haar verleden onderzocht?'

'Ja. Volstrekt normaal. Goede leerlinge, goede studente, veel vrienden, iedereen mag haar. Bovendien plegen vrouwen geen moord uit jaloezie, dat doen alleen mannen. Vrouwen plegen een moord omdat ze van iemand af willen.'

'Aha, ziedaar.'

'Dat weet je toch zelf ook heel goed.'

'Geen enkele zaak...'

'Is gelijk aan een andere. Dat weet ik ook wel.'

'Waarom zit je dan eigenlijk hier, als je alles al weet?'

Mona merkt dat haar gezicht in het raam achter Krieger weerspiegeld wordt. Uit de verte ziet het er klein en vervormd uit, haar lange bruine haren lijken op een strakke cape om haar hoofd. Ze moet haar pony laten knippen. Het is vijf uur in de middag, en ze heeft niets gegeten, behalve een hamburger met patat. Dat klinkt als een ongelooflijk inspannende werkdag, maar wat heeft ze nu eigenlijk echt gedaan, behalve voortdurend telefoneren, vergaderen en verhoren lezen? Lukas zit nu waarschijnlijk al in de lege woning voor de tv te zappen. Misschien heeft hij ook zijn vriendje Jan meegebracht, die altijd de nieuwste computerspelletjes heeft.

'Voel je je eigenlijk wel goed nu?' vraagt Krieger opeens.

Mona kijkt hem aan. Wat bedoelt hij daarmee? Wil hij het werkelijk weten of was dat verborgen kritiek?

'Zeker wel,' zegt ze op neutrale toon. 'Waarom vraag je dat?'

'Geen speciale reden. Je bent pas bevorderd en bent met je eerste zaak bezig; ik kan me voorstellen dat...'

'Het me allemaal te veel wordt?'

'Nee!' Krieger schuift zenuwachtig op zijn stoel heen en weer, wat er vreemd uitziet omdat hij zo'n zware man is. Hij zet zijn bril af en begint aan een van de poten te kauwen. 'Berti dacht...'

'Berti?'

'Berti Armbrüster,'

'Armbrüster! Wat heeft die ermee te maken?'

'Niets! Je had problemen met de ouders van het slachtoffer, klopt dat?'

'Dat heeft Armbrüster je verteld.'

'Wat maakt dat nou uit, wie...'

'Ik had geen problemen met de ouders. De ouders verwachtten een wonder, en wonderen bestaan niet.'

'Mooi. Ik wil geen toestanden met de pers.'

'De ouders hebben sindsdien geen interviews meer gegeven.'

'Maar ze zijn nog in München.'

'Ik kan ze toch niet naar huis sturen?'

Zwijgen. Buiten klinkt het geraas van het verkeer, er rinkelt een tram. Mona besluit dat het beter is niet verder op dit onderwerp door te gaan. 'Om je vraag te beantwoorden: het gaat goed met me. En ik wil morgen heel graag op dienstreis naar Issing.'

'Pardon?'

'Ja. Een collega uit Miesbach was gisteren hier. Egon Bode. Ze hebben daar een soortgelijk geval in een internaat in Issing. Een vrouw die gewurgd is, waarschijnlijk ook met een draad.' Mona beschrijft de omstandigheden. Krieger lijkt niet erg onder de indruk.

'En de dader is eveneens onbekend?' vraagt hij.

'Ja. Die acht scholieren hebben de echtgenoot een alibi gegeven. Vijf van hen hebben samen met hem de halve nacht zitten pimpelen en kletsen. Toen ze tegen vier uur nog een paar uurtjes wilden gaan slapen, constateerden ze dat ze er niet meer was.'

'De vrouw van de leraar?'

'Precies. Haar slaapzak lag er nog, maar zij was weg. Althans iets dergelijks.'

Krieger zet zijn bril weer op en daarna weer af. Dan legt hij de bril op tafel. Hij wrijft tussen zijn ogen over zijn neusbrug, alsof daar onzichtbare drukplekken van zijn bril zitten.

'Mona, je moet niet boos worden, maar toch begrijp ik niet wat je in Issing wilt doen. Als je vragen had, kun je die Bode toch gewoon opbellen?'

Mona denkt na. Dan zegt ze: 'Dat is een pijnlijk puntje, eerlijk gezegd. We weten niet meer in welke richting we verder moeten zoeken. Misschien kan Issing ons verder helpen.'

'Dus je wilt op staatskosten een dagje uit naar het platteland.'

'Met dit weer? Dat geloof je toch zelf niet.'

Krieger zet zijn bril weer op. 'Met humor heb je niet veel op, hè?'

Mona zwijgt enkele seconden, omdat ze op dit punt nogal gevoelig is. Steeds weer verwijten mensen haar dat ze alles letterlijk opvat. Zij is altijd de laatste die merkt dat iemand alleen maar een grapje maakt.

'Betekent dat dat het goed is? Kan ik Fischer meenemen?'

'Nee, dat betekent het niet. Doen jullie eerst maar onderzoek rond de plaats van het delict. Dat contact met Miesbach kunnen jullie warm houden. Als daar resultaat geboekt wordt, kunnen we er nog eens over praten.'

Als het koud werd, ging ze graag op de warme tegelkachel zitten. Ze had een kussen geregeld dat dik genoeg was om de hitte tegen te houden, maar de warmte doorliet. Soms zat ze urenlang in kleermakerszit op die plek te mediteren, waarbij ze merkte hoe de warmte in haar altijd koude benen drong, via haar billen en rug omhoog kroop en ten slotte in haar buik aankwam. Soms zat ze zo lang op de kachel te lezen dat ze indommelde. Het waren steeds dezelfde boeken, maar dat leek haar heel vanzelfsprekend. *Effi Briest, Die Verwandlung, Ansichten eines Clowns, Der geteilte Himmel, Die Rote, Die Blechtrommel.* Ze kende ze bijna uit haar hoofd. Het waren een soort vrienden bij wie ze elk moment op bezoek kon, of een soort vertrouwde landschappen waarin ze zich prettig voelde. Maar vandaag lukte het niet. Ze had het geprobeerd, had de kachel met papier, hout en kooltjes gevuld en ongeduldig zitten wachten totdat de kachel eindelijk heet was, maar na twintig minuten was ze er weer van af gesprongen en had als een gekooid dier in haar woning (dat smerige hol) heen en weer gelopen. De dagelijkse harmonie was verstoord, omdat ze weer eens geprobeerd had zich met de buitenwereld te bemoeien, omdat ze geloofde dat ze voor zichzelf moest bewijzen dat ze in staat was daar te bestaan, mits ze het maar wilde.

Het café dat haar als hulp voor de beursperiode wilde aanstellen, lag in de buurt van de Theresienwiese. Een herberg in goedkope landelijke stijl, waar oude mannen met dikke buiken zich 's middags al zaten te bedrinken. Ze had gedacht dat ze dat nog net wel aankon. Maar het ging al mis met de loonbelastingverklaring, die ze niet had. Ook hing er een ondraaglijke stank. Vervolgens behandelde de uitbater haar alsof ze om de baan kwam smeken en meende hij haar allerlei voorschriften te moeten opleggen. 'In die kleren kunt u hier niet werken, dat begrijpt u toch zeker wel!' En tot overmaat van ramp staarden de weinige gasten haar aan alsof ze van de maan kwam of alsof ze in geen jaren meer een vrouw hadden gezien die niet zo dik was als hun eigen vrouw. Ze had tegen de uitbater gezegd dat ze er nog eens over na moest denken en hem morgen op de hoogte zou brengen. Heel beleefd. Toch had hij haar toegesnauwd alsof ze niet goed snik was.

'Wegwezen, dom wicht.'

Ze was daarvan zo overstuur geraakt dat ze zich onmogelijk kon ontspannen. Steeds weer die mensen buiten. Ze merkten haar op, vormden zich een oordeel over haar en manipuleerden haar zelfbeeld. Het was haar schuld. Zij had het toegelaten, hoewel ze tevoren had moeten weten waartoe het zou leiden als je de wereld in je gedachten toeliet.

Ze opende de kastdeur in haar slaapkamertje en bekeek zichzelf in de grote spiegel aan de binnenzijde. Spijkerbroek, dikke wollen trui, stevige schoenen. In het café had ze daaroverheen nog een oude legerparka gedragen. Ze kreeg van de bijstand ook geld voor de huur en kleding. Het werd hoog tijd iets nieuws te kopen om aan te trekken, ze was de laatste om dat te ontkennen. De afgelopen zomer had ze niet meer gebruikt dan de spijkerbroek en een paar T-shirts, die ze bijgeknipt had omdat je geacht werd je buik te laten zien. Maar nu liep de herfst op zijn eind en ze kon niet elke dag hetzelfde aantrekken. Er zaten vlekken op haar kleren. Ze stonken niet, maar er zaten vlekken op. Dat zag ze nu in het licht van de ondergaande zon, die eindelijk door de mist heen gedrongen was en haar smerige hol in een goudgeel licht zette.

Ze had zon nodig, dat was het hele geheim. Als het warm en mooi weer was, had ze geen last van die vervelende lui in haar hoofd. De onzinnige, beangstigende boodschappen bleven weg als ze in de Engelse tuin in de zon zat en soms zelfs met mensen in gesprek kwam die opgewekt, jong en normaal waren en desondanks graag een praatje met haar maakten. 's Avonds liepen ze met zijn allen over de gazons, de lange schaduwen van de bomen tegemoet, met het eeuwige getrommel van de bongospelers die elke zomeravond bij Monopteros bijeenkwamen, in de oren.

Ze was geen winterliefhebster, nooit geweest ook. In de winter bezorgde alles haar problemen. Alleen al het verlaten van het huis vergde grote krachtsinspanning, omdat ze buiten niet alleen de verzamelde onverschilligheid van de voorbijgangers moest verdragen, maar ook nog de kou, de nattigheid en de sombere kleuren. In die donkere maanden kwam het er feitelijk op neer dat je in leven moest zien te blijven en de angst en de woede in toom moest zien te houden. Daarom had ze het idee gekregen een baan te zoeken. De lichamelijke inspanning zou misschien een verdovende uitwerking hebben. Dat was immers de reden dat iedereen dacht dat hij moest werken: om maar niet te hoeven denken. Als je namelijk begon te denken, echt consequent diep na begon te denken tot je aan de kern kwam, dan ontdekte je dingen die geen mens kon verwerken. En als je dat eenmaal wist, dan kon je het niet meer vergeten. Hoe hadden de filosofen dat gedaan? *Het Zijn en het niets...* Hoe hadden ze met het besef kunnen leven dat het leven slechts bestaan en de dood geen vervulling was, maar de terugval in het totale niets? Misschien hadden ze het alleen gedacht, nooit gevoeld. Maar zij daarentegen voelde het: het absolute niets, de ultieme ontkenning van elk geloof. In dergelijke fasen raakte ze elk gevoel van leven kwijt. Ze bestond niet meer, zelfs niet in haar eigen bewustzijn. Ze moest zichzelf pijn doen om te voelen dat ze er echt was.

Telkens als het met Mona niet goed gaat, wordt ze door oude zaken achtervolgd. Deze avond, die ze met een glas rode wijn op bed voor de zacht spelende televisie doorbrengt, is het de zaak Schäfer. Een man van halverwege de dertig, die voorjaar '96 of '97 zijn vriendin met een bijl onthoofd had. Het slachtoffer had enkele honderdduizenden Duitse marken naar de dader overgemaakt om die voor haar te beleggen. In plaats daarvan had hij het geld direct opgenomen en op een rekening in Liechtenstein geparkeerd. Daarna was hij met haar het bos in gereden, had haar gewurgd en aansluitend onthoofd. Het hoofd had hij in het bos begraven, het lichaam had hij verzwaard met stenen in een rivier laten vallen.

Het lichaam was een dag later stroomafwaarts in een sluis gevonden, en omdat de moordenaar nagelaten had zijn slachtoffer uit te kleden (hij had alleen haar gouden sieraden meegenomen) was de identiteit van het lijk aan de hand van de kleding snel vastgesteld.

Op het hoofdbureau van politie had de moordenaar, een bleke man met een slechte houding, zitten janken. Hij kon zich er niets van herinneren. Dat verhaal kenden ze zo onderhand wel en ze brachten zijn geheugen heel snel weer op peil. Het was heel eenvoudig. Er waren geen verzachtende omstandigheden. Zonder meer voorbedachten rade bij volledige toerekeningsvatbaarheid. Tijdens de rechtszitting was Mona de moeder van de moordenaar tegengekomen, een dikke, moeilijk ademende hartpatiënte die tegen Mona zei: 'Hij blijft mijn zoon, wat hij ook gedaan heeft.' Tijdens de schorsingen liep ze snel naar hem toe en hield zijn hand vast, terwijl hij huilde. En dat terwijl ze de vermoorde vriendin goed gekend had en ook erg op haar gesteld zou zijn geweest.

Moordenaars zijn in de regel van het mannelijk geslacht. Heel wat van hen hebben moeders zoals deze vrouw, die hun jongen altijd alles vergeven. Omdat ze te gemakzuchtig, te dom of te zwak zijn, of omdat ze een onnozel 'mama-begrijpt-alles-waanidee' in hun hoofd hebben, dat ze echter altijd alleen op hun zoons toepassen. Hun dochters behandelen ze als oud vuil, hoezeer die ook hun best doen.

Kom zeg, niet overdrijven, alleen omdat je eigen moeder...

Mona sluit haar ogen en grijpt de afstandsbediening.

Ze heeft een goed geheugen voor beelden zodat ze ertoe veroordeeld is jaren later nog aan details herinnerd te worden. Het half vergane, met aarde besmeurde hoofd van haar dode vriendin (de linker bovenlip was verdwenen; je kon de bruin verkleurde rij tanden zien). De slecht gestreken blauwe jurk met de witte bloemetjes die de moeder van de moordenaar bij de rechtszitting droeg en dat haar nog omvangrijker en zieker had doen lijken. Ze zou medelijden moeten opwekken, maar Mona beklaagde haar helemaal niet, integendeel zelfs. Het was de allersimpelste oplossing om jezelf altijd maar als slachtoffer van de omstandigheden te beschouwen.

Was Steyer slachtoffer van de omstandigheden?

Dat is geen vraag waarmee ze op dit moment verder komt.

Ze opent haar ogen weer, nog net op tijd om te voorkomen dat het wijnglas uit haar hand valt. Op de televisie is een sketch te zien over een waanzinnige huisvrouw uit het Rijnland.

Steyer kende niemand meer in zijn geboortestad Hannover, dus moest zijn moordenaar hier ergens te vinden zijn.

Maar waarom kende hij niemand meer in Hannover? Geen oude vriend, niemand. Dat kon toch eigenlijk helemaal niet.

Waarom kent Mona hier zo weinig mensen?

Nee, nee. Nu haalt ze iets door elkaar. Steyers leven heeft niets met het hare te maken. Hij had andere beweegredenen dan zij, dat is wel duidelijk. Ze staat op, rommelt wat in haar handtas en vindt het visitekaartje van Steyers ouders en hun doorkiesnummer in het Raffael.

'Mama.'

Lukas staat met verwarde haren en slaperige ogen in zijn *He-Man*-pyjama in de deuropening. Mona strekt haar armen naar hem uit. Ze doet het in een reflex, hoewel ze weet dat Lukas, die nu elfeneenhalf is, minder dan vroeger op zoek is naar lichamelijk contact. Bovendien is het al laat, zeker half twaalf. Hij moet morgen vroeg op.

'Ga je morgen weg?' vraagt Lukas met een blik op haar gepakte koffertje. Hij heeft donkere lokken en bruine ogen, net als zijn vader Anton. Hij bezit ook de charme van zijn vader, evenals diens koppigheid als het om vaste afspraken en bindende beloften gaat.

'Ja, ik denk het wel. Niet langer dan een paar dagen. Morgen slaap je bij Lin.' Lin is Mona's oudere zus. Ze woont gelukkig maar twee huizen verderop en heeft een dochtertje van drie en een zoon van Lukas' leeftijd, met wie hij goed kan opschieten. Ze is getrouwd, werkt niet en houdt zich graag met kinderen bezig. Op goede dagen is Lukas blij met zijn moeder, die 'boeven vangt' en allerlei avontuurlijke dingen beleeft. En met zijn familie, die niet zoals bij andere kinderen alleen uit mama, papa en een zus bestaat, maar uit mama, papa, tante Lin, oom Peter, de kleine Maria en zijn op een na beste vriend Herbi.

Op slechte dagen wil Lukas dat mama en papa bij elkaar gaan wonen en dat mama ophoudt met werken en er alleen nog voor hem en papa is.

'Hoe laat ga je weg?' Lukas' stem is de laatste maanden lager en heser geworden. Op zijn voorhoofd zitten wat pukkels. Hij heeft nog niet de baard in de keel, maar het zal hoogstens nog twee jaar duren voordat het zo ver is. Hij is een leuke jongen, Mona is dol op hem, maar ze heeft steeds meer het gevoel dat hij haar ontglipt. Of alle moeders er zo over denken? Of alleen zij, die hem te weinig ziet?

'Heb ik toch gezegd, misschien een paar dagen,' zegt Mona.

'Waarom zo lang? Zoek je weer een moordenaar?'

Mona zucht en laat haar armen zakken. Lukas blijft tegen de deurpost aan staan, maar wipt onrustig van het ene been op het andere en laat quasi-nonchalant zijn blik door de kamer glijden: richting plafond, richting venster, maar niet haar kant op.

'Wil je bij mij slapen?'

'Nee!' Alsof er een schot afgaat.

'Wat wil je dan?'

'Niets. Ik vind het vervelend dat je steeds weggaat.'

'Daar kan ik niks aan doen, dat is mijn werk. En daar leven we toch niet echt slecht van.'

'Papa verdient veel meer. En hij is veel meer thuis dan jij.'

Ja, denkt Mona, omdat hij de mensen heeft om het vuile werk voor hem op te knappen. Maar dat zou ze nooit zeggen, zeker niet tegen Lukas. Ze huivert voor de dag waarop Lukas begrijpt wat zijn vader werkelijk doet en op welke manier. Haar enige hoop is dat Anton dan zoveel geld opzij gelegd heeft dat hij op geheel legale wijze met pensioen kan gaan.

'Wat is het voor een moordenaar op wie je jacht maakt? Brengt hij kinderen om?'

'Nee.'

'Wat doet hij dan? Is het een lustmoordenaar? Snijdt hij vrouwen open?'

'Wat een onzin. Wie vertelt jou zulke dingen?'

'Wat doet hij dan?' houdt Lukas aan. Mona stelt zich voor hoe hij de volgende dag alles aan zijn klasgenoten verder vertelt, die hem waarschijnlijk met vragen bestoken.

'Daar mag ik met niemand over praten, dat weet je toch.' Lukas trekt een teleurgesteld gezicht. Ze krijgt bijna medelijden met hem. Spannende gruwelverhalen uit de dagelijkse politiepraktijk zouden Lukas' positie onder zijn klasgenootjes enorm verbeteren, dat weet ze heel goed.

'Is het de garrotmoordenaar?'

'Waar heb je dat nu weer vandaan?'

'Mens...' Lukas draait zich om en verdwijnt in de gang. 'Dat weet toch iedereen,' roept hij vanuit zijn kamer voordat hij de deur dichtslaat.

4

De volgende dag schijnt de zon voor het eerst sinds weken weer eens. Mona rijdt over de A8 richting Miesbach. Ze is bijna gelukkig, maar ze merkt het niet. Een deel van haar bewustzijn registreert het glooiende landschap, het spaarzame verkeer en Fischer die zwijgend naast haar in zijn neus zit te pulken. Maar haar hersenen zijn vooral bezig met Steyer en zijn ouders, die ze gisternacht nog over de telefoon gesproken heeft. Ook al leidt dat misschien allemaal tot niets.

Hoeveel jaar heeft hun zoon Konstantin eigenlijk in Hannover gewoond?

Ik begrijp u niet. Wat bedoelt u met die vraag?

Mijn god... Neem me niet kwalijk. Ik bedoel daarmee het volgende: Heeft hij in Hannover op school gezeten?

Mona zet de richtingaanwijzer aan en haalt een rij vrachtwagens in. Er verschijnt een lachje op haar gezicht. Ze is vrij. In elk geval voor een, twee dagen. Geen muf bureau, geen medewerkers met zure gezichten (behalve Fischer natuurlijk, maar eentje is voor haar beter te verteren dan de hele meute), geen leugenachtige collega die eerst vriendelijk tegen haar is om haar daarna beter zwart te kunnen maken.

De eerste jaren was hij in Hannover, heeft Steyers vader uiteindelijk aarzelend gezegd.

En daarna?

Lang geaarzel. Zwijgen aan de andere kant van de lijn. Uiteindelijk gaf Steyer dan toch toe dat Konstantin vanaf de tweede klas op een internaat aan de Tegernsee gezeten had. Issing, ja, zo heette dat. Hoe ze dat wist? Waarom hij er tijdens het verhoor geen woord over gezegd heeft, vroeg Mona op haar beurt.

Ouders die hun kind verafgoden, sturen het niet naar een school op 800 kilometer van huis. Aan de andere kant is dat oude koek. Steyer heeft in 1981 eindexamen gedaan.

We zaten toentertijd in een crisis.

Wie, u en uw vrouw?

Ik was... Het was... We wilden scheiden. Dat internaat zou tijdelijk zijn.

Tot alles geregeld was. Dan zou Konstantin terugkomen en bij zijn moeder gaan wonen.
Maar u bent toen toch maar niet gescheiden?
Nee. We zijn na een jaar weer bij elkaar gaan wonen.
En wanneer hebt u Konstantin teruggehaald?
Helemaal niet. Hij wilde niet meer naar huis terug. Hij had het naar zijn zin in Issing en heeft daar snel vrienden gevonden. Het was zijn eigen beslissing, neemt u dat van mij aan.

'Afslag Issing,' zegt Fischer op opzettelijk knorrige toon. Hij heeft zo de pest in over deze onderneming dat hij er maagpijn van heeft. De kaarten voor het Prodigy-concert heeft hij terug moeten geven, alleen omdat zijn cheffin erop stond hier minstens twee dagen te verspillen. Fischer weet nu zeker dat hij haar niet kan uitstaan. Hij heeft haar vanaf het begin al vreemd gevonden. Nu weet hij waarom.

Niet dat ze er slecht uitziet of onvriendelijk is. Ze past alleen niet in deze functie. Ze steekt opeens haar neus in de wind, zegt altijd het verkeerde op het verkeerde moment en heeft volstrekt niet de neiging zich in de verhoudingen op de afdeling te schikken. *Krijg de klere,* denkt hij en er verschijnt onwillekeurig een lichte grijns op zijn gezicht. *Krijg de klere, stomme ouwe trut.*

Armbrüster had hem gewaarschuwd. Vrouwen, zegt Armbrüster altijd, zijn als chefs hetzij enorme uitslovers of volstrekte mislukkelingen, en beide is even erg. Ze hebben het gewoon niet. Geen instinct voor leidinggeven. Ze kennen de balans niet tussen streng en tolerant leiderschap. Goede chefs weten altijd wanneer welk gedrag gepast is. Hij, Armbrüster, heeft in zijn hele leven misschien drie goede chefs gehad. En daar was geen enkele vrouw onder. Bij deze woorden sloeg Armbrüster diverse malen met zijn vlakke hand op zijn bureau. Geen enkele vrouw! Hij klonk agressief en tegelijk triomfantelijk.

Agressie. Fischer heeft daar een probleem mee. Hij wordt snel agressief, zelfs als hij voor zijn doen ontspannen is. Zijn vriendinnen hebben daarom vaak ruzie met hem. Hij is ongeduldig, begint zelfs te schreeuwen. Het heeft iets met de drang naar rechtvaardigheid te maken. Wie rechtvaardigheid wil, móét wel agressief worden, omdat de wereld meestal weinig rekening houdt met deze wens.

Seiler kijkt hem van opzij aan als ze remt om de afslag van de snelweg te nemen. Bijna automatisch ontwijkt hij haar blik. De weg maakt een bocht van 360 graden en loopt dan verder richting westen. Het is vier uur 's middags, de winterzon verdwijnt vaalrood achter het heuvellandschap. In de verte duikt een kerktoren op en nog een stuk daarachter verheft zich het donkere Alpenmassief. Ze hebben een afspraak op het kantoor van de schooldirecteur, in dit internaat voor 'zonen en dochters van goede komaf'. Fischer tuit zijn lippen terwijl hij deze formulering nog eens overdenkt. Ergens is hij toch nieuwsgierig. *Zonen en dochters van goede komaf.* Er zitten waarschijnlijk wel een paar geile meiden bij. Hij ziet ze al voor zich: honingblond, glad haar, perfecte huid, lekkere, niet te grote borsten onder een Armani T-shirt of nog beter: onder het schooluniform (hij denkt hierbij aan ultrakorte blauwe plooirokken, hooggesloten witte blouses en kniekousen). Elke maandag bladert Fischer de *Bunte* door bij de tijdschriftenkiosk. Het gaat hem daarbij niet om de besognes van de zogenaamde happy few, maar om de luxe waarmee deze mensen zich omgeven zonder daar een moer voor te hoeven uitvoeren. St.Moritz, Gstaad, Martha's Vineyard, St.Tropez, hij zal er nooit achter komen hoe het is om in een wereld te leven waarin geld geen rol speelt. Hoe dat voelt: de stoffen, de vrouwen, de auto's, de hotelsuites, de chalets die ze zich kunnen permitteren. Hij zou het nooit weten. Heeft hij hardop zitten praten? Ze kijkt alweer naar hem in plaats van naar de weg. Haar normaal gesproken vrij donkere tint lijkt vandaag een stuk lichter. Moe. Haar bruine haar, dat glad en simpel op haar grijze jas valt, ziet er dof uit. Fischer merkt opeens dat ze ongelukkig of ontevreden is. Niet precies op dit moment, maar meer in het algemeen. Daarover windt hij zich nog meer op. Het komt hem voor alsof ze zich bij hem beklaagd heeft.

'We zijn er zo,' zegt ze. Haar stem klinkt hees en ietwat onzeker, alsof ze het praten bijna verleerd is en dat moeizaam opnieuw heeft moeten leren. Waarschijnlijk werkt zijn zwijgen op haar zenuwen. Fischer is 26 en heeft inmiddels ontdekt dat zwijgen, niet agressie, het efficiëntste wapen tegen vrouwen is. Ze kunnen alles verdragen, zelfs klappen. Maar als je ze negeert, dan gaan ze geestelijk kapot. Anders uitgedrukt: je krijgt alles van ze gedaan, zolang je ze links laat liggen.

Er is geen mens te zien als ze door een poortgewelf het schoolplein oprijden, recht op een groot, met een gevelschildering opgesierd gebouw af. Mona parkeert de auto voor een stenen muurtje. Ze opent het portier en krijgt bijna tranen in haar ogen door de ijzige lucht die haar gezicht treft. Het is veel kouder dan in de stad. Je merkt dat de bergen niet ver zijn. 'Waar gaan we nu heen?' vraagt Fischer. Zijn ogen zijn een beetje gezwollen, alsof hij geslapen heeft, en zijn stem klinkt geïrriteerd, zoals gebruikelijk.

'Daar naar binnen,' zegt Mona terwijl ze op het grote gebouw wijst. 'Dat moet het hoofdgebouw zijn. Gevelschildering, heeft de secretaresse gezegd. Daar zijn de klaslokalen en de leraarskamer.'

'Erg interessant,' zegt Fischer spottend. Maar hij loopt toch achter haar aan als ze zwijgend van hem wegloopt.

Het eerste dat Mona binnen opvalt, is de geur van linoleum, krijt en scholierenzweet. Ze wordt twintig jaar in de tijd terug gekatapulteerd. Sommige dingen veranderen nooit, en elke school ruikt hetzelfde.

'De gang links,' zegt ze. 'Kamer 103.' Er is nog altijd geen mens te zien. Groezelige tl-lampen aan het plafond verspreiden een vaag licht. De grijswit gevlamde linoleumvloer glanst alsof die pas geboend is. Mona klopt op de deur met het kale bordje 'Rectoraat'. 'Binnen,' klinkt het.

De rector is een jaar of zestig en groot en mager. Hij draagt een ribfluwelen broek, een wollen trui van een ondefinieerbare kleur en daaroverheen een leren vest. Zijn kantoor is klein en muf, het meubilair ziet er oud uit. Enkele pijnlijke seconden lang staan ze met zijn vieren bij elkaar zonder dat iemand weet wat hij moet doen. Ten slotte neemt de rector, wiens naam Mona vergeten is, haar jas aan en legt die op een kastje naast de deur. Egon Bode van de recherche van Miesbach beschouwt dat als een verzoek zich weer in zijn stoel te laten vallen waaruit hij zich moeizaam heeft opgericht om Mona en Fischer te begroeten. Mona gaat op de bank zitten, Fischer op ruime afstand naast haar en de rector haalt voor zichzelf een armzalig uitziende stoel uit een belendend vertrek. Nauwelijks te geloven dat deze school, dit internaat op het platteland meer dan 3000 mark per maand kost. Wat doen ze met al dat geld?

'Nieuwe sportterreinen, computernetwerken, gerenoveerde kamers en klaslokalen, en dan blijft er voor de leraarskamer niets over,' zegt de rector, en Mona begint te blozen.

'Aha. Dat is zeker... noodzakelijk.'

'Tja, mevrouw Seiler, we zijn natuurlijk blij dat u speciaal uit München hierheen gereisd bent om uw eh... collega's een handje te helpen. Zijn woorden ebben weg. Bodes voorhoofd heeft zich in een berg- en dallandschap veranderd.

'Meneer Bode heeft ons op verbanden gewezen die we ter plaatse niet gezien zouden hebben,' zegt Fischer, en Mona kijkt hem verbaasd aan. Het was precies de goede opmerking. Bodes voorhoofd trekt weer glad.

Mona zegt: 'We hebben hier twee doden, een man en een vrouw, en beiden zijn op dezelfde wijze omgebracht. Ze zijn namelijk waarschijnlijk met een stuk draad gewurgd. Dat is ongebruikelijk.'

'Een garrot,' voegt Bode eraan toe.

'Het was in werkelijkheid geen garrot,' zegt Mona. 'Het vermoedelijke moordwapen wordt alleen door sommigen zo genoemd. De kranten noemen het zo omdat het interessant klinkt.' Ze legt de nadruk op het woord 'vermoedelijke', zonder Fischer daarbij aan te kijken. Misschien was hij het lek, misschien ook niet. Het gerucht was op de dag na de moord op de afdeling rondgegaan. Iedereen had het aan de media kunnen doorgeven. Zo kwamen die aan hun koppen. Daderkennis. Onder daderkennis worden de feiten verstaan die de politie achterhoudt, zodat valse getuigenverklaringen direct te herkennen zijn. Dat zal in deze zaak moeilijk worden. In elk geval stond één detail tot nu toe niet in de krant. 'De garrot is bovendien niet de enige verbinding tussen beide slachtoffers. Konstantin Steyer zat tussen 1976 en 1981 op school in Issing. En die lerares... Hoe heet ze ook al weer?'

'Saskia Danner,' zegt Bode. 'Ze was geen lerares, maar de vrouw van Michael Danner, die hier leraar Frans is.' De rector knikt hier instemmend bij, alsof Bode een weliswaar niet bijzonder intelligente, maar wel ijverige leerling is.

Mona zegt: 'Goed. In elk geval hebben beide slachtoffers iets met de school te maken...'

'Maar Konstantin is hier al jaren niet meer geweest,' onderbreekt de rector. 'Hij heeft helemaal niets meer met Issing te maken. Hij is niet eens lid van de *Altlandheimerbund*.'

'Wat is dat?'

'Een vereniging voor beursstudenten. Veel ex-leerlingen worden na het eindexamen lid.'

'Maar Konstantin Steyer niet?'

'Nee. Ik heb het nog eens nagekeken. Hij komt ook nooit op de Altlandheimer-dagen.'

'Altlandheimer-dagen...'

'Die vinden om het jaar in augustus plaats. Altlandheimer spelen hockey, er worden toespraken gehouden en 's avonds zijn er hapjes en wordt er gedanst. Dat bevordert de onderlinge band tussen de ex-leerlingen. Velen hebben hier vrienden voor het leven gevonden.'

'Konstantin blijkbaar niet.'

'Wat wilt u daarmee zeggen?' De rector trekt opeens een gezicht. Als hij zich daarvan bewust wordt, staat hij op en begeeft zich achter zijn bureau, alsof hij zich wil verschansen. Mona kijkt hem verbluft aan. Ze moet opeens aan Anton denken, die haar al zo dikwijls op het hart gedrukt heeft haar mensenkennis te verbeteren. Vrouwelijke intuïtie noemt Anton dat, en Mona bezit daar blijkbaar niet genoeg van.

'Wat is er dan aan de hand?' vraagt ze ten slotte, als de stilte pijnlijk wordt.

'U wilt toch zeker niet beweren dat ons instituut iets met de dood van Konstantin Steyer te maken heeft?'

'Nee, maar...'

'Onthoudt u zich dan ook van insinuaties in die richting.'

Het avondeten gebruiken ze aan de zogeheten leraarstafel. De leraarstafel bevindt zich op een soort gaanderij links naast het ingangportaal van de eetzaal. Mona zit met de rug naar de meute toe. Het is een ongelooflijke herrie. Er staan tweehonderd leerlingen in het internaat Issing ingeschreven die allemaal tegelijkertijd tegen elkaar aan het schreeuwen lijken te zijn.

'Hoe houdt u dat uit?' vraagt Mona aan de vrouw links naast haar, die zich met 'Siegwart, geschiedenis en aardrijkskunde' voorgesteld heeft.

'Hoezo?' Siegwart glimlacht met volle mond. Er is karbonade met erwten en aardappelkroketten, en iedereen zit zo snel en geconcentreerd te eten dat het lijkt alsof er een prijs is voor de snelste schrokop.

'Dat lawaai hier. Ongelooflijk. Is dat altijd zo?'

Mevrouw Siegwart heft haar hoofd op als een dier dat zijn neus in de wind steekt. Een moment lang houdt ze zelfs op met kauwen. Haar lach wordt steeds breder.

'Ja zeg, u hebt volkomen gelijk. Het is eigenlijk onverdraaglijk. Wij zijn er al aan gewend... Je stompt af, weet u?'

Mona's blik treft Fischer, die schuin tegenover haar zit. Zijn bord is nog steeds bijna vol, en hij zit volkomen afwezig voor zich uit te staren.

Wat doen ze hier eigenlijk?

Naast Fischer zit de man van de vermoorde Saskia Danner. Hij ziet er goed uit. Jonger dan 44, slank, goed figuur, smal, lichtgebruind gezicht en diepliggende ogen. Zijn vrouw is pas drie weken dood. Toch bezit hij een verbijsterend goede eetlust. Nabestaanden van slachtoffers van misdrijven hebben dikwijls spijsverteringsstoornissen. Ze lijden aan een gebrek aan eetlust. Sommigen krijgen maagzweren of zweren aan de twaalfvingerige darm. Michael Danner blijkbaar niet, anders zou hij deze zware kost nauwelijks door zijn keel krijgen.

Op dat moment kijkt Danner op en treft haar blik. Mona kijkt weg, maar hij blijft haar aanstaren.

'Hoe moet u eigenlijk aangesproken worden?' vraagt hij. Hij klinkt alsof hij zich een half uur op deze vraag heeft voorbereid.

'Wat bedoelt u daarmee?' Maar Mona weet het al. *Moet ik u politievrouw noemen?* Een grapje van taalliefhebbers, waaronder zich zoals bekend veel leraren bevinden.

'Hoofdinspecteur recherche, klopt dat?'

'Ja,' zegt Mona verbaasd.

'Danner, maatschappijleer en Frans.' Hij steekt over de tafel heen zijn hand naar haar uit, die ze geïrriteerd schudt. *Hij doet alsof hij niet weet dat ik vanwege hem hier ben.*

'Voor de zomervakantie ben ik met de zesde klas bij de recherche op bezoek geweest. Een heel aardige rechercheur heeft ons alles uitgelegd, van de rangen tot de werkwijzen. Het rangenstelsel is erg ingewikkeld bij u.'

'Tja.'

Mona gedraagt zich onbeholpen, vindt ze. Er klopt iets niet aan de situatie. Ondertussen heeft de rest van het lerarengezelschap de gesprekken gestaakt en bekijkt de twee alsof het exotische dieren in de dierentuin zijn. Zelfs de leerlingen schijnen nu wat zachter te praten. 'Moet u mij verhoren?' vraagt Danner nu.

'Nee, ik moet u waarschijnlijk wel een paar vragen stellen. Maar voorlopig niet, want u hebt al een verklaring afgelegd.'

Zijn ogen zijn warm en vriendelijk, voorzover ze dat beoordelen kan. Vol humor, en hij heeft een vriendelijke lach. Maar toch. Ze heeft er geen goed gevoel bij. Aan de andere kant laat haar mensenkennis te wensen over, wordt gezegd.

Bode heeft Danner zelf ondervraagd. Een kopie van de getuigenverklaring en de verklaringen van de leerlingen liggen in haar hotelkamer, waar ze op dit moment maar wat graag zou zijn. Mona slaapt graag in hotels. Ze voelt zich daar vreemd genoeg minder alleen dan in haar eigen huis, als Lukas er niet is. Je bent er ook echt minder alleen. Zelfs in de best geïsoleerde kamer hoor je af en toe iemand op de gang praten of het ruisen van een toilet dat doorgetrokken wordt.

'Wat is dan eigenlijk de reden van uw bezoek, als ik vragen mag?' Danner wiebelt met zijn stoel als een weerspannige leerling.

'Onderzoek in de ruime omgeving van de school.' Ze is deze formulering met Bode en de rector overeengekomen. 'Ik hoop dat u dat voldoende informatie vindt,' voegt ze eraan toe. Als hij ook nog maar iets zou zeggen, zou ze opstaan en vertrekken. Ze weet zelf eigenlijk niet waar ze precies naar zoekt. Als deze twee dagen hier niets opleveren, zal ze zich op de afdeling nauwelijks meer kunnen vertonen.

A: Nee, verdomme nog aan toe. Mijn vrouw was in een goede geestelijke conditie. We hadden geen problemen.

V: Uw vrouw heeft de berghut stiekem verlaten. Deed ze dat wel vaker?
A: Wat dan?
V: Haar eigen weg gaan, vertrekken zonder u daarover in te lichten.
A: Nee.
V: Waarom ditmaal wel?
A: Ik weet het niet. (Getuige Michael Danner snikt.)
V: Heeft uw vrouw de laatste tijd nieuwe mensen leren kennen?
A: Ik geloof het niet. Ik ben de halve dag op school bezig. Hoe ze de ochtenden doorbrengt, heb ik me nooit afgevraagd. Misschien was dat verkeerd.
V: Heeft ze zich de afgelopen tijd vreemd gedragen?
A: (Pauze) Ze was misschien wat stiller dan anders.
V: Als iemand die zich zorgen maakt?
A: (Pauze) Misschien.
V: Zijn er onverklaarbare telefoontjes geweest? Ontmoetingen met mensen die u niet kent?
A: Er zijn een paar telefoontjes geweest. Ik heb niet gevraagd wie het was, zo ben ik niet. We hebben altijd een verhouding gehad die erg op onderling vertrouwen gebaseerd was. Maar normaal gesproken vertelde ze me dat altijd. Dat is me wel opgevallen.
V: Wat?
A: We hebben de afgelopen tijd minder met elkaar gesproken. Ze was misschien wat meer gesloten dan anders. Maar weet u, misschien beeld ik me dat gewoon in. Achteraf gezien probeer je altijd alles te verklaren en te interpreteren. (Getuige Michael Danner snikt.)

V: Jullie hadden net een bergwandeling van vier uur gemaakt. Was ze niet moe?
A: Zeker, natuurlijk wel. Hoezo? (Getuige Berit Schneider hoest uitgebreid.)
V: Omdat je verklaard hebt dat jullie allemaal tot vier uur 's ochtends opgebleven zijn.
A: Nee, niet allemaal. Verena, Nadja en Janosch zijn zo tegen... (pauze) middernacht of zo naar bed gegaan.
V: Wie bleven er nog over?
A: Ik, Sabine, Heiko, Peter, Marco. We hebben... we gingen zo in ons gesprek op dat we de tijd helemaal vergeten waren. Het was echt sterk.
V: Wat?
A: Dat de tijd zo snel voorbij kan gaan. Kent u dat?
V: Ja. Waarover hebben jullie dan de hele tijd gepraat?
A: Geen idee. Over boeken die we gelezen hebben. Wat ieder van ons later wil doen. De zin van het leven en dergelijke. (Getuige Berit Schneider lacht.)

V: Waarom lach je nu?

A: Ik weet het niet. Neem me niet kwalijk.

F: Er moet toch een reden voor zijn? Een vrouw die je goed kent, komt door geweld om het leven. En jij lacht. Waarom?

A: (Pauze) Het is zo dat Danner... We moeten altijd over... over wezenlijke zaken praten als we met hem samen zijn. Er ontstaat dan altijd meteen een echte discussie. (Getuige Berit Schneider legt de nadruk op het laatste woord.) Op zich is dat erg leuk, maar ook vermoeiend als je het gewoon leuk wilt hebben.

V: Betekent dat dat je het niet leuk hebt gehad?

A: Zeker wel! Het was zeker leuk. Ik kan het niet verklaren. Het is altijd net alsof hij in ons binnenste wil kijken. Maar daar is niets. Althans niet zoveel als hij zich inbeeldt. Bij mij in elk geval niet.

V: Dus jullie hebben tot 's ochtends vier uur bij elkaar gezeten?

A: Ja, zo ongeveer. Daarna gingen we slapen en toen bleek dat mevrouw Danner niet in haar slaapzak lag.

V: Hoe is dat gebleken? Wie heeft dat vastgesteld en hoe?

A: Michael heeft het gemerkt, toen hij in zijn slaapzak wilde. Dat haar slaapzak leeg was, dat ze er niet meer was.

V: Michael?

A: Meneer Danner.

V: Jullie noemen je leraar bij de voornaam? Doen alle leerlingen dat, is dat gebruikelijk bij jullie?

A: (Pauze) Nee, niet allemaal.

V: Wie dan?

A: (Pauze. Getuige Marco Helberg lijkt onzeker.)

V: Is dat een geheim?

A: Nee, onzin. Heiko, Sabine, Peter en ik.

V: Jullie noemen met zijn vieren meneer Danner bij zijn voornaam en zeggen 'jij' tegen hem, terwijl jullie medeleerlingen 'u' zeggen? Tutoyeren jullie ook andere leraren?

A: Nee, alleen hem. We tutoyeren elkaar ook alleen als we onder elkaar zijn. Als er anderen bij zijn en tijdens de les natuurlijk niet. Dat is langzamerhand ontstaan. We kunnen goed met elkaar opschieten, zitten op dezelfde golflengte. Maar we houden alles heel duidelijk gescheiden. Tijdens de les is hij leraar, en wij zijn niets anders dan zijn leerlingen. Er wordt niets door elkaar gehaald.

V: Goed dan. Meneer Danner stelde dus vast dat zijn vrouw er niet meer was. Wat gebeurde er toen?

A: We hebben de hut doorzocht. Beneden en boven. Dat ging snel, want de hut is tamelijk klein. Ze was weg, dat was zonder meer duidelijk.

V: En toen? Hoe reageerde je toen?

A: We zijn naar buiten gelopen en hebben keihard geroepen. Na een minuut of twintig zei meneer Danner dat we niets konden ondernemen tot het licht werd. We hadden alleen een zaklantaarn waarvan de batterij bijna leeg was. We zijn dus gaan slapen.

V: Iedereen?

A: Meneer Danner is aan de tafel in de woonkamer gaan zitten en is blijven wachten. De anderen zijn naar boven gegaan om te slapen. De volgende dag heeft hij ons tegen zeven uur wakker gemaakt. Toen zijn we de omgeving gaan doorzoeken, maar we hebben haar niet gevonden. Daarna hebben we met de mobiele telefoon van Danner de politie ingelicht.

V: Hoe gedroeg Danner zich?

A: Hoe bedoelt u dat?

V: Toen hij vaststelde dat zijn vrouw er niet meer was. Tijdens de zoekactie de volgende dag, hoe kwam hij toen op je over?

A: Nou, bezorgd natuurlijk. Helemaal afgedraaid. Hoe zou u eraan toe zijn als uw vrouw plotseling spoorloos verdween, zonder enige reden?

V: Je medeleerlingen Berit Schneider en Marco Helberg zeggen dat niemand van u de verdwijning van mevrouw Danner opgemerkt heeft.

A: Ik in elk geval niet.

V: Je rector zegt dat de slaapruimte van de hut op de eerste verdieping ligt. Er is geen tweede uitgang; iedereen die naar buiten wil, moet eerst naar beneden door de woonkamer.

A: Dat is ons ook een volstrekt raadsel. Ze moet van de eerste verdieping gesprongen zijn.

V: Heb je mevrouw Danner gezien toen ze naar boven ging om te gaan slapen?

A: (Pauze) Ik geloof het wel, ja. (Pauze) In elk geval heeft niemand haar naar buiten zien gaan. Ze moet naar buiten zijn gesprongen of zo.

V: Het raam waaruit mevrouw Danner gesprongen zou moeten zijn, ligt precies 4,32 meter boven de grond. Dat is erg hoog. De collega's van de Oostenrijkse politie zouden in dat geval zeker sporen van voetafdrukken onder het raam hebben moeten aantreffen. Maar die zijn er niet. Hoe verklaar je dat?

A: Hoe moet ik dat weten?

V: Je zult daarover toch wel nagedacht hebben.

A: Dat is uw taak, niet de mijne.

V: Wil je nog iets toevoegen aan je verklaring?
A: (Pauze. Getuige Heiko Markwart slikt diverse malen opvallend.)
V: Weet je dat zeker?
A: Ja, natuurlijk weet ik dat zeker.

5

'Waarom hebt u me dat niet verteld?' zegt Mona. Ze kijkt Bode aan, die tegenover haar achter zijn bureau zit. Zijn kantoor is nauwelijks groter dan dat van Mona, maar je hebt hier van de tweede verdieping een mooi uitzicht op het historische marktplein van Miesbach. Mona fantaseert een moment lang hoe het zou zijn om in zo'n idyllische omgeving te werken. Rechts van haar zit Fischer onderuitgezakt in zijn stoel. Zoals altijd is hij zwijgzaam en knorrig.

Bode ziet er daarentegen zeer tevreden uit. 'U hebt ook gemerkt dat er iets vreemds is. Ik zou graag zien dat u het zelf opmerkt aan de hand van de getuigenverklaring. Ik wilde u niet beïnvloeden.'

'Ach.'

'En? Wat denkt u ervan?'

'Tja, wat voor de hand ligt. Hoe is mevrouw Danner de hut uit gekomen? En vooral: waarom?'

'Gelooft u dat de getuigen gelogen hebben? Allemaal?'

Het is duidelijk: om deze vraag gaat het hem, daarom is hij naar haar toe gekomen. Omdat hij het ook niet meer weet. Omdat de verdenking die uit de getuigenverklaring opstijgt, ongehoord is, maar mogelijk elke grond ontbeert. Als Bode nieuwe ondervragingen zou willen beginnen, dan zou hij hoogstwaarschijnlijk problemen met de schoolleiding, met de ouders van de leerlingen en daarna misschien ook met zijn eigen superieuren krijgen. Maar als Mona zich erin mengt, dan kan Bode nergens meer verantwoordelijk voor gesteld worden. Vermoedelijk heeft hij tegen zijn superieuren ook de suggestie gewekt dat Mona hem om bijstand heeft gevraagd. Maar het was precies omgekeerd.

'De zaak-Steyer kwam voor u als geroepen, niet? En nu moet ik uw werk doen, zeker?'

Bode reageert hier niet op. Mona's blik valt op een grote kalender met paardenmotieven aan de muur achter Bode. Vandaag is het vrijdag 18 november. Ze besluit Fischer naar huis te sturen en zelf het weekend hier te blijven. Als er zondagavond nog niets uitgekomen is, zal ze Bode aan zijn lot moeten overlaten.

'Het internaat Issing bestaat sinds 1930 en is door een stichting opgericht,' zegt de rector, terwijl ze een rondwandeling door het gebouw maken. 'De stichting bestaat nog. Die stelt onder andere beurzen beschikbaar voor begaafde studenten zonder de vereiste financiële middelen. Momenteel staan er 182 interne en 43 externe leerlingen in Issing ingeschreven. Oorspronkelijk was Issing alleen een jongensinternaat, tot de leden van de stichting in 1967 – ik meen dat het in '67 was, maar pint u me daar niet op vast – besloten hebben de co-educatie in te voeren. Maar nog altijd wordt de school door tweemaal zoveel jongens als meisjes bezocht, en die verhouding is de afgelopen twintig jaar nauwelijks gewijzigd.'

'Hoe komt dat?'

'Daar vraagt u me wat. Hier rechts ziet u het Eikenhuis. Tot het complex behoren naast de school met de eetzaal in het souterrain en de klaslokalen op de eerste, tweede en derde verdieping nog in totaal drie andere gebouwen en een groot sportterrein. De gebouwen hebben namen: ze heten Boshuis, Boekenhuis, Eikenhuis en Tussengebouw. Hier wonen de leerlingen in kamers voor twee. Eindexamenleerlingen krijgen eenpersoonskamers, als ze dat willen. Merkwaardig genoeg zijn er maar weinigen die dat willen.'

'Hoe verklaart u dat?' vraagt Mona.

De rector antwoordt niet. Het is lichtjes gaan motregenen en Mona's haren, haar windjack, de fijne haartjes op haar gezicht en haar wimpers worden vochtig. Ze lopen naast elkaar over een groen gazon op het brede witte grindpad af dat naar het hoofdgebouw leidt.

Uiteindelijk zegt de rector: 'Er heerst hier een enorme sociale druk.' Hij zwijgt weer. Mona kijkt hem van opzij aan; hij lijkt buitengewoon gelaten.

'In welk opzicht?' vraagt ze.

'Je mag hier niet te veel alleen zijn. Wie te veel alleen is, wordt razendsnel een buitenbeentje. En wie dat eenmaal is, blijft dat ook. Wat dat betreft zijn jongeren genadeloos.'

Ze zijn bij de trap die naar de ingang van het hoofdgebouw leidt aangekomen. Het is harder gaan regenen. Het is pas middag, maar de lucht is zo donker en vol lage wolken dat het wel schemering lijkt.

'Ik heb nog enkele vragen over het voorval in de hut.'

'Het spijt me, maar daar kan ik u helemaal niets over vertellen. Ik ben daar niet bij geweest.' De rector slaat zijn armen over elkaar en werpt een hunkerende blik op de ingang. Hij wil van haar af.

'Dat hoeft ook niet. Ik wil iets over deze excursies in het algemeen weten.'

'Welke excursies? Doelt u op de kameradengroep-excursies?'

'Ja. Die vinden toch jaarlijks aan het begin van het nieuwe schooljaar plaats?'

De rector zucht en geeft met een handbeweging te kennen dat ze hem moet volgen. Ze begeven zich naar zijn kantoor.

'De kameradengroep-excursies... Ik denk dat u die naam een beetje oubollig vindt...'

'Ach ja.'

'Die naam hebben ze allang, je raakt eraan gewend, begrijpt u.'

'Ja. Waar dienen die excursies voor?'

'Ze dienen ervoor om het gemeenschapsgevoel tussen leerlingen en leraren te versterken. Alle leerlingen zijn lid van een bepaalde kameradengroep, met een leraar als kameradenleider. Eenmaal in de week, meestal op maandag, vindt er een zogeheten kameradengroep-avond plaats. Die is verplicht voor alle leerlingen en natuurlijk ook voor de betreffende leraar.'

'Wat gebeurt er op zo'n avond?'

'Er wordt iets gemeenschappelijk ondernomen of er is een bijeenkomst in de woning van de leraar, waar gepraat en gediscussieerd wordt...'

'En daardoor wordt het gemeenschapsgevoel versterkt?'

De rector glimlacht. 'Dat is de bedoeling, ja. Natuurlijk gaat het ook heel concreet erom om leerlingen te integreren die problemen hebben om hier te wennen.'

'Is het gebruikelijk dat de leerlingen van een kameradengroep de leraar tutoyeren?'

'Tja, dat komt natuurlijk voor. Eigenlijk zie ik liever dat er een bepaalde afstand blijft. Door deze gewoonte worden andere leerlingen buitengesloten.'

'U weet zeker dat in de kameradengroep van meneer Danner vier leerlingen meneer Danner tutoyeerden en de rest niet. De rest zei 'u' tegen hem.'

De rector krimpt iets ineen, alsof ze hem op een slordigheid betrapt heeft.

'Wist u dat niet?'

'Nee,' geeft hij toe. 'Ik moet ook zeggen dat ik dat, als het klopt, niet juist vind.' Hij lijkt alweer moe en gelaten. 'Mijn invloed is beperkt, weet u. Ik kan niet bij anderen in hun binnenste kijken.' Hij kan zijn ongeduld zo langzamerhand nauwelijks nog verbergen. Hij werpt demonstratief een blik op de geopende in leer gebonden agenda, die recht voor hem op zijn verder zorgvuldig opgeruimde bureau ligt. Een beleefde, maar onmiskenbare wenk om op te rotten. Hij wil zich niet langer met dit onderwerp bezighouden. Het is al erg genoeg dat de politie hier is geweest en de woning van de Danners overhoop heeft gehaald en dat alle ouders van streek raakten vanwege de veiligheid van hun kinderen.

'Nog een laatste vraag,' zegt Mona, terwijl ze gehoorzaam opstaat. 'Op welke wijze bent u toentertijd over deze gebeurtenis geïnformeerd?'

'Wat bedoelt u daarmee?' Het klinkt erg geïrriteerd. 'Ik ben opgebeld.'

'Wie heeft u opgebeld?'

'Michael Danner natuurlijk, wie anders?'

'Wat heeft hij gezegd?'

De rector staat eveneens op en gaat met zijn rug naar Mona toe achter zijn bureau bij het raam staan. In het tegenlicht kan ze alleen nog zijn silhouet zien. Ondertussen slaat de regen tegen de ruiten.

'Wat zou hij gezegd moeten hebben? Er is iets vreselijks gebeurd... Ik weet niet meer wat hij letterlijk gezegd heeft.'

Iets, misschien een nauwelijks waarneembare aarzeling in zijn stem, zet haar ertoe aan om door te vragen.

'Toen de groep hier aankwam, wat is er toen gebeurd?'

'Hoor eens, waar bent u eigenlijk op uit?'

'Geeft u gewoon antwoord. Wat is hier gebeurd? Is Danner naar u toe gekomen om u op de hoogte te brengen of hebt u hem thuis bezocht? Hoe ging dat precies?'

De rector gaat berustend weer zitten en vouwt zijn handen voor zijn buik ineen. 'Het ging anders. Ze zijn direct nadat ze uit de bus gestapt waren naar mij toe gekomen.'

'De hele groep?'

'Ja.' Weer die aarzeling. 'Nee. Alleen Danner, Berit, Sabine, Peter, Heiko en Marco.'

'Vond u dat vreemd?'

'Vreemd in de zin van merkwaardig?'

'Ja. Ik bedoel dat ze allemaal samen bij u kwamen.'

'Ja,' zegt de rector langzaam. 'Ze zaten hier allemaal op de kamer, alsof ze Danner moesten...'

'Beschermen?'

De rector kijkt strak naar een punt boven Mona's hoofd. Na enige tijd zegt hij met een merkwaardig afwezige stem: 'Ik was werkelijk ontroerd dat ze hem niet alleen wilden laten. Dat er zoveel solidariteit was, vond ik heel ontroerend.'

Hij zegt niet dat hij dit verdacht vond, en wel op dat moment al, niet pas vandaag.

Bij het avondeten gaat Mona zo ver mogelijk van Danner zitten, die aan het hoofd van de leraarstafel zit. Het kan haar niet schelen of ze een van de leraren daarmee van zijn of haar vaste plek berooft. Het lijkt er overigens niet op. Niet iedereen is trouwens aanwezig. Een aantal is waarschijnlijk al aan het weekend begonnen. Terwijl Mona op een taaie steak zit te kauwen die druipt van de gesmolten kruidenboter, werpt ze een blik op de meute leerlingen. Die lijkt nu minder anoniem dan op de eerste avond. Bepaalde gezichten vallen haar op, de gebaren van een mooi blond meisje, een jongen van een jaar of veertien die een ander met propjes bestookt, een dikke jongen van misschien twaalf die zwijgend een enorme portie patates frites naar binnen werkt. De hand van een jongen op de hals van een meisje, misschien zijn vriendin.

Het is een vreemd gevoel deze microkosmos schuin van boven te observeren, alsof je tot een andere soort behoort. Maar dat is eigenlijk ook waar. Ze is beslist niet van hetzelfde slag. Ze voelt zich in niets verbonden met de jongeren hier, niet eens door de herinnering dat zij ook ooit zo jong geweest is. De leerlingen hier kunnen als individuen heel verschillend zijn, dat ziet ze meteen van een afstandje, maar in de menigte vertegenwoordigen ze een slag mensen dat Mona niet kent en waarmee ze tot nu toe nauwelijks voeling had. Ondanks hun wilde, uitgelaten gedrag komen ze op een bepaalde manier beschaafd en zelfbewust over, wat Mona gewoonweg onnatuurlijk voorkomt, net zoals bij film- en popsterren. Dergelijk gedrag is geërfd of onbewust van de ouders afgekeken.

Bij Mona viel er in dit opzicht niets te erven of af te kijken.

Na het eten gaat de rector voor de deur staan en vraagt ieders aandacht. Het duurt minstens twee minuten voordat het een beetje stil is. Meer dan tweehonderd gezichten keren zich naar de ingang toe, en weer bespeurt Mona een nerveuze energie, alsof iedereen hier voordturend onder stroom staat. De rector wijst op Mona en stelt haar officieel voor in haar functie als rechercheur. Hij draagt alle leerlingen op met haar samen te werken, als dat nodig is.

'Wie iets weet,' zegt ze, 'wat bij de politie tot nu toe niet bekend is, kan zich vandaag en morgen onder geheimhouding tot mij wenden. Ik logeer in Gasthof Zur Post, kamer 41, doorkiesnummer 763-41. Ik ben daar vandaag en morgen de hele avond bereikbaar. Bedankt. O ja, nog iets. Wie niet zegt wat hij weet, maakt zich daardoor medeschuldig. Zo werkt ons rechtsstelsel nu eenmaal.' Ze gaat weer zitten. Toevallig valt haar blik daarbij op Danner. Hij kijkt haar heel openlijk aan. Zijn blik is vriendelijk en geïnteresseerd. Ze wendt zich af.

Wat is waarheid?
Dat wat wij onder waarheid verstaan, is niets anders dan een subjectieve constructie, een hersenspinsel. Respectievelijk een meestal stilzwijgend tot stand gekomen maatschappelijke afspraak de dingen zo en niet anders te zien.
Wie profiteert er van deze afspraak? (Cui bono est?)
Normaal gesproken de heersende klasse. Die stelt de parameters vast volgens welke in een bepaalde maatschappij geleefd, gedacht, gevoeld en gehandeld wordt. Zij drukt haar stempel op de taal, schept de begrijpelijke werkelijkheid en bepaalt op deze wijze de onderlinge verhoudingen.
Bijvoorbeeld?
Een tafel is een tafel op grond van de afspraak dat een houten oppervlak met vier steunpalen als zodanig gedefinieerd wordt.
Sinds twee dagen heeft Berit het gevoel dat ze achtervolgd wordt. Haar kamergenote ligt met griep op de ziekenzaal. Berit moet de nachten alleen doorbrengen. En de dagen eveneens. Pas sinds deze kameraden-groep-excursie weet ze hoe alleen ze werkelijk is, hoewel ze altijd mensen om zich heen heeft. Niemand merkt aan haar hoe het werkelijk met haar gaat. Dat gelooft ze althans. Je bent altijd alleen als je je hart niet kunt uitstorten. En je kunt je hart niet uitstorten als niemand wil begrijpen wat er aan de hand is.
Het komt toch niet op de letterlijke bewoordingen aan, Berit. Belangrijk zijn alleen de feiten op zich, belangrijk is de waarheid die eraan ten grondslag ligt. We weten hoe deze waarheid luidt, nietwaar? Dat is het enige dat telt.
Maar in Berits nachtmerries duikt steeds weer die afschuwelijke maan op, waardoor ze allemaal in hun volstrekt persoonlijke horrortrip terecht zijn gekomen. Ze kan de herinnering aan het flakkerende kaarslicht in de hut niet van zich afschudden, aan het moment waarop Danner naar boven ging, ze hem krakend boven hen hoorden lopen en het zachte, diepe zuchten toen hij zich in zijn slaapzak uitstrekte.
Marco, Peter en Heiko hadden hun wiet en hasj al uitgepakt, midden op de houten tafel, waarop nog steeds de vuile borden van de maaltijd en de halflege, met vette vingers verontreinigde glazen rode wijn stonden. Sabine haalde ergens een glazen pijp met de opening in de steel vandaan, die je met je ene hand dicht moest houden terwijl je eraan zoog. Dan moest je je hand weghalen en volgde er een extra *flash* in de longen. Ze mengden alles door elkaar, in een koortsachtige roes. Groene Turkse, Thaise wiet en Marokkaanse olie. Het was een gevaarlijk mengsel, dat wisten ze allemaal. Ze hadden voor de spaghetti arrabiata diverse glazen van de zware rode wijn gedronken die Danner meegeno-

men had en ze wisten dat alcohol en drugs slecht met elkaar samengingen.

'Heeft iemand pillen meegenomen?'

Allemaal schudden ze met een spijtige uitdrukking hun hoofd. Die pillen zouden ze ook nog geslikt hebben, alsof het hen allemaal niks kon schelen.

Peter stak de pijp aan, inhaleerde diep en gaf die aan Sabine door. De geur van hasj en wiet vulde de kleine benauwde ruimte en steeg naar de slaapruimte op, maar wat kon het schelen! Ook Berit kon het niks schelen of Danner iets merkte; in zekere zin wilde ze het zelfs. Ze wilde hem provoceren.

Ze verlangde hevig naar het eerste trekje, naar de kruidige smaak van de rook en de droge mond daarna. Ze hield ervan langzaam uit de werkelijkheid weg te glijden en zich daarbij zo dapper en stoutmoedig te voelen als een ontdekker op een lange reis naar de mysteriën van het ik. Soms veranderde ze in een zwijgende steen, soms kletste ze erop los in een waterval van woorden en leek het alsof iemand anders in haar plaats aan het praten was. Soms raakten tijd en plaats in haar waarneming verwrongen en werden de minuten tot uren en leken voorwerpen die vlak voor haar stonden, onbereikbaar ver verwijderd.

Ook op deze avond begon alles zoals gebruikelijk. De geconcentreerde stilte waarin gerookt werd, het wezenloze gegiechel daarna, de gesprekken die langzaam verwerden tot losse zinnen zonder samenhang.

Ze rookten de pijp niet helemaal op, hoewel ze met zijn vijven waren. Ze lieten de voortreffelijke hasj gewoon opbranden in de pijp, die in de asbak lag. Dat had hen moeten waarschuwen. Maar het was toch al te laat geweest. De veel te sterke drug bevond zich nu in hen, vloeide door hun aderen, vergiftigde hun gevoelens, wakkerde angsten aan die normaal gesproken tot de nachtmerries leidden die je de volgende dag weer vergeten was. Maar dit hier zouden ze nooit vergeten.

Sabine was de eerste die bleek en lichtjes wankelend opstond.

'Ik moet even naar buiten.'

Op hetzelfde moment kreeg Berit de indruk dat de houten wanden van de hut steeds dichter naar elkaar toe schoven. De massieve tafel leek plotseling lichtjes te zweven, de vlammen van de kaarsen werden steeds kleiner, alsof er steeds minder lucht was.

'Ik ga mee,' zei Berit.

En daar was de maan, die koud en dreigend de puntige rotsen tegenover hen belichtte en schaduwen wierp waar zo'n inktzwarte dreiging van uitging dat ze allemaal begonnen te kreunen. 'Help,' fluisterde iemand

naast Berit, die zich nauwelijks kon bewegen en al helemaal niemand helpen kon. Ondertussen waren ze allemaal naar buiten gekomen. Voor haar viel Peter op zijn knieën en begon te braken.
'Wat voel ik me beroerd.'
'Ik ben bang.'
'Ik kan niet meer.'
De maan staarde Berit aan. Hij had een gezicht. De maan sprak in Berits gedachten over dingen die ze niet wilde weten. Over dood en ontbinding en de afwezigheid van zekerheid en liefde in haar leven. Over de kanker, waarvan de kiem al in haar op de loer lag en die haar zou doden of de waanzin in zou drijven (wat hetzelfde was).
'Ik geloof dat ik zo meteen helemaal ga flippen.'

Berit is alleen in haar kamer. Sinds de kameradengroep-excursie haat ze die kamer. Ze haat intussen het hele Boshuis, want hier is alles van hout, net als in de hut. Ze haat het knarsen van de planken, de onwillekeurige spookachtige geluiden die het hout 's nachts veroorzaakt als het uitdijt of samentrekt of wat dan ook onderneemt om Berit uit de slaap te houden. Als ze het raam opendoet, hoort ze de wind in de hoge naaldbomen, en ook dat herinnert haar aan de berghut.
Ze hoort iemand de trap oplopen.
Met één sprong is ze bij het lichtknopje en doet het licht uit. Dan gaat ze bevend achter de deur staan en luistert naar de passen die traag naderen. Het zweet breekt haar uit.

6

Mona is weer een klein meisje en gaat met haar oma naar de dierentuin. Het is een zonnige dag en zo warm dat de lucht er heiig van is en Mona's huid droog en schraal aanvoelt. Ze staan bij de olifanten, die hun zware grijze koppen heen en weer wiegen. Haar oma houdt Mona's hand vast en Mona is zo gelukkig als maar kan omdat ze nergens bang voor hoeft te zijn als oma bij haar is. Oma zit niet dagenlang zwijgend te piekeren, alsof Mona helemaal niet bestaat. Ze begint ook niet plotseling urenlang in een angstaanjagend tempo onbegrijpelijk voor zich uit te brabbelen en daarbij Mona aan te staren alsof ze haar helemaal niet kent. Oma gedraagt zich zoals een moeder zich eigenlijk zou moeten gedragen. Ze is duidelijk en betrouwbaar, zegt niets wat ze niet werkelijk meent, is zorgzaam en liefhebbend en ook wel eens streng als dat nodig is. Bovendien ziet ze er precies zo uit als de goedmoedige grootmoeder met het grijze haar uit het leesboek. Dat vindt Mona fijn, alleen al omdat haar mama aan geen enkel criterium van de brave, verzorgd uitziende leesboekmoeder voldoet.

'Wanneer moet ik weer naar mama?'

'Vanavond, schatje. Dat weet je toch.'

Op dat moment eindigt de droom telkens weer met de tranen van de kleine Mona.

Mona haat deze droom.

Ze schrikt wakker en is secondenlang in de war. Het is half tien 's avonds, ze heeft bijna een uur lang als een roos geslapen. Haar moeder heeft haar weer eens gekweld, en dat houdt maar niet op.

Mona heeft een *autopilot* in haar binnenste die haar moeder geïnstalleerd heeft. Mona noemt die zo omdat die haar van een afstand bestuurt. De autopilot jaagt haar weg van mensen van wie ze houdt en zet haar ertoe aan verkeerde dingen te zeggen of dingen te doen die nauwe, liefdevolle relaties onmogelijk maken.

Zo is het haar met Anton ook vergaan. Ze heeft hem toentertijd niet bezocht in de gevangenis, uit angst dat hun verhouding bekend zou worden. Inspecteur van politie Mona Seiler slaapt met een bajesklant. Dan had ze haar carrière wel gedag kunnen zeggen.

Ik had toch voor je kunnen zorgen, zei Anton toentertijd.

Jij? Hoe dan, vanuit de gevangenis?

Ik heb daar mijn mensen voor.

Het besef iets illegaals te doen, leek bij Anton volstrekt afwezig. Je had de wet en je had Antons leven en zaken, en die hadden niets met elkaar van doen, behalve als ze strijdig met elkaar zijn. Dat kan gebeuren en je moet daar bijtijds rekening mee houden. Zo ziet Anton dat. Natuurlijk kan zij onder deze omstandigheden niet met hem samenwonen, nog afgezien van zijn jaloezieën en zijn voortdurende avontuurtjes. Hij denkt er ook volstrekt niet aan te veranderen.

De wind giert om haar hotel. Onder in de gelagkamer heerst het lawaai van een gesloten gemeenschap die een kroonjaar viert. Het dreunende ritme van overjarige discohits dringt de kamer binnen. Zo vieren ze feest op het platteland. Mona ziet de gasten voor zich: corpulente mannen met rode gezichten en vrouwen met getoupeerde blonde kapsels, van voren kort en van achteren lang, die bij elke flauwe grap vol plichtsbesef gieren van het lachen, zodat het niemand kan ontgaan hoe geweldig ze zich amuseren. Rond deze tijd worden waarschijnlijk de eerste borrels achterover geslagen om de wegzakkende stemming weer op te krikken. Mona opent de glazen balkondeur. Een windvlaag dringt de kamer binnen. Het ruikt naar sneeuw. Binnenkort zal de eerste sneeuw weer vallen. Tegen Kerstmis zal alles weer gesmolten zijn, voordat er tussen eind december en half januari een tweede kans op sneeuw en kou komt. Mona houdt van de kou. In een zacht, warm klimaat voelt ze zich onzeker. Ze houdt van de kou omdat die haar tegenstand biedt en Mona tegenstand nodig heeft om te voelen dat ze leeft.

Mona sluit de deur, trekt een dikke trui over haar T-shirt aan, opent de deur weer en gaat naar buiten.

De wind raast door haar haar, doet haar gezicht opgloeien. Ze leunt over het balkonhek heen en kijkt naar beneden op de stille, donkere straat. Ze steekt een sigaret op en kijkt hoe de rook wervelend in het duister verdwijnt. De sigaret smaakt goed, zoals merkwaardig genoeg altijd het geval is als ze treurig of radeloos is. Ze is zich ervan bewust dat ze als schietschijf fungeert omdat ze het licht in de kamer aangelaten heeft en haar silhouet vanaf de straat goed zichtbaar is. Ze zou hier niet moeten staan maar binnen moeten wachten, op een telefoontje of een klop op de deur.

Als Krieger haar zo zag, zou hij denken dat ze ze niet allemaal op een rijtje had. Tot nu toe is het niet eens haar zaak, en dat wordt het misschien ook nooit. Misschien betaalt haar werkgever de hotelkamer niet eens. Ze heeft werkelijk alleen dit weekend om te bewijzen dat er een verband tussen beide moorden bestaat. Maar welk verband kon er zijn? Ze heeft geen idee, volstrekt geen idee.

Zeker is alleen dat hier iets niet klopt. De leerlingen van de Danner-kameradengroep hebben gelogen, dat staat vast. Bode wilde het niet zeggen en zij ook niet, maar het lijkt allemaal erg op een klassiek moordcomplot. De rillingen lopen Mona over de rug, zonder dat ze er iets aan kan doen. De hypothese is krankzinnig en luguber.

Danners vrouw is niet uit het raam gesprongen. Als ze dat gedaan had, van meer dan vier meter hoogte, dan had een van de aanwezigen zeker de klap op de grond moeten horen. En dan waren er sporen op de vochtige grond geweest. Maar de plaatselijke politie heeft niets gevonden wat daarop lijkt. Zelfs het halfhoge gras onder het raam was niet geknakt, staat in het verslag.

Ze heeft nu nog twee dagen de tijd. Eigenlijk gelooft ze er niet in dat iemand zich bij haar meldt en zijn hart uitstort. Maar ze kan dan in elk geval zeggen dat ze alles geprobeerd heeft. Vanaf maandag moet Bode er dan weer verder mee. En zij moet terug naar de stad.

En stel dat de leerlingen elkaar in de gaten houden om er zeker van te zijn dat ze zich allemaal aan hun fraaie, doorwrochte verhaaltje houden?

Je bent niet wijs, Mona. Blijf eens rustig.

Er is iets waardoor ze hier vastgehouden wordt, en dat is niet alleen deze zaak.

Berit zit ineengedoken in het rokerspaviljoen tussen Boshuis en Dennenhuis. Voor haar voeten liggen zeven of acht sigarettenpeuken, allemaal van haar. Ze zit hier sinds een half uur en steekt de ene na de andere sigaret op. Ze trekt haar jas strakker om zich heen, maar die is modieus kort en houdt haar niet echt warm. Het is hier pikkedonker en ijzig koud, maar toch voelt ze zich veiliger en geborgener dan in haar warme, lichte kamer.

Er klinken knarsende voetstappen op het grindpad. Berit krimpt ineen. Ze wil nu niet praten, met niemand. Maar om dat te verhinderen, moest ze nu meteen opstaan en er in looppas vandoor gaan, en dat is haar alweer te veel moeite.

De passen vertragen. Ze ziet een rood opgloeiende sigaret (eigenlijk mag er alleen binnen het paviljoen gerookt worden, maar daar houdt niemand zich aan). Enkele seconden later herkent ze Heiko aan zijn kenmerkende houding. Hij houdt zijn hoofd voortdurend iets naar voren gestrekt, alsof hij permanent de lucht wil opsnuiven. Heiko wordt Strobo genoemd, omdat hij op een schoolfeestje met stroboscooplicht ooit flauwgevallen is. Terwijl de lichtflitsen met een frequentie van eentiende seconde door de zaal schoten, viel Heiko gewoonweg om.

Berit ziet Strobo. Hij staat nonchalant tegen de deurpost van het paviljoen geleund, rookt en zegt niets. Blijkbaar merkt hij in het duister niet dat er nog iemand is. Berit schraapt haar keel. Hij krimpt van schrik ineen.

'Hé, wie is daar?'

'Ik, Berit.'

'Berit.' Strobo zegt het met een lachje in zijn stem. Alsof hij elke lettergreep van haar naam wilde proeven. Ze hunkert ernaar hem in vertrouwen te nemen, maar ze weet niet zeker of ze dat kan. Hij is een van Danners lievelingetjes en koestert een blinde verering voor hem. 'Waar ben je?' Strobo komt het paviljoen binnen. Berit wenkt hem met een brandende lucifer. Langzaam verdwijnen haar angsten. Het is heel mooi dat Strobo hier is en dat hij blij is haar te zien. Alle andere dingen lijken opeens onbelangrijk en heel ver weg. Strobo gaat naast haar zitten, heel dicht naast haar. Zijn arm raakte de hare, en dat is al genoeg om een steekvlammetje in haar te doen ontbranden, zodat alles wegsmelt wat haar bezwaart en somber maakt, en ze alleen nog Strobo's lichaam waarneemt, dat dichterbij is dan ooit tevoren.

Half tien. Enkele verjaardagsgasten nemen op straat onder Mona's raam met veel lawaai afscheid. Auto's denderen over straat en rijden claxonnerend weg, terwijl het feest binnen verdergaat. Mona ligt op het veel te zachte matras met het te grote veren kussen en vraagt zich af of ze nu haar zus Lin nog kan bellen. Lin is zes jaar ouder dan zij en in tegenstelling tot haar een stabiele vrouw die weet wat ze wil. Lin is de belangrijkste persoon in haar leven.

Ze grijpt naar de telefoonhoorn op het nachtkastje. Dan bedenkt ze zich en pakt haar mobieltje. Voor het geval dat zich toch nog iemand bij haar meldt.

Strobo kust Berit. Het is een sensatie zijn warme, volle lippen op de hare te voelen. Ze lijkt in trance te verkeren. Alles in haar verlangt naar Strobo, die langzaam haar jas opent en op zoek gaat naar haar borsten onder de diverse lagen kleding. Als hij eindelijk haar naakte huid aanraakt, begint hij zachtjes te kreunen. Berit heeft iets dergelijks nog nooit gevoeld.

73

Ze heeft nooit geweten dat dit mogelijk was. En dat terwijl ze helemaal niet onervaren is (niemand is hier meer onervaren op zijn zestiende). Maar wat ze tot nu toe beleefd heeft, is niet te vergelijken met wat er nu gebeurt. Seks was tot nu toe een soort sport voor haar. Je deed het vooral omdat je daarna aan je vriendinnen kunt vertellen hoe hij in bed was. Je hoopt dat je partner zich eveneens lovend over je uitlaat. Dat is nu eenmaal het risico. Dat de een de ander als frigide of verkrampt betitelt. Als dat gebeurt, dan lig je er voorlopig uit.

Strobo trekt haar zachtjes op zijn schoot, tot ze schrijlings op hem zit. Hij houdt niet op haar te kussen. Ze is als was in zijn armen, en alles, elke beweging, elke aanraking komt haar als volkomen juist voor, alsof ze hier haar hele leven op gewacht heeft. Op deze ene man. Het lijkt alsof haar mond nooit meer van de zijne los kan komen. De kou, de wind, de mogelijkheid dat er iemand langskomt en hen betrapt, dat is allemaal even ver weg als de maan. 'Ik wil je,' fluistert Strobo, terwijl hij zijn tong langs haar lippen laat glijden. 'Ik wil je zo graag.' Hij tast naar onderen, en opeens horen ze een scherp scheurend geluid. Hij heeft een groot gat in Berits panty getrokken. Zomaar opeens. Ze glimlacht om dit gebaar, dat ze als wild, romantisch en gewaagd beschouwt, en even later is hij al in haar.

'Je moet bij mama op bezoek gaan. Je zit tenslotte vlakbij,' zegt Lin, terwijl ze hoorbaar een geeuw onderdrukt.

'Je bent moe,' zegt Mona berouwvol.

'Ach ja, Herbert heeft problemen op school. 's Ochtends voelt hij zich altijd beroerd.'

'Het is toch pas zijn eerste jaar op het gymnasium. Hij zal vast nog wel wennen. Bij Lukas was dat in het begin ook zo. Hoe gaat het eigenlijk met hem? Is hij braaf geweest?'

'Ja. Hij heeft het over je gehad. Hij zegt altijd dat hij het fantastisch vindt dat zijn mama bij de politie zit.'

'Wat?'

'Ja. Dat had ik je al eerder willen vertellen. Hij blijft maar daarover zeuren tegen de andere kinderen.'

Maar Mona vindt het prachtig als haar zoon over haar opschept. Lin is alleen maar jaloers. Ze roept zichzelf weer tot de orde. Ze moet anderen niet naar zichzelf beoordelen: in werkelijkheid is ze jaloers op Lin. Ze kan niet vergeten dat Lin bij haar vader mocht opgroeien terwijl zij zich door hun moeder moest laten kwellen. 'Wanneer heb je mama voor het laatst gezien?' vraagt Lin, terwijl haar stem onwillekeurig een strenge ondertoon krijgt.

'Hou daar toch mee op. Je weet dat ik haar niet meer bezoek. Ze herkent me niet eens.'

'Ja, omdat je nooit bij haar op bezoek gaat.'

Mona wil niet over haar moeder praten, die al een aantal jaren in een verpleeghuis zit. Ze heeft zelfs aan Lin niet alles verteld wat er toen gebeurd is. Sinds jaren probeert Lin haar ertoe te overreden in therapie te gaan. Lin gelooft dat de waarheid bevrijdend werkt zodra je die uitspreekt. Dat zegt ze vaak als ze met elkaar bellen. Misschien heeft ze dat in een van haar tijdschriften gelezen. Mona kan haar in elk geval niet duidelijk maken dat er dingen zijn die niet minder verschrikkelijk worden als je de confrontatie ermee opzoekt. Sommige gebeurtenissen verdragen het niet naar boven gehaald te worden. Ze muteren dan en worden monsterlijke karaktertrekken, ze hechten zich in het bewustzijn vast waarna je er nooit meer van afkomt.

'Ik heb je advies nodig,' zegt Mona, omdat ze weet dat Lin zich op die manier het makkelijkst laat afleiden. En inderdaad gaat ze er meteen op door.

'Wat is er aan de hand?'

Het probleem is dat Mona opeens niets meer te binnen schiet. Ja, wat is er eigenlijk aan de hand? Waarom heeft ze Lin opgebeld?

'Het gaat om Anton,' zegt ze lukraak. Eigenlijk heeft ze niets over Anton te zeggen waarover ze al niet uitentreuren gediscussieerd hebben.

'Mona, die man is niets voor jou. Al die... dingen waar hij zich mee bezighoudt. En dan die affaires. Hoe hij zich ook tegen Lukas gedraagt, je hebt hem echt niet nodig; je hebt ons toch.'

'Ja, dat weet ik. Maar Lukas is dol op hem.'

Ze hoort een luide zucht aan de andere kant.

'Lukas is dol op hem, heel grappig. Jij zelf kan hem niet vergeten.'

'Wel,' zegt Mona koppig. Opeens begint het gesprek haar op de zenuwen te werken. Dat eeuwige gelamenteer over mannen. Voor Mona's geestesoog verschijnt een eindeloos lange klaagmuur met alleen vrouwen, die zich wenend en jammerend voor de muur op de grond werpen en met hun voorhoofd op de grond slaan, tot bloedens toe. Steeds weer, in een eeuwig, zinloos ritueel. Waarschijnlijk worden nu, op dit moment, over de hele wereld duizenden gesprekken gevoerd die precies dezelfde inhoud hebben als dit hier. Ik houd nu eenmaal van hem. Maar hij is niet goed voor je. Maar ik kan niet anders.

'Wat is er eigenlijk met je aan de hand?' vraagt Lin lichtelijk geïrriteerd. Je moet alles uit Mona trekken, nooit zegt ze eens iets vrijwillig. Waarom belt ze op als ze helemaal niet wil praten?

'Ik... sorry, Lin.' En zo is het ook. Ze houdt haar zus voor niets uit de slaap. Lin kan haar niet echt helpen, niet op de plek waar ze nu zit. Het liefst ging ze met Lin om zonder aanhang, zonder eigen familie. Toen ze beiden nog jong waren, hebben ze een tijdje samengewoond. Dat was de gelukkigste tijd in Mona's leven.

'Weet je nog dat we in dat huis in de Türkenstrasse woonden?'

Lin lacht, ze is alweer gekalmeerd. Ze denkt er eveneens graag aan terug. Maar haar leven is sindsdien rijker geworden, dat van Mona blijkbaar niet.

'Ga slapen, Mona,' zegt ze zachtjes. 'We kunnen elkaar morgen weer bellen.'

Berit begint ongecontroleerd te snikken. Ze heeft nog nooit gehuild bij zoiets. Strobo drukt haar tegen zich aan, alsof hij buiten zichzelf is. Een seconde lang gelooft Berit te zweven. Op hetzelfde moment heeft ze het gevoel van binnen verscheurd te worden. Een kleine hete zon explodeert tussen haar dijen, en dan is alles opeens voorbij.

Ze merkt niets meer van de kou en de vochtigheid. Strobo beeft eveneens in haar armen. Hij schuift een stukje van haar weg en veegt de lange blonde haren van haar voorhoofd weg.

'Je bent mooi,' zegt hij met onvaste stem, hoewel hij haar gezicht hoogstens vaag kan herkennen. Ze staan allebei met knikkende knieën op, verlegen met de situatie.

'Wil je een sigaret?'

'Ja, graag.' Berit pakt er een; haar vingers trillen als hij haar een vuurtje geeft en ze de rook gretig inhaleert. Pas op dat moment merkt ze dat er iets met de sigaret gedaan is. De smaak ervan is aromatisch en zoet als bij hasj. Strobo heeft hem waarschijnlijk in Marokkaanse olie gedrenkt. Berit hoest. Ze kan niet begrijpen dat hij haar dit aandoet, na alles wat er in de hut gebeurd is. Kwaad gooit ze de sigaret op de grond en trapt die uit.

'Nou zeg, wat is er?' vraagt Strobo. Zijn stem klinkt hoog en benauwd, omdat hij de rook in zijn longen houdt om de werking te versterken. Opeens vindt ze hem niet meer aantrekkelijk, maar belachelijk.

'Waarom heb je dat gedaan? Als ik wat roken wil, dan laat ik dat wel weten.'

'Sorry, het spijt me. Ga alsjeblieft weer zitten.' Strobo trekt aan de zoom van haar jas. 'Kom nou, ga zitten.' Hij blaast de rook uit en klinkt in elk geval weer normaal.

Berit gaat weer zitten, maar ze voelt zich eenzaam en ontgoocheld.

'Het was mooi, daarnet met jou.' Berit merkt dat hij haar aankijkt.

'Ja, dat vond ik ook,' zegt ze en glimlacht in het duister, hoewel ze zich niet helemaal goed voelt. Strobo klinkt niet echt. Alsof hij op iets uit is. Iets dat helemaal niet te maken heeft met wat ze zojuist met elkaar gedaan hebben.

'Hoe gaat het eigenlijk met je?' vraagt hij. En ook dat klinkt onecht, alsof hij het van buiten geleerd heeft.

'Gaat wel. Best.' Berit rilt een beetje. Het is vast al na tienen. Uiterlijk om half elf moet ze binnen zijn, dan gaat de deur beneden op slot en maakt de huisvader zijn controleronde. Berits huisvader geeft natuurkunde en wiskunde in haar klas en hij is niet erg op Berit gesteld, omdat ze in beide vakken slecht is. Maar ze blijft besluiteloos zitten.

'Ik bedoel na al die stress. Red je het wel?'

'Gaat wel,' zegt Berit, nog altijd op haar hoede. Het gevoel van nabijheid wil niet meer terugkomen, en ze weet niet waarom. 'Wat heb jij eigenlijk tegen de politie verteld?'

Dus dat is het. Strobo heeft de hele tijd aan zijn geliefde Danner gedacht. Hij is bang dat ze het niet volhoudt. De teleurstelling is zo diep en alomvattend, dat Berit het idee krijgt dat de bodem onder haar voeten wordt weggetrokken. Misschien heeft hij alleen daarom seks met haar gehad. Omdat hij haar aan zijn kant wilde brengen, en zijn kant is Danners kant.

Maar ze blijft kalm. 'Ik heb tegen ze gezegd wat we afgesproken hadden. Verder nog vragen?'

'Ik bedoel alleen... het was allemaal vreselijk moeilijk voor ons. Het zou heel begrijpelijk zijn als jij...'

'Wat?'

'Door het lint zou gaan.' Hij kijkt haar weer van opzij aan, met een loerende blik. Berit kan echt niet geloven wat ze hoort.

'Heb je dit met Danner zo afgesproken?'

'Hoe bedoel je? Ben je wel lekker?'

'Dat je mij een keer zou pakken...' Berit imiteert onwillekeurig de sonore, soms rijkelijk zalvende intonatie van Danner. Ze wordt steeds woedender.

'Je hebt wat tegen Danner,' stelt Strobo vast. Hij werpt de nog gloeiende peuk op de grond.

'Nee, maar...'

'Wat?'

'Jullie maken je zo afhankelijk van hem. Zijn mening, zijn... ik weet het niet...' Ze gebaart met haar hand in de lucht, op zoek naar de juiste woorden... 'Zijn theorieën over "het leven" en "de liefde", al die afgezaagde filosofische flauwekul...'

77

'Hoe zou jij kunnen weten of dat afgezaagd is? Heb jij Kant of Hegel ge-lezen? Of Wittgenstein?'

'Nee, maar jij ook niet. Desondanks geloof je elk woord van Danner. Volledig kritiekloos. En dat terwijl hij ons voordturend voorhoudt dat we kritisch moeten zijn, ons moeten bevrijden van traditionele theo-rieën. Maar je zou jezelf eens moeten zien als *monsieur* Danner weer eens begint te zwammen. Je extatische blik, je... jullie allemaal. Jullie lijken wel gehypnotiseerd zodra Danner zijn mond opendoet.'

Berit zwijgt opeens geschrokken. Dit was niet wat ze wilde. Ze wilde Strobo niet beledigen. Hij antwoordt niet. Maar een andere stem fluis-tert haar opeens iets in haar oor. 'Best interessant, hoe jij over ons denkt.' Gedurende een seconde die een eeuwigheid lijkt te duren, gelooft Berit geschrokken dat het Danner is. Maar dan ruikt ze Peters doordringende aftershave. Hij is achterlangs tussen de bomen bij het paviljoen door aan komen sluipen. Het is allemaal afgesproken werk. Strobo moest haar week maken en dan zou Peter de rest van de hersenspoeling voor zijn rekening nemen.

In haar heldere momenten wist ze dat het weer te gebeuren stond. Ze was weer stemmen gaan horen. De stemmen hadden geen ziel of lichaam, maar ze bestonden wel degelijk. Ze gebruikten elk denkbaar geschikt medium. Hoewel ze almachtig waren, hadden ze een medium nodig. Soms kwamen ze uit de telefoon, soms uit het tosti-ijzer of de oven.

Het begon altijd plotseling. Ze was bijvoorbeeld aan het wandelen in het voetgangersgebied in de binnenstad, dan viel haar blik toevallig op een pos-ter en begon de persoon op de poster – een acteur, model of politicus – met haar te praten.

Natuurlijk gebeurde dat niet echt. In het begin wist ze altijd dat het om een hallucinatie ging, dat ze zich dergelijke verschijnselen slechts in-beeldde. In het begin negeerde ze botweg de stemmen die haar opdroe-gen verschrikkelijke, zinloze dingen te doen, zoals lijken te eten of hon-den te doden. Soms verdwenen de stemmen dan weer, teleurgesteld en verzwakt door het consequente negeren. Maar als je toch aandacht schonk aan de stemmen of ze zelfs begon tegen te spreken of met ze be-gon te discussiëren, dan kregen ze de overhand en werden ze steeds ster-ker, luider en bevelender. Dan werden ze echt.

In fase twee sloegen de synapsen in haar hersenen op hol; ze gaven ver-keerde bevelen en veroorzaakten een vuurwerk van bizarre ideeën en pa-ranoïde gevolgtrekkingen. Ze was niet meer in staat logisch na te den-ken. Het was een fysiek proces, waarvan de oorzaken nog altijd niet duidelijk waren. Dat hadden de artsen tenminste tegen haar gezegd. Ze kon dat niet geloven. Op de momenten zelf ervoer ze haar gedachtegangen nooit als onzinnig en ziekelijk, maar als logisch en consequent. Zodra het beter ging, hadden de artsen haar enkele malen video-opnamen van fase twee voorgespeeld, en dan had ze een vrouw gezien die werkelijk idiote dingen deed. Een vrouw die bijvoorbeeld zwijgend op een stoel ging staan en een glas water over haar hoofd uitgoot, voordat ze weer begon te huilen en te tieren.

Niet dat ze zich dergelijke scènes later niet herinnerde. Ze had geen black-out gehad. Ze wist wat ze gedaan had, maar niet meer waarom. Ze wist alleen dat ze het volkomen normaal had gevonden om op een stoel te klimmen en een glas water over haar hoofd uit te gieten. Het was een soort ritueel geweest dat ze moest uitvoeren. Maar dat kon niemand begrijpen die niet hetzelfde waarnam als zij.

Ze hief haar ogen ten hemel, maar de hemel was onzichtbaar. Het was aardedonker deze nacht en het was nat, want het regende.

Nee.

Ze had geen tijd voor poëtische beschouwingen. Ze gleed nu in fase twee, zonder daar iets aan te kunnen doen. Ze had haar medicijnen, die haar dik, sloom en lusteloos maakten, vernietigd. De deur stond wijdopen, en de stemmen grepen hun kans, drongen naar binnen en namen bezit van haar. Ze gaven haar een opdracht. Als vanzelf voerden haar passen haar over de glimmende zwarte kasseien in een vreemde stad. Ze had geen gids nodig, de stemmen leidden haar trefzeker verder, en ze had het al opgegeven zich ertegen te verzetten, zoals gebruikelijk in fase twee. Ze waren te machtig voor een vrouw die niets anders had dan enkele herinneringen die nu met behulp van de stemmen vorm begonnen te krijgen.

Ze bleef staan. Waar was ze?

Een moment lang kreeg ze geen lucht meer. Ze werd door paniek overweldigd.

Iets in haar wist dat het te laat was nog van koers te veranderen. Ze zou wegslippen als ze zou proberen weer op de brede weg van het verstand en de logica te komen.

Eén poging nog. *Goed dan*, zeiden de stemmen welwillend, *omdat we van je houden.*

Ze verplaatste zich terug in de tijd, in fase twee een moeizaam proces, omdat begrippen als tijd en plaats niet veel waarde meer hadden. Op zeker moment, eerder op deze dag, was ze weer in het centraal station geweest en had een paar rondjes om de croissantkiosk gemaakt, maar ze had niet dichter in de buurt durven komen. Haar blik was op zeker moment op het elektronische bord met de treinenloop gevallen, waarop op dat moment de letters en cijfers ratelend ronddraaiden. Toen alles weer stilstond, zag ze de aankondiging 'Coburg, spoor 6'. Op dat moment hadden de stemmen de leiding overgenomen.

Berit ligt aangekleed op haar bed, terwijl ze door vertwijfeling opgeslokt dreigt te worden. Ze is niet bang voor Danner, Peter of wie dan ook; zo concreet zijn haar angsten niet.
Het gevoel is veel diffuser en tegelijk veelomvattender. Sinds de nacht in de hut weet ze dat zekerheid een illusie is. Haar leven dreigt te ontsporen terwijl zij slechts weerloos daarbij toekijkt. Kan ze daar ook maar iets aan doen?
We kunnen je niet tegenhouden om te praten. Maar denk goed na wat er dan gebeurt. Peters stem, die dringend in haar oor praat.
We hadden nooit tegen Danner mogen liegen. Dat was gewoon niet juist.
Je kunt zoiets alleen zeggen omdat je hem niet vertrouwt.
Natuurlijk niet! Waarom moet ik hem vertrouwen, waarom? Na alles wat ik gezien heb...
Kom nu niet meer met die onzin daarover aan!
Jij noemt dat onzin? Je hebt ze niet allemaal meer op een rijtje.
Het ergste is dat Strobo eerst gezwegen heeft en zich dan – maar wat had ze anders kunnen verwachten? – aan Peters kant geschaard had.
Berit, denk toch eens na. Hoe staan we ervoor als een van ons doorslaat?
Ach. Dus dat is alles waarover je je zorgen maakt. Hoe wij ervoor staan. Iets belangrijkers bestaat er voor jou niet, hè? Haar stem klinkt kil en broos als nooit tevoren. Ze haat deze stem, die bij een Berit hoort van wie ze helemaal niet wist dat die bestond.
Wat moest ze doen?

7

Voorzover Mona kan zien, is ze de enige passagier op het schip, dat nu onder het lawaai van de motoren het mistige meer op vaart. De man met de kapiteinspet, die haar kaartje voor een rondvaart geknipt heeft, heeft haar verteld dat vandaag de laatste afvaart voor de winterpauze plaatsvindt. Mona gaat op de boeg staan en leunt over de witgeverfde reling, hoewel het buitengewoon vochtig en koud is en je niet veel ziet in de dikke mist, die alles opslokt. Ze tuurt naar het grijze, woelig schuimende water onder zich. Lang geleden was ze al eens hier, op een hete zomermiddag met een vriend. Ze hadden op een houten bank op het dek in de volle zon zitten vrijen, zonder acht te slaan op de talrijke toeristen en de krijsende en grijnzende kinderen om hen heen. Mona had toen een nauwe broek van zeer dunne stof aan, en ze weet nog hoe ze de hele tijd haar buik inhield zodat de vriend het spekrolletje boven haar heupen niet opmerkte.

Mona heeft het altijd moeilijk gevonden om verliefd te zijn.

Misschien komt dat doordat haar uiterlijke verschijning mannen een verkeerde indruk geeft. Mannen, zo weet ze intussen, zien een vrouw met een volle boezem en ietwat onbeholpen bewegingen die eruitziet alsof ze zich door niets van haar stuk laat brengen. Daarom nemen ze aan dat ze ongecompliceerd en goed in bed is. Als ze Mona dan beter leren kennen, blijkt dat ze ernstig en niet doortastend is. Erg goed in bed is ze ook niet, omdat ze zich vanaf een bepaald punt niet meer aan de bewegingen van haar partner aanpast, maar haar eigen ritme volgt. Ze kan gewoonweg niet anders, als ze opgewonden is, en tot nu toe wist alleen Anton daar goed mee om te gaan. Andere mannen maakten er bezwaar tegen wanneer ze in bed de leiding overnam.

Seks is als dansen, heeft een van hen gezegd. Het werkt gewoon niet als de vrouw de leiding neemt.

Het is zondagmiddag, Mona's laatste dag in Issing. Het schemert al. Tot nu toe heeft geen enkele leerling uit de Danner-kameradengroep zich bij haar gemeld, noch iemand anders. Waarschijnlijk zal niemand dat ook meer doen. Het lijkt alsof ze er al niet meer is. Vanavond of op zijn laatst morgenochtend moet ze terugrijden zonder ook maar iets bereikt te hebben, en haar collega's zullen dagenlang nergens anders over praten dan over haar fiasco. Ze voelt zich gedeprimeerd en eenzaam, en de gedachte dat ze binnen afzienbare tijd weer in haar onopgeruimde, ongezellige woning moet slapen, maakt haar stemming er niet beter op. Mona zucht en laat alles maar betijen. Ze is zoals gewoonlijk doodmoe. Onder haar borrelt en kolkt het door de boeg doorsneden water, en het eentonige dreunen van de motor maakt haar nog slaperiger.

'Neem me niet kwalijk,' zegt een jonge, hoge stem achter haar, en Mona, wier ogen al enkele seconden lang dichtgevallen waren, schrikt op. Dan draait ze zich om, verbaasd dat ze toch niet de enige passagier is.

Voor haar staat een meisje van een jaar of zestien met blond haar tot op haar schouders en een korte grijze jas die er kostbaar uitziet. Ze zou bij de Danner-kameradengroep kunnen horen, haar leeftijd klopte waarschijnlijk wel. Haar gezicht is rossig door de koele, vochtige lucht, maar haar blik is vermoeid en angstig.

'Bent u de... de mevrouw van de politie?'

'Ja. Kan ik je helpen?'

Het meisje gaat naast haar bij de reling staan en zegt: 'Ik ben urenlang achter u aan gelopen. U hebt helemaal niets gemerkt.' Ze spreekt net hard genoeg om boven het lawaai van de motoren uit te komen.

Mona antwoordt niet. De gedachte dat iemand haar langdurig geobserveerd heeft, bevalt haar helemaal niet. Het was niet nodig haar te achtervolgen. Ze was de hele tijd aanspreekbaar.

'U lijkt me iemand die graag in de natuur is,' zegt het meisje op een amicale toon die een beetje geforceerd overkomt. Ze heeft haar ellebogen evenals Mona op de reling gezet en kijkt haar van opzij aan.

'Ach ja,' zegt Mona alleen, terwijl ze voor zich uit kijkt. Ze kan het niet uitstaan als ze op haar gedrag wordt aangesproken.

'Hoor eens... Wie ben je eigenlijk?'

De reactie is verrassend en toch ook weer niet. Het gezicht van het meisje wordt lijkbleek, en ze slikt zo moeizaam dat je de beweging van haar adamsappel kan zien.

'Je bent bang,' stelt Mona vast, terwijl er een gevoel van triomf bij haar begint op te borrelen. Ze is vertrouwd met de situatie van een zenuwachtige getuige, ze voelt zich weer op veilig terrein. Maar dat is niet het enige. Er komt nog een soort euforische jachtkoorts bij. Ze is er nu van overtuigd dat het goed was om dit weekend af te zien.

Het meisje naast haar ziet niet meer zo bleek en lijkt nu wat meegaander dan daarnet.

'Ik kan je helpen, als je me vertelt wat je weet,' zegt Mona. Het is een standaardfrase, maar meestal mist die zijn uitwerking niet.

Het meisje kijkt haar weer aan. Haar ogen zijn donkerblauw en erg mooi. Ze kan blijkbaar opeens geen woord meer uitbrengen. Dat is normaal en komt doordat ze niet weet waar ze moet beginnen.

Robert Amondsen is jarenlang milieuactivist geweest en heeft uit deze tijd enkele gewoontes bewaard. Bijvoorbeeld dat hij uit principe met de tram naar kantoor gaat in plaats van met de auto. Daar komt bij dat er in de binnenstad op werkdagen nauwelijks parkeerplaatsen zijn.

Maar vandaag is het zondag, is de stad leeg en het weer waterkoud en regenachtig. Tot de dichtstbijzijnde halte is het twaalf minuten lopen, en dat is lang als je bedenkt dat Amondsens Ford in de garage staat en van stoelverwarming voorzien is. Bovendien kent hij de zondagse dienstregeling van de tram niet uit zijn hoofd. Amondsens grote zwakte is zijn bijna pathologische afschuw van water. Hij vindt zelfs douchen niet echt prettig. In de jaren tachtig heeft hij aan antikernenergiedemonstraties in Wackersdorf deelgenomen, waarbij hij tweemaal door een waterkanon van de politie bestookt werd. Na de tweede keer werd hij nooit meer in Wackersdorf gezien.

Amondsen stopt enkele documenten in zijn overjarige varkensleren aktetas en begeeft zich naar de garderobe, waar hij besluiteloos blijft staan. Als hij zijn regenjas aantrekt, dan betekent dat dat hij de tram zal nemen. Als hij namelijk de auto neemt, dan heeft hij geen regenjas nodig, omdat het kantoor een parkeergarage heeft waar hij vandaag zonder probleem een vrije plek kan vinden.

Hij ziet zichzelf met de ogen van zijn vrouw, zoals hij daar voor de kapstok staat te dralen, met zijn blik op de regenjas gericht. Zijn vrouw zou zijn gedrag zoals gebruikelijk mallotig vinden, hem de autosleutel in de hand drukken en hem met zachte dwang richting garage duwen. Ze lacht over zijn eeuwige slechte geweten, tegenover wie of welk principe dan ook. Carla leeft in harmonie met zichzelf, omdat ze meestal precies doet wat ze op dat moment het beste vindt. Ze gelooft dat dat gemakkelijk is, omdat zij het gemakkelijk vindt. Maar voor hem is het bijna onmogelijk. Amondsen heeft voortdurend last van schuldgevoelens, dikwijls om futiliteiten. Hij kan er niets aan doen, het is iets dwangmatigs. Hij verlangt naar Carla, haar humor en haar uitgelatenheid. Maar Carla is een week geleden uit huis vertrokken en heeft hun dochter meegenomen. *Tijde-*

lijk, heeft ze hem verzekerd. *Omdat ik een paar dingen voor mezelf duidelijk moet krijgen.*

Maar hij weet wel beter. Ze is verliefd geworden op een andere man en is vertrokken omdat hij uitgerekend in deze moeilijke fase niet sterk genoeg was bepaalde dingen voor haar te verzwijgen, althans een tijdlang, in elk geval zo lang totdat ze die ander uit haar hoofd had kunnen zetten. In plaats daarvan overviel hij haar op het verkeerde moment met zijn biecht zodat hij haar besluit om hem te verlaten alleen maar bekrachtigde. Zo moet het gegaan zijn.

Amondsen werpt onbedoeld een blik in de Jugendstil-spiegel naast de kapstok en ziet een man in een zwarte coltrui met een smal gezicht en grijsblond haar, dat op het voorhoofd al dun wordt. Dankzij Carla is hij in elk geval goed en smaakvol gekleed.

Ze is er niet meer voor hem. Waarschijnlijk zal ze er nooit meer zijn.

Zijn mondhoeken trekken omlaag van de pijn en tot zijn ontzetting merkt hij dat zijn ogen zich met tranen vullen. Ze is weg en hij is ervan overtuigd dat hij het zonder haar niet redt. Hij herinnert zich een opmerking van Carla van tien jaar geleden. Ze kenden elkaar pas enkele weken, en hij was dolverliefd op haar. Op een luidruchtig feestje stonden ze naast elkaar, en Carla zei in zijn oor dat ze het gevoel had dat hij werkelijk de eerste echt deugende persoon was die ze ooit ontmoet had. Hij had toen zijn hoofd geschud, meer geïrriteerd dan gevleid. Een 'echt deugend persoon', hij geloofde bijna dat dit compliment in de beleving van de meeste mensen een verkapte belediging was. Goede mensen waren vervelende slappelingen.

Vandaag weet hij weer dat dat waar was. Er zijn geen mensen die deugen, alleen vervelende slappelingen, die geen andere mogelijkheid hebben dan zich voorbeeldig te gedragen om ervan verzekerd te zijn dat hun omgeving hen welgezind is. Zodra ze echter de kans krijgen hun ware ik ongestraft te tonen, blijken ze volstrekt verdorven te zijn, verdorvener dan de rest van de wereld die alleen maar doorsnee gemeen is.

Het is Amondsens laatste dag, maar omdat hij dat natuurlijk niet weet, kan hij dat feit niet op waarde schatten. Later zullen anderen proberen elke minuut van zijn laatste dag te reconstrueren, en ze zullen daarmee forse problemen hebben, omdat geen mens hem deze zondag onder ogen komt, op eentje na.

Misschien zou Amondsen deze dag overleven als hij voor de auto zou kiezen. Maar dat doet hij niet. Hoewel het buiten al schemert en het harder gaat regenen, pakt hij zijn regenjas van de haak en zijn paraplu uit de standaard. Hij weet waarom hij dat doet. Hij zal zichzelf straffen. En hij

84

wil afleiding zoeken van zijn voortdurende kwellende hartstocht naar Carla. De ijzige regen zal hem zo aangrijpen dat hij althans enkele minuten lang zijn ware ellende kan verdringen. En zodra hij op kantoor is en de computer ingeschakeld heeft, zal hij zo in beslag genomen worden door zijn werk dat hij al het andere vergeet. Dat is het goede aan zijn beroep. Natuurkunde kun je niet half afwezig beoefenen, je wordt er helemaal door opgeëist. Alle gevoelens en angsten worden erdoor geabsorbeerd, alle hartstochten geneutraliseerd.

Amondsen vergewist zich ervan dat hij zijn huissleutel, zijn magneetkaart voor de kantoorverdieping en genoeg geld bij zich heeft om na het werk iets te gaan eten. Dit ritueel duurt bij hem langer dan bij anderen, omdat hij extreem verstrooid is als het om dagelijkse besognes gaat. En omdat hij nu weer alleen woont, is er niemand die hem eraan kan herinneren. Niemand die de huisdeur voor hem kan openen als dat nodig is.

Als Amondsen uiteindelijk zijn huis verlaat en over het geplaveide pad naar de tuindeur loopt, is het half zes 's avonds en al pikkedonker. De scharnieren van de tuindeur piepen zoals altijd, als hij die opent. Amondsen werpt een laatste blik achterom op zijn en Carla's huis, dat ze samen gekocht en samen verbouwd hebben, en dat er nu duister en ongastvrij uitziet. Onheilspellend in de letterlijke zin van het woord.

Het is de afgelopen minuten minder hard gaan regenen. Het miezert nog een beetje, terwijl Amondsen eenzaam door de lange Kastanienallee loopt, met aan het eind de halte. Behalve hij schijnt er niemand onderweg te zijn. De lucht is aangenaam fris, en hij is warm genoeg aangekleed om het niet koud te hebben. Het gaat al beter met hem. Hij denkt erover na hoe weinig er eigenlijk voor nodig is om in een beter humeur te komen. Zuiver lichamelijk welzijn is soms al voldoende.

Twaalf minuten later is hij bij de halte aangekomen. Er staat geen mens te wachten in het hokje met glazen dak. Amondsen werpt een blik op de dienstregeling en stelt vast dat de tram net drie minuten geleden voorbij gekomen is en dat de volgende pas over een kwartier komt. In dergelijke situaties had hij vroeger een sigaret opgestoken, maar hij rookt sinds een half jaar niet meer.

Hij kan niet stil blijven staan en wil ook niet gaan zitten. Iets in hem dwingt hem ertoe voortdurend te bewegen, alsof hij iets vermoedt. Er rijdt een auto vlak langs hem; de banden ruisen over het natte, met dode bladeren overdekte asfalt.

Normaal gesproken belt Carla hem dagelijks op. Niet uit liefde, zoals hij wel weet, maar omdat ze zich zorgen om hem maakt. Gisteren heeft hij haar echter op een voor zijn doen tamelijk botte wijze te verstaan gegeven dat ze zich pas weer hoefde te melden als ze een besluit genomen had.

Red je het wel, Robert?

Luister eens, Carla, ik ben geen klein kind. Ik heb geen tweede moeder nodig.

Tja, als jij het zegt.

Ze lachte zacht bij deze woorden, en dat ergerde hem nog meer. Ze is verliefd geworden op die ander omdat die zelfbewust is en Carla niet als een kasplantje behandelde maar als een vrouw van vlees en bloed. Dat heeft Amondsen tegen haar gezegd en nog wel ergere dingen, waar hij nu niet meer aan wil denken.

Laat me gewoon met rust. Leef jij je leven, en laat mij het mijne leven.

Hij weet dat hij haar met die opmerking gekrenkt heeft. Carla is erg trouw. Ze kan mensen niet zomaar laten vallen, ook hem niet. Ze zal altijd proberen het contact met hem te bewaren. De enige mogelijkheid haar te kwetsen is dus om haar juist dat te verbieden. Zijn enige voordeel tegenover zijn rivaal is dat hij Carla van haver tot gort kent. Hij doorziet al haar emoties, al haar trucjes en schijnmanoeuvres waarmee ze zich omringt om de aandacht van haar zwakheden af te leiden. Ze kan het niet verdragen in het bijzijn van anderen zwak te zijn. Hij is tot nu toe de enige aan wie ze haar kwetsbare kant heeft laten zien.

Hij beeldt zich ondertussen niets in. Vertrouwen en verliefdheid hoeven elkaar niet uit te sluiten, integendeel. Het kan zijn dat Carla het op den duur niet verdraagt om doorzien te worden en daarmee berekenbaar te zijn. Misschien wil ze haar geheimen terug hebben.

Een plotselinge windstoot jaagt door de kastanjebomen zodat er regendruppels in zijn gezicht waaien. In de verte hoort hij het getingel van de tram. Op dat moment valt hem iets op. Een schaduw achter hem, een plotseling gevoel van kou in zijn nek, verlamdheid. Om een of andere reden schiet hem de geschiedenis van Lots vrouw te binnen, die in een zoutpilaar verandert als ze zich naar Gomorra omdraait. Hij mag zich niet omdraaien, want de schaduw achter hem is Gomorra.

Een absurde gedachte. Het zweet breekt hem uit, maar hij kan zich nog altijd niet bewegen. Eindelijk breekt hij los uit zijn verstijving. Een tiende seconde te laat schieten zijn handen naar zijn hals, maar het besef dat hij verdiend heeft wat er nu gebeurt, vertraagt zijn reacties opnieuw. Pas dan begint hij voor zijn leven te vechten.

'Ik zou van school gestuurd kunnen worden. Wij allemaal,' zegt Berit. 'Ik geloof niet dat dat gebeurt.'

'De anderen zullen me haten.'
'Dat zal echt niet gebeuren.'
'U hebt daar geen idee van.'
'Je hebt geen keuze.'
'O god, ik ben zo bang.'
'Vertel me gewoon wat er gebeurd is. Begin maar helemaal bij het begin.'
'Dat kan ik niet.'
'Je moet. Als je niet praat, verdonkeremaan je een strafbaar feit. Begrijp je? Dat is strafbaar en daarvoor kun je voor de rechter gebracht worden.'
'Goed.'
'Begin maar.'

8

Mona kan er niets aan doen, maar het geeft haar een enorme bevrediging Danner hier in Bodes kantoor te zien zitten. Hij maakt nog altijd een veel te zelfbewuste indruk, maar dat zal ze er wel uit weten te krijgen.

Het is maandag, zeven uur 's ochtends. Hoewel Bode al zijn derde bak koffie voor zich heeft, zit hij voortdurend te gapen, maar Mona is bij wijze van uitzondering klaarwakker en uitgerust. Alleen nog dit verhoor, dan rijdt ze naar de stad terug en gelukkig niet onverrichter zake, ook al is er nog altijd geen verband aangetoond tussen de moord op Saskia Danner en die op Konstantin Steyer.

'Waarom hebt u bij uw eerste verhoor gelogen?'

'Ter wille van mijn leerlingen.'

Dat is een boude bewering. Zelfs Bode gaat erbij zitten en zet zijn koffiekopje neer. Mona gaat onverdroten verder.

'U hebt gelogen en uw leerlingen ertoe aangezet eveneens onwaarheid te spreken, daar zijn we het toch over eens, niet?'

Danner haalt zijn schouders op en kijkt langs haar heen. Hij draagt een spijkerbroek, een modieuze zwarte trui met nauwe V-hals en daaroverheen een zwarte blazer. Zijn krullende blonde haar is iets langer dan gebruikelijk bij een man van zijn leeftijd, maar het staat hem goed. Zijn houding en gezichtsuitdrukking laten er geen twijfel over bestaan dat hij de hele bijeenkomst hier als een vervelend verplicht programma beschouwt, waaraan hij alleen uit beleefdheid meedoet. Bodes kantoor maakt een opvallend kleine en muffe indruk sinds hij er is. Maar ja, het is waarschijnlijk ook klein en muf. Danners fysieke aanwezigheid heeft daar niets mee te maken. Je mag je door hem niet laten intimideren.

'Was dat een bevestiging?' vraagt Mona.

'Wat?'

'U haalde uw schouders op. Dat wordt op de band niet geregistreerd. Antwoordt u dus steeds met ja of nee.'

Danner glimlacht. Hij lijkt niet onder de indruk. 'Hoe luidde de vraag ook al weer?'

'Of u uw leerlingen ertoe aangezet hebt onwaarheid te spreken.'

'Ze hadden hasj gerookt. Dat is in de hut een vergrijp waarop normaal gesproken directe verwijdering staat. Ik wilde hun dat besparen. Het was een uitglijder, die hun toekomst niet mag verstoren.'

'Waarbij u op de koop toe nam dat de moord op uw vrouw onder deze omstandigheden niet opgelost kon worden.'

'Onzin.'

'Pardon?'

'Neem me niet kwalijk, maar dat is werkelijk onzin wat u zegt. Geen van ons heeft het gedaan, daar sta ik voor in.'

Mona haalt diep adem en kijkt Bode aan, die haar blik ontwijkt.

'U hebt het onderzoek belemmerd en alleen daarmee al een strafbaar feit gepleegd. Er zal aangifte tegen u worden gedaan wegens het afleggen van een valse verklaring. Bent u zich daarvan bewust?'

Voor het eerst ontdekt ze een scheurtje in de façade. Ze steekt een sigaret op, zonder Bode, die ze als niet-roker inschat, om toestemming te vragen. Misschien wordt hij eindelijk eens wakker en werkt hij mee aan het verhoor. Maar Bode trekt alleen een duister gezicht en schuift haar de brandschone bezoekersasbak toe.

'Mag ik ook roken?' vraagt Danner en haalt zonder op het antwoord te wachten een pakje Camel zonder filter uit de zak van zijn blazer.

'Als het per se moet.' Bodes eerste bijdrage.

Danner wisselt een blik met Mona en knippert heel even met zijn ogen. Opeens ziet ze complicaties, en dat is het laatste wat er mag gebeuren. Maar toch wordt de sfeer iets meer ontspannen. Danner gaat rechtop zitten en buigt zich naar voren.

'Mevrouw... neem me niet kwalijk, maar hoe was uw naam ook weer?'

'Seiler.'

'Mevrouw Seiler, ik heb spijt van mijn gedrag. Ik ben nu eenmaal zo... Ik snap dat ik als echtgenoot automatisch onder verdenking sta, maar voor mij is dat zo'n absurd idee...'

'Wat? Dat u uw vrouw omgebracht hebt? In negentig procent van alle moorden is de dader een naaste verwant, en meestal de echtgenoot. En u hebt bij uw eerste verhoor gelogen, dat is een feit. U hebt ervoor gezorgd dat uw leerlingen u een alibi verschaft hebben.'

'Ja. Ter wille van mijn leerlingen, dat verzeker ik u.'

'Goed. Wat is er werkelijk gebeurd?'

'Vraagt u me gewoon wat u precies wilt weten.'

Een tramhalte is een openbare plek die nauwelijks af te schermen is.

Daar zijn maatregelen voor nodig die ongewenste aandacht trekken, zoals de inzet van diverse politieagenten die het verkeer omleiden. Omdat de tram op de plaats van het delict niet omgeleid kan worden, moet de even nieuwsgierige als geïrriteerde passagiers verteld worden waarom het traject voorlopig afgesloten is en dat ze een ander vervoermiddel moeten zoeken. En omdat alles snel moet gaan, worden dergelijke meldingen aan de verkeersradio doorgegeven.

Het is maandagochtend zeven uur, en het is nog niet eens echt licht. Het regent maar door, al urenlang. De kastanjebomen in de laan zijn in de herfst al grotendeels hun blad kwijt, zodat er praktisch geen droge plek in een straal van vijftig meter te vinden is, behalve in het wachthok met het glazen dak. Ook het lijk in het blubberige bruin verkleurde gras achter het wachthokje is volkomen doorweekt. De dode is een man, blond, eind dertig. Hij ligt op zijn rug. Hij draagt een netjes tot aan de kraag dichtgeknoopte blauwe regenjas, en daaronder, voorzover zichtbaar, een coltrui, spijkerbroek en stevige leren schoenen. Zijn kleren zijn met water volgezogen en liggen zwaar op het slanke, bijna magere lichaam. De benen zijn iets gespreid, de armen liggen vlak langs het lichaam, beide handpalmen zijn naar boven gedraaid, alsof de dood hem in een verontschuldigend gebaar verrast heeft. Zijn gezicht is erg bleek, alsof het door de regen van de afgelopen uren schoongewassen is. Zijn ogen zijn stijf gesloten, maar niet krampachtig samengeknepen. De ambulance heeft vastgesteld dat het hier waarschijnlijk om een gewelddadige dood gaat. Die werd tegen vijf uur in de ochtend telefonisch op de hoogte gebracht door een jonge secretaresse die op weg was naar het centraal station, het eindpunt van deze tramlijn. Met haar gsm in haar linkerhand was de secretaresse op aanwijzing van de ambulancedokter naast de dode op haar knieën gaan zitten en had de wijs- en middelvinger van haar rechterhand op de plek in de hals gelegd waar de halsslagader loopt. Ze had geen geklop geregistreerd. De ambulancedokter zelf, die enkele minuten later ter plaatse kwam, stelde vast dat de man zonder enige twijfel dood was. Hij had de col van de trui zo ver naar onderen gerold dat de zwartblauwe wurgstriemen zichtbaar werden.

Dood door oorzaak van buitenaf.

De plaats van het delict is inmiddels tot in de ruime omtrek afgezet en een tiental politieagenten en medewerkers van de identificatiedienst zoeken op de hobbelige kinderhoofdjes waaruit de weg bestaat, op het geasfalteerde trottoir en het naar aarde ruikende natte en koude gras naar sporen die iets kunnen verraden, in de wetenschap dat de regen waarschijnlijk alle sporen uitgewist of onbruikbaar gemaakt heeft.

'Hoe laat bent u die avond naar bed gegaan?'

'Tegen elven. Ik weet het niet helemaal zeker, maar zo laat zal het ongeveer geweest zijn.'

'Uw vrouw lag op dat moment naast u?'

Danner kijkt voor zich uit. Uiteindelijk zet hij zijn ellebogen op zijn knie en legt zijn hoofd in zijn handen.

'Was dat een bevestiging?' vraagt Mona onbewogen.

Danner heft zijn hoofd op, leunt weer naar achteren en slaat zijn armen over elkaar.

'Ja. Ik dacht dat ze sliep. Ze ademde rustig en gelijkmatig. Ik heb me zachtjes uitgekleed om haar niet te wekken.'

'Bent u meteen in slaap gevallen?'

'Ja, tamelijk snel. We hadden een bergwandeling van vier uur achter de rug. Ik was moe door de wandeling en de wijn.'

Dat past allemaal net iets te goed, iets te naadloos in elkaar. Aan de andere kant heeft haar gevoel haar al vaak bedrogen. Anders dan veel mensen geloven, heeft politiewerk veel meer met geluk en scrupuleus onderzoek te maken dan met intuïtie. Danner heeft zijn verklaring goed voorbereid. Maar dat is normaal en zeker geen misdrijf.

'Wat is het volgende dat u zich herinnert?'

'Ik ben wakker geworden door een geluid.'

'Een geluid?'

'Ja. Iemand was buiten aan het overgeven. Tamelijk luid. Ik heb me zorgen gemaakt en ben opgestaan, heb me aangekleed en ben naar beneden gegaan.'

'En hoe was het met uw vrouw?'

Ook nu komt het antwoord snel en zonder horten en stoten. 'Ik moet heel eerlijk zeggen dat ik er niet op gelet heb of ze nog naast me lag. Het was pikkedonker... Ik heb gewoonweg aangenomen dat ze er nog was. Er was geen reden om dat te controleren.'

'Goed, u bent naar beneden gegaan. Wat trof u daar aan?'

'De tafel was niet afgeruimd, alle vuile afwas stond er nog, hoewel ze beloofd hadden af te wassen. Het rook sterk naar hasj. Midden op tafel lag in een asbak een *kawumm* te glimmen.'

'Een wat?'

Danner glimlacht. 'Een kawumm, een hasjpijp.'

Waarom gebruikt hij jongerenjargon voor drugsgebruik? Alsof hij het niet meer nodig vond zich te distantiëren van het gebruik van illegale drugs.

'Waar waren uw leerlingen?'

Danner sluit zijn ogen, alsof hij het zich dan beter kan herinneren. Mona wordt er onaangenaam door getroffen, omdat het zo theatraal overkomt. Ze wacht. Bode maakt intussen aantekeningen in een boek met een zwart plastic omslag. Ze zou graag eens lezen wat hij daar met een belangrijk gezicht allemaal neerkrabbelt.

'Ik weet nog dat het buiten erg licht was. De volle maan zag er echt fantastisch uit en dat was genoeg om de kids in hun toestand waarschijnlijk helemaal te laten flippen. Het licht was ontzettend fel en tegelijk bedrieglijk...'

'Hoezo bedrieglijk?'

Weer sluit Danner zijn ogen, weer heeft Mona het gevoel dat hij haar voor de gek houdt. Maar misschien kan hij echt niet anders. Misschien hoort hij gewoon bij die mensen die zelfs een toneelstukje opvoeren als ze naar de wc moeten.

'Het maanlicht is per definitie bedrieglijk. Het lijkt fel te zijn maar werpt in werkelijkheid slechts schaduwen.'

Mona besluit deze uitspraak te laten voor wat die is.

'U bent dus naar buiten gegaan en hebt uw leerlingen gezocht. Waar hebt u ze uiteindelijk gevonden?'

'Peter en Strobo waren...'

'Wie is Strobo?' onderbreekt Mona hem fronsend, met een blik op de lijst van mensen die door Bode ondervraagd zijn. Daar staat geen Strobo op.

Danner opent met tegenzin zijn ogen. 'Heiko. Strobo is een bijnaam.'

'Heiko Markwart?'

'Ja,' zegt Danner ongeduldig.

'Ga verder, en zegt u alstublieft de achternaam erbij.'

Danner trekt opnieuw een gezicht alsof hij met idioten te maken heeft, maar toch zijn uiterste best doet om naar hun niveau af te dalen. Op geïrriteerde toon vervolgt hij: 'Goed: Heiko *Markwart* en Peter *Below* zaten naast elkaar op een bankje direct naast de deur. Ze zagen beiden ontzettend bleek en je kon zien dat ze er beroerd aan toe waren. Peter was degene die overgegeven had. Marco *Helberg* lag op de andere bank achter het huis. Hij sliep. Sabine *Heilmann* en Berit *Schneider* kon ik eerst niet vinden. Even later ontdekte ik ze eveneens achter het huis.'

'Wat hebt u daar gedaan?'

'Verder niets. Ze zaten dicht bij elkaar, op een plek waar het maanlicht niet kwam. Voorzover ik me kan herinneren, hield Berit Sabine in haar armen. Sabine mompelde de hele tijd iets over de maan, dat het licht ervan haar waanzinnig maakte en dat ze nooit meer van een heldere maannacht zou kunnen genieten... Weet u hoe het is om stoned te zijn?'

'Nee,' zegt Mona, die plotseling het idee krijgt dat ze nog erg onervaren is. Misschien is dat juist zijn opzet. 'Maar daar gaat het ook niet om.'
'Nee?'
Een bijna plagerige ondertoon. Hoe kan hij zich in de situatie waarin hij verkeert zo gedragen? Berit Schneider heeft hem van zijn alibi beroofd, en daarmee ligt alles weer open. Vijf leerlingen waren half bewusteloos van de dope, de rest sliep. Daarmee komt Danner weer als dader in beeld. Nog afgezien van het gebrek aan toezicht dat hem verweten kan worden.
'Nee,' zegt Mona feller dan ze beoogt. 'Het gaat ons hier om u en uw vrouw Saskia. Uw vrouw is omgebracht, en u bent de hoofdverdachte. Als u begrijpt wat ik bedoel.'
Maar welk verband is er tussen Steyer en Danner?
'Kent u Konstantin Steyer?'
Hij schrikt van deze plotselinge verandering van onderwerp, dat ziet ze duidelijk. Maar hij hervindt zich snel.
'Hij was een van mijn leerlingen. Heeft begin jaren tachtig examen gedaan. Vanwaar deze vraag?'
Nu heeft ze hem te pakken. 'Dat weet u niet? Daarom ben ik hier toch. Bent u het nu al vergeten?' Niemand kan haar vertellen dat hij daar niet van op de hoogte was.
'Is het waar dat u uw vrouw meermalen mishandeld hebt?'
Opnieuw verandering van onderwerp, en ze heeft raak geschoten. Zijn gezicht is een seconde lang een open boek, voordat hij zich weer weet te beheersen.
'Ik wil mijn advocaat spreken.'

De patholoog-anatoom knielt in het natte gras en bevestigt wat zonder meer duidelijk is. De dode, die dankzij zijn aktetas ondertussen geïdentificeerd is als Robert Amondsen, is gewurgd. De dunne, maar diepe wurgstriemen zijn bloederig aan de randen. Het wurginstrument moet erg dun geweest zijn. Zonder de beschermende col van de trui zou de wond veel dieper geweest zijn.
Het sporenonderzoek heeft ondanks de regen zwakke sleepsporen in het gras opgeleverd. Mogelijk heeft de dader het lijk achter het wachthokje getrokken, zodat het in elk geval een tijdje niet ontdekt zou worden. De patholoog-anatoom wijst erop dat niet alleen de positie van het lijk veranderd is, maar ook de toestand ervan. Iemand heeft de mond na de daad gesloten en waarschijnlijk ook de oogleden dichtgedrukt. De dode werd op de rug gelegd en zijn ledematen werden netjes neergelegd, alsof de

daad daardoor gerelativeerd werd of in elk geval de aanblik minder afschuwelijk zou zijn. Het heeft niet veel nut gehad. Een menselijk lijk in de openlucht ziet er nog levenlozer uit dan tussen vier muren. Alsof de natuur met geweld heeft teruggehaald wat haar toebehoort.

Haast is geboden. Ondanks het slechte weer hebben zich vele nieuwsgierigen rond de met roodwit lint afgezette plaats van het delict verzameld: een zee van wiebelende paraplu's. Verslaggevers en fotografen van de plaatselijke pers zijn aanwezig. De persvoorlichter verschaft spaarzaam informatie. Hoofdinspecteur Bruno Strasser heeft twee rechercheurs naar het huis van Robert Amondsen gestuurd, die nu weer terugkomen.

'Er is niemand,' zegt de een. 'Tienmaal aangebeld, er is niemand.' Uit zijn gezicht spreekt een zekere opluchting. Het is geen lolletje familieleden in te lichten. Je weet nooit hoe die reageren. Sommigen vallen flauw, anderen moeten overgeven, sommigen beginnen als op commando te huilen en te schreeuwen, anderen gedragen zich stoïcijns als een Man van Smarten, alsof het kermisartiesten zijn. En sommigen blijven weer heel rustig. Ze zetten koffie en maken een praatje alsof ze niet begrijpen wat er gebeurd is. En ieder van hen kan het geweest zijn, ieder. Je moet als een spiedende kat op alle emoties letten.

'Misschien werkt die vrouw,' veronderstelt Strasser. Volgens zijn identiteitskaart is Amondsen getrouwd. Het is allemaal erg raadselachtig. Roofmoord is uitgesloten, omdat er niets gestolen is. In Amondsens portemonnee zitten diverse kletsnatte honderdmarkbiljetten, een creditkaart en een bankpasje. Hij heeft zelfs een bijna vol chequeboek bij zich. En hij heeft een horloge om waarvan op de wijzerplaat 'Cartier' staat en dat er in elk geval echt uitziet.

Op de politieschool prent Strasser de leerlingen altijd weer in dat de doorsneemoord een milieudelict is. Moorden in de zogenaamde betere kringen zijn een uitvinding van sociaal-democratische thrillerauteurs. In de dertig jaar dat hij bij de recherche werkt, heeft hij misschien drie keer zoiets meegemaakt. Daarbij geldt wel dat Coburg een kleine stad is. Op dat moment geeft Strasser zijn leerlingen meestal een knipoog en koketteert ermee dat er gevaarlijker oorden dan Coburg zijn, maar dat je daarom als aldaar gestationeerd rechercheur nog lang geen profileringsneurose hoeft te ontwikkelen.

Op dit moment heeft Strasser andere zorgen. Hij vraagt zich af hoe ze de boodschap aan de vrouw kunnen overbrengen voordat ze het op de radio hoort. Maar ze hebben nog wat tijd. Ze hebben een kort bericht naar de plaatselijke zenders gestuurd waarin echter niets over de identiteit van de dode vermeld wordt.

Strasser zucht en strijkt met zijn hand door zijn snor, die de afgelopen jaren zo grijs is geworden dat hij er al een tijdje over denkt om die af te scheren. Maar hij weet niet hoe het aan zou voelen, helemaal zonder snor.

Met zijn instemming wordt de dode nu met een grijs vel plastic afgedekt en in een grijze plastic kist gelegd. Een deprimerender aanblik is nauwelijks denkbaar, en Strasser wendt zich af, hoewel hij er na dertig jaar toch aan gewend zou moeten zijn.

Tweede deel

9

'Een goede advocaat,' zegt de rector. Hij zit op de leuning van een breekbaar ogende empirestoel met harde zitting, waarvoor hij zich te groot en zwaar voelt. Hij haat deze stoel, die hem steeds weer aangeboden wordt. Alsof Rosie Thessen precies wist hoe oncomfortabel die is. Alsof ze hem dwars wilde zitten. De rector ziet haar daar wel voor aan, en voor nog veel meer trouwens. Hij bekleedt deze functie nu al meer dan tien jaar en kent Rosie Thessen precies even lang, maar waarschijnlijk is er nog eens zoveel tijd voor nodig om haar enigszins te leren doorgronden. Ze is de dochter van de oprichter van Issing en voorzitter van het stichtingsfonds, wat betekent dat alle besluiten door haar en een bestuur dat aan haar voeten ligt, bekrachtigd moeten worden. Rosie Thessen valt onmogelijk te passeren, en zoals de meeste absolute heersers heeft ze onuitstaanbare maniertjes.

Ze zal de teugels nog lang in handen houden. Ze is 79 en haar gezicht zit vol diepe rimpels, maar ze gedraagt zich als een jonge vrouw.

Macht, denkt de rector met spijt, is gezond.

'Een goede advocaat is duur,' zegt hij, terwijl hij weet dat hij tegen een muur praat. 'Ik denk dat wij de kosten moeten overnemen. Ik meen dat we daar gezien de reputatie van de school niet aan kunnen ontkomen.'

De woonkamer van Rosie Thessen is ruim, maar staat zo vol meubels uit volstrekt verschillende stijlperioden, dat die toch klein en benauwd lijkt. Er liggen oude, elkaar overlappende Perzische tapijten, diverse Biedermeier-secretaires staan vol met ingelijste foto's en op de schouw en de vensterbanken staan snuisterijen uit alle werelddelen die Rosie Thessen als hartstochtelijk reizigster in vele tientallen jaren verzameld heeft. Ze heeft te veel bezittingen en te weinig plek. Vroeger woonde ze in een villa aan een meer, maar toen haar man overleed, is ze naar een woning vlak bij de school verhuisd. Zo kan ze alles beter in de gaten houden.

De rector neemt een slokje van de veel te sterke koffie, die ze voortdurend serveert, uiteraard in wit porselein. Eigenlijk lust hij alleen koffie met veel melk en suiker, maar omdat Rosie Thessen de hare zwart drinkt, heeft ze meestal het een noch het ander in huis.

'We hebben een nieuw stichtingslid kunnen winnen,' zegt ze met een stralende glimlach. Haar tanden zijn nog altijd mooi, en dat weet ze. Onwillekeurig ontspannen de gelaatstrekken van de rector zich. Haar glimlach is Rosies krachtigste wapen. Die is charmant en natuurlijk, open en ongekunsteld. Met haar lachje weet ze de grootste vrekken ertoe te verleiden forse cheques uit te schrijven, omdat ze een vrouw die zo kan glimlachen niets kunnen weigeren.

Haar op een na krachtigste wapen is de gewoonte om berichten die ze niet wil horen, te negeren.

'Dat is werkelijk geweldig, gefeliciteerd,' zegt de rector met valse hartelijkheid en zet zijn bijna volle koffiekopje iets te luid op het schoteltje. Hij kan ditmaal niet toegeven. Michael Danner behoort tot de beste leraren. Hij is al meer dan twintig jaar aan de school verbonden; het zou gewoon niet eerlijk zijn hem niet te helpen. En wel ongeacht of dat bepaalde hotemetoten in de oudercommissie bevalt.

'Michael Danner kan geen goede advocaat betalen. Ik zou graag willen dat de school de kosten draagt. Dat behoort tot onze verantwoording.'

Rosie Thessen kijkt langs hem heen. Haar hoofd met de zorgvuldig gewatergolfde grijze haren trilt nauwelijks waarneembaar, zoals altijd als ze opgewonden is. De rector schraapt al zijn moed bij elkaar. Als ze opgewonden is, betekent dat dat hij tot haar doorgedrongen is. Nu hoeft hij alleen maar geduld te hebben en zijn argumenten zorgvuldig te kiezen. 'Ik denk dat het geen goede indruk maakt als we een man die we al twintig jaar aan onze leerlingen toevertrouwen, nu volkomen in de steek laten. Dat wekt de indruk dat we op de hoogte waren.'

'Niemand had dat ooit kunnen vermoeden!' Nu trilt ook haar stem. 'Het was een charmante man die er goed uitzag. Hij kwam intelligent en integer over. Hij heeft ons allemaal om de tuin geleid.'

'Dat weten we toch helemaal niet. Michael Danner zit uitsluitend op grond van een ernstige verdenking in voorlopige hechtenis.' Hij voegt eraan toe: 'Let wel, verdenking.'

'Niemand komt zonder reden in de gevangenis terecht,' zegt Rosie Thessen geagiteerd. Haar houding is nu niet meer gespannen, maar stijfjes. Dat is een teken dat ze van iemand af wil, en wel snel. Maar ditmaal lukt dat haar niet.

'Uiteraard komt dat voor, tamelijk vaak zelfs. Statistisch gezien blijkt een van de drie verdachten later onschuldig te zijn.' Een dergelijke statistiek bestaat niet, maar Rosie Thessen leest geen kranten. Helaas lijkt ze niet onder de indruk, maar weer op die ergerlijke, beledigende manier afwezig. Ze wil alleen zijn, maar hij zal haar dat genoegen pas schenken als ze toegeeft. Hij leunt achterover en wacht af. Uiteindelijk slaakt ze een diepe zucht.

'Wist u van de zaak met zijn vrouw af?' Haar stem klinkt nu heel zacht, bijna schuchter.

De rector schudt geschrokken zijn hoofd. Ze komt alles te weten, je kunt niets voor haar verbergen. Overal heeft ze haar spionnen.

'Ik weet het niet zeker,' zegt hij opeens, en dat is op dit moment althans erg dicht bij de waarheid. Telkens als hij aan 'de zaak met Danners vrouw' denkt, lijkt hij in verwarring te raken. Een man kan zijn vrouw toch niet jarenlang mishandelen zonder dat iemand iets merkt. Heeft hij dan toch iets vermoed en een andere kant op gekeken, wat onvergeeflijk zou zijn? Hij heeft het in elk geval nooit met eigen ogen gezien en hij heeft er ook met niemand over gesproken, zelfs niet met zijn vrouw.

In Issing zit iedereen zogezegd op elkaars lip. Dat schept afstand, althans tussen de volwassenen. Er bestaan nauwelijks vriendschappelijke contacten tussen de leraren, behalve tussen enkele jongere. Ze zien elkaar toch al dagelijks bij de vergadering in de grote pauze om half elf. Ze eten 's middags en 's avonds met elkaar. En dan gaat iedereen zijn eigen weg. Nieuwe leraren vormen soms een uitzondering en sluiten zich enthousiast en vol optimisme aaneen 'tegen de verstarde structuren', tot ze ontslag nemen of zelf een onderdeel van de gemeenschap worden, waarin de rollen vast verdeeld zijn. Zelden gaan ze een biertje met elkaar drinken, en als dat al gebeurt, dan rijden ze naar een andere plaats om geen leerlingen tegen te komen. Die mogen niet de indruk krijgen dat er tegen hen samengezworen wordt.

Eigenlijk is het een uitermate dwaze gang van zaken, en waarschijnlijk ook nog leugenachtig. Maar wat is de waarheid? Dat je oud, stram en schuchter wordt als je voordturend door jongeren omringd wordt, wier sprankelende energieveld alles absorbeert wat voorzichtiger, trager en minder luidruchtig is? Het is in elk geval een feit dat de volwassenen in de microkosmos van het internaat allemaal voor zichzelf leven. En voor de leerlingen natuurlijk. Daarom zou het mogelijk zijn dat werkelijk niemand iets van 'de zaak' vermoedde. Of dat niemand geloofde dat hij zijn gedachten daarover moest laten gaan.

Maar de leerlingen hebben het blijkbaar wél geweten. In elk geval Berit Schneider, die Danner ten slotte verraden heeft en daarvoor sindsdien door haar kameradengroep genegeerd wordt. En dat zou de rector moeten afkeuren, terwijl hij zich er in werkelijkheid stiekem over verheugt.

Een dergelijke houding zou hij een dikke week geleden nog volstrekt niet begrepen hebben. Maar nu is alles anders. Het is een vreselijke chaos. Michael Danner, zoveel staat vast, is niet de man voor wie de rector hem aangezien heeft. Of wilde aanzien, wellicht.

'We hadden iets moeten doen,' zegt hij langzaam en nadrukkelijk tegen Rosie Thessen. Hij heeft nu een goed idee hoe hij haar kan ompraten. Ze kijkt hem wantrouwend aan. Het is erg stil in haar woning. Zo stil dat hij bijna ineenkrimpt als de koelkast in de keuken begint te brommen.

'We hebben Michael alleen gelaten met zijn problemen,' vervolgt de rector. 'We dragen mede de verantwoordelijkheid ervoor dat het zover gekomen is. Hij kon met niemand praten, niemand in vertrouwen nemen, niemand toonde belangstelling...'

'Ieder is voor zichzelf verantwoordelijk,' onderbreekt Rosie Thessen hem op besliste toon en staat op. 'Er zijn toch van die... relatiepsychiaters...'

'Relatietherapeuten. Ja, maar...'

'Zeker. In onze tijd was zoiets er nog niet. Toen moest je dat allemaal zelf zien op te lossen. En niemand maakte daar bezwaar tegen. Er werd helemaal niet over gesproken. Als je trouwde, moest je het met elkaar zien te vinden, basta. En niemand jammerde daarover. Tegenwoordig zijn er voor elk kwaaltje speciale doktoren. En waartoe heeft dat geleid, zo vraag ik u?'

'Weet ik niet,' zegt de rector op vermoeide, geërgerde toon, omdat hij weet dat hij het spel definitief verloren heeft. Rosie Thessen zal geen cent beschikbaar stellen, dat is hem nu wel duidelijk.

'Tot een kinderlijke afhankelijkheid, beste man! Vroeger waren mensen van uw leeftijd volwassen. Tegenwoordig gedragen ze zich alsof ze nog bakvissen zijn. En nu moet u mij verontschuldigen.'

De rector staat gedwee op. Hij kijkt op Rosie Thessen neer, die hoogstens een meter zestig lang is en desondanks vele malen sterker dan hij. 'U bent een koppige, harteloze vrouw,' flapt hij eruit. 'U bent ijdel en aanmatigend. Een miserabele christen, als u het mij vraagt.' Om zoiets te zeggen tegen Rosie Thessen, die zichzelf als diepgelovig beschouwt en erop voorstaat al dertig jaar vrijwillig elke zondag in de protestantse kerk orgel te spelen, is meer dan gewaagd. En haar reactie is dan ook al even heftig. Ze drukt haar lippen op elkaar en in haar ogen wellen tranen op. Tranen van woede. Deze *faux pas* zal hij nooit meer kunnen goedmaken. Maar op dit moment kan hem dat niets schelen.

Berghammer heeft de leiding over het speciale team dat uit dertig agenten en enkele gespecialiseerde rechercheurs bestaat en het profiel van een seriemoordenaar moet opstellen van wie nog niet eens bekend is of hij wel bestaat. Seriemoordenaars zijn meestal mannen tussen de twintig en zestig jaar oud. Ze zijn matig tot gemiddeld intelligent, hebben een strafblad en zijn afkomstig uit gezinnen waarin agressie en geweld normaal waren. Ze worden vaak, maar zeker niet altijd, door seksuele motieven gedreven. Een typische seriemoordenaar, die aan alle kenmerken voldeed, was de 'heidemoordenaar' Thomas Holst, die verscheidene vrouwen verkrachtte en doodde voordat hij kon worden gearresteerd. Maar ook roofmoordenaars kunnen zich als seriemoordenaars voordoen. De meesten hebben gemeen dat de slachtoffers zelf voor hen niets betekenen. In het geval van seksuele moorden moeten ze soms aan bepaalde optische criteria voldoen, maar eigenlijk gaat het de moordenaars om het ritueel van het doden zelf.

Deze zaak is volkomen anders. Twee mannen en een vrouw zijn vermoedelijk door een en dezelfde persoon vermoord, maar een seksuele achtergrond kan uitgesloten worden. En moord uit hebzucht eveneens. Het moet de dader dus om de slachtoffers zelf te doen zijn. Er moet een verband tussen Saskia Danner, Robert Amondsen en Konstantin Steyer bestaan.

Tot nu toe bestaat die er alleen uit dat de beide laatsten meer dan twintig jaar geleden op hetzelfde internaat gezeten hebben, maar niet eens in dezelfde klas. Volgens verklaringen van voormalige leerlingen schenen de twee evenmin bevriend te zijn. Latere contacten tussen de twee zijn niet bekend en uiterst onwaarschijnlijk. Saskia Danner was weliswaar met een leraar van het internaat getrouwd, maar pas sinds twaalf jaar. Daaruit volgt dat ze Amondsen en Steyer waarschijnlijk nooit gekend heeft. Een verband tussen haar en de mannelijke slachtoffers bestaat dan ook alleen in de persoon van Michael Danner, die 22 jaar geleden als stagiair op de school begonnen was en later een aanstelling als leraar kreeg.

Hoe je het ook wendt of keert: alle sporen komen bij hem samen.

Michael Danner heeft voor geen van de relevante tijdstippen een alibi. Sterker nog: op de avond waarop de moord op Konstantin Steyer gepleegd werd, is Danner door een serveerster in een café niet ver van Steyers woning gezien. Hij heeft het café rond elf uur verlaten. Deze getuigenverklaring werd door Danner eerst stellig ontkend. Daarna gaf hij toe dat hij in dit café geweest was, maar hij wilde niet zeggen wat hij daar gedaan had. Reden: het zou om een privé-aangelegenheid gaan. Er werd dus een arrestatiebevel uitgevaardigd, dat een week later door een andere rechter-commissaris weer ingetrokken werd omdat er onvoldoende grond voor zou zijn. Er zouden meer bewijzen op tafel moeten komen die er ondubbelzinnig op wezen dat hij de dader was. Geen sterke verdenkingen, geen vluchtgevaar. Sinds gisteren is Michael Danner weer op vrije voeten.

Niemand die zich met de zaak bezighoudt, begrijpt dat. Danner is tot nu toe de enige verdachte die alle slachtoffers kent. En hij had in elk geval voor de moord op zijn vrouw een motief. Maar voor de rechtbank van Miesbach gelden blijkbaar andere regels. In elk geval heeft Berghammer bij de recherche van Miesbach gedaan gekregen dat twee agenten Danner voortdurend observeren.

Carla Amondsens gezicht is bijna even bleek als haar kussenovertrek. Ze zit zwaar onder de kalmerende middelen, zegt haar huisarts, die gevraagd heeft bij het verhoor aanwezig te mogen zijn. Hoofdinspecteur Mona Seiler en hoofdinspecteur Helmut Strasser van de moordbrigade Coburg zitten op twee houten keukenstoelen naast Carla Amondsens bed. Dit is al de derde poging mevrouw Amondsen te verhoren en deze lijkt even teleurstellend te gaan verlopen als de vorige.

'Ze heeft een shock,' zegt de huisarts, die met zijn armen over elkaar tegen de deur geleund staat. Dat zegt hij niet voor het eerst.

'Laat haar toch met rust.' Hij praat alsof hij in een dokterssserie meespeelt. Misschien is hij een beetje verliefd op zijn patiënte. Carla Amondsen is erg mooi, zelfs in haar huidige toestand.

'Josef,' zegt Carla Amondsen. Alle drie de aanwezigen draaien zich verrast naar haar toe. Het is de eerste keer dat ze vrijwillig haar mond opendoet. 'Josef, ik red het wel. Je kunt gerust buiten wachten.'

De huisarts trekt een verbluft gezicht, knikt dan met een lichtelijk beledigde uitdrukking en verlaat de kamer.

'Ik heb tot nu toe niet echt kunnen helpen,' zegt Carla Amondsen tegen Mona. Haar stem klinkt ietwat onduidelijk, wat misschien aan de medicijnen ligt.

Mona heeft een slechte dag. Het Konstantin-team werkt intussen dag en nacht aan de zaak. Er zijn voortdurend besprekingen en sommige vinden zelfs midden in de nacht plaats. En dan die autoritten van hot naar her. Bijna niemand krijgt genoeg slaap. En dat terwijl ze nog altijd in de fase zijn waarin vooral gegevens, dat wil zeggen getuigenverklaringen, verzameld en vergeleken worden. De stapel verslagen, memo's en samenvattingen wordt steeds omvangrijker, terwijl ze eigenlijk nog niets méér weten dan in het begin. Mona gaat geen avond voor twee of drie uur naar bed en staat geen ochtend later op dan half zeven. Ze heeft niet eens meer tijd om haar kleren te wassen. Ze draagt al een week dezelfde spijkerbroek en al drie dagen hetzelfde sweatshirt. Lukas woont ondertussen bij Anton, omdat hij per se naar zijn vader wilde en niet naar zijn tante. Daarom is Lin beledigd, die Anton in het bijzijn van Lukas een halve crimineel heeft genoemd, wat Mona echt niet vond kunnen. Voorlopig heerst er dus radiostilte tussen de zussen.

'Het spijt me,' zegt Carla Amondsen, terwijl ze weer alleen Mona aankijkt, niet Strasser. Haar wangen hebben iets meer kleur en ze lijkt iets minder afwezig. Hopelijk begint ze niet weer te huilen. Mona kan op dit moment helemaal niet tegen huilende mensen.

'We hebben een hoop vragen,' zegt Strasser, terwijl hij aan zijn grijze snor draait.

'Ja,' zegt Carla, heel even haar ogen sluitend. Haar weelderige donkere lokken zijn vervilt. Uit het bed stijgt een licht zurige lucht van zweet en ziekte op, terwijl ze moeizaam rechtop gaat zitten en het kussen onder haar rug stopt.

'Weet u, ik wilde bij mijn man weggaan. Daarom was ik zondag niet bij hem. Ik wilde het huis uit gaan, met Anna.'

Na deze verklaring pauzeert ze. Ze lijkt te geloven dat het om een spectaculair nieuwtje gaat, maar het is ouwe koek. Vrienden van de Amondsens hebben de voorlopige scheiding allang in hun getuigenverklaringen genoemd. Toch toont ze op deze wijze haar bereidheid om eindelijk mee te werken.

'Anna is uw dochter?' vraagt Mona, Strasser opzettelijk niet aankijkend. Als verhorende rechercheurs blikken met elkaar uitwisselen, raken getuigen van de wijs. Soms is dat tactisch slim, maar ditmaal beslist niet. De vierjarige Anna bevindt zich op dit moment bij de ouders van Robert Amondsen.

'Ja.' Toch wellen er nu weer tranen op uit de stevig toegeknepen ogen. Mona probeert ze te negeren.

'Neem me niet kwalijk, maar we moeten dat vragen.'

'Wat?' Carla Amondsen beheerst zich. Mona geeft haar een zakdoek. Ze moet aan Karin Stolowski denken. Dat was een bijna identiek tafereel. Mannen brengen vrouwen aan het huilen, hoe dan ook.

'U wilde uw man verlaten. Sinds wanneer en waarom?'

Weer begint Carla Amondsen te snikken.

'Hebt u mijn vraag begrepen?'

'Ja.' Ze snuit haar neus.

'Sinds wanneer dan en waarom?'

'Ik heb dat twee weken geleden besloten. Vanwege een andere man.'

'Uw huisarts?' zegt Strasser opeens, en Mona stelt verrast vast dat Carla Amondsen opeens begint te glimlachen onder haar tranen.

'Josef! Hoe komt u daarbij?'
Strasser glimlacht eveneens. Hij vindt Carla Amondsen aantrekkelijk, dat zie je zo. En zij merkt het ook, en ze geniet ervan. In haar situatie zou iemand toch niet de neiging mogen hebben te flirten. Aan de andere kant knapt haar humeur er flink van op.
'Als u op een andere man verliefd wordt, is dat uw zaak,' zegt Strasser behoedzaam op vaderlijke toon. 'Als het niets met de zaak van doen heeft, is het niet van belang.'
Haar uitdrukking wordt weer ernstig, maar haar ogen blijven nu droog. Na een pauze zegt ze: 'Ik was er niet toen Robert me nodig had.'
'Hoe bedoelt u dat?' vraagt Mona.
'Als ik er geweest was, zou Robert met de auto naar kantoor zijn gegaan, niet met de tram. Dan zou het niet gebeurd zijn.'
Beiden kijken haar verbaasd aan. 'Hoe weet u dat?' vraagt Strasser.
De blik op Carla Amondsens gezicht verandert weer. Nu staat die op diepbedroefd. Er zijn mensen die op hun mooist zijn als ze diepbedroefd zijn. Carla Amondsen is een van hen.
'Ik weet dat gewoon. Het regende die avond, en Robert heeft een hekel aan regen. Ik kan dat niet verklaren, ik geloof dat hij zichzelf... straffen wilde of zo.'
Strasser buigt zich naar voren en raakt heel lichtjes haar linkerhand aan, die ontspannen op de deken ligt. 'U bedoelt dat hij zichzelf straffen wilde omdat hij als echtgenoot gefaald had?'
Ze glimlacht, alsof ze opgelucht is dat iemand haar zo goed begrijpt. 'Ja, zo was hij. Dat was heel kenmerkend voor hem.'
'Hebt u op de betreffende dag met hem gebeld?'
'Nee, de dag ervoor. Ik maakte me zorgen over hem.' Ze valt stil.
'U dacht dat hij zichzelf iets zou aandoen?'
Ze knikt.
'Heeft hij zoiets gezegd, of erop geduid?'
'Nee. Ik... Hij had me gewoon heel hard nodig. Dat heeft hij vaak gezegd. Vroeger, toen alles nog goed liep. Hij was altijd zo... hulpbehoevend.'
'En dat werd u te veel?' Strasser praat als een psycholoog, en Mona bespeurt een lichte jaloersheid. Zij zou dat nooit kunnen. Hij is erg invoelend en gedraagt zich op het juiste moment op precies de juiste manier.
'Ja, zeker,' zegt Carla Amondsen. 'Ik ben iemand die ook af en toe met rust gelaten wil worden. Ik heb een man nodig die voor zichzelf kan opkomen. Die niet alleen door mij bestaat en die ook zonder mij sterk is.'
En op dit moment merkt Mona dat ze niet alles gezegd heeft.

Ze wil erop doorgaan, maar Strasser heeft de volgende vraag al gesteld, die weer op de avond van de moord en haar alibi betrekking heeft. Ze was op het moment van de moord met twee vriendinnen in de bioscoop. En in de loop van het volgende tweegesprek vergeet Mona wat ze zelf vragen wilde: of de andere man de enige reden voor de scheiding geweest is.

'Ik vermoed dat we zo niet verder komen,' zegt Strasser met volle mond. Na het verhoor van Carla Amondsen heeft hij Mona ertoe overgehaald met hem te gaan eten, en nu zitten ze in een ongezellig lege pizzeria met houten lambriseringen en gekleurde vensterruiten. Strasser eet piccata lombarda, Mona een in azijn verdrinkende salade Niçoise.
'Dat kan toch nooit genoeg zijn,' zegt Strasser.
'Natuurlijk wel.' Mona houdt helemaal niet van gesprekken tijdens het eten. Ze kan zich slechts op één ding tegelijk concentreren, en als ze zit te praten, dan verdwijnt haar trek om een of andere reden.
'Wat denk je van mevrouw Amondsen?' vraagt Strasser.
Mona legt haar vork op de rand van haar bord. 'Weet ik niet. Ik denk dat we niet verder komen met haar.'
'Ik begrijp het niet. Ze waren toch getrouwd? Hoe kan ze nou zo weinig over haar man weten?' Strasser hoort blijkbaar tot de mensen die bij het eten moeten praten.
'Hoe bedoel je dat?'
'Ik doel op de tijd die hij in het internaat heeft doorgebracht. Vier jaar. Dat is toch niet niks.'
'Ja, en?'
'En ze weet er helemaal niets over te vertellen. Althans zo goed als niets. "Mijn man heeft nauwelijks over Issing gesproken." Dat begrijp ik niet.'
Mona denkt na. 'Misschien behoorde Amondsen tot de mannen die niet graag over zichzelf praten. Vertel jij je vrouw alles?'
'Niet alles, maar dergelijke belangrijke zaken wel.'
'Misschien heeft het helemaal niet zoveel indruk op hem gemaakt. Dat kan toch? Misschien heeft hij die tijd gewoon uitgezeten.'
'Vier jaar, en dan nog tussen zijn vijftiende en zijn negentiende? Dan zit je in de puberteit, dan... razen de hormonen, en dat...'
'Tekent je voor het leven.'
'Precies.' Strasser grijnst en is nu duidelijk bereid dit punt te laten vallen. Mona grijnst terug. Hij praat weliswaar te veel, en ze heeft van haar salade nog altijd niet veel meer dan de tonijn en het in vieren gesneden harde ei gegeten, maar hij is een collega met wie ze goed kan opschieten. Het biedt in elk geval weer eens wat afwisseling.

10

Ze sliepen in een grot aan het strand. Soms kwam er 's nachts een dorpsveldwachter met een zaklamp voorbij die hun halfslachtig in gebroken Engels opdroeg een andere slaapplaats te zoeken. Dan vertrok die weer, zonder dat er iets gebeurde. De eerste dagen waren ze bang geweest dat hij met een heel peloton terug zou komen om hen op te sluiten en misschien zelfs het land uit te zetten, maar hij verscheen altijd in zijn eentje. Ze wenden eraan: als ze een zaklamp in het halfduister onder de ontelbare sterren zagen oplichten, dan stopten ze hun shit weg, zetten de literfles rode wijn bij het kampvuur en nodigden hem uit bij hen te komen zitten. Ze vonden zichzelf buitengewoon wereldwijs, heel erg cool. De politieman weigerde altijd, maar ze merkten dat hij hen begon te mogen.

Na de derde week leek het alsof ze altijd al op het strand onder deze klif hadden gewoond. De vakantie groeide uit tot het dagelijks leven, maar de betovering verdween niet. Die werd zelfs nog verrijkt door de ervaring dat het werkelijk mogelijk was om zo te leven als zij hier deden. *De totale reductie van de behoeften,* noemde Simon het. Zonder ballast, zonder plichten, vrijwel zonder bezit. Elke ochtend ontbeten ze in een kleine bar aan het andere einde van het strand. Daar hadden ze zoete koekjes en *galao*, de Portugese koffie met melk waarvan ze nooit genoeg kregen. De uitbaatster had een veertienjarige dochter met donkerbruine ogen, die altijd begon te blozen als je met haar flirtte.

Elke derde dag verlieten ze hun paradijs en liepen langs de steile weg vol haarspeldbochten naar de schaduwloze parkeerplaats, waar hun auto in de zon bijna stond te verbranden. Ze zag sterretjes in alle kleuren van de regenboog voor haar ogen als ze de auto openmaakten en de hitte hen tegemoet sloeg. Het duurde minstens vijf minuten voordat de temperatuur in de auto draaglijk was en je op de kunstleren stoelen kon plaatsnemen zonder bang te hoeven zijn voor brandblaren. Dan reden ze over de smalle weg naar Carvoeiro. Hun doel was een benzinestation aan de rand van de plaats, waar een koudwaterdouche was en een levensmiddelenwinkeltje waar ze witbrood, kaas, ezelsalami, chocolade en wijn kochten. En dunne filterloze sigaretten van een merk dat ze nooit konden onthouden.

Overdag behoorde het strand aan de Portugese toeristen, 's nachts behoorde het aan hen. Met daarbij de hemel, de talloze sterren, de ontelbare vallende sterren, die in augustus bijna elke minuut door het firmament schoten. Later zou het voor hen zo lijken alsof er geen enkele bewolkte nacht was geweest. De grot was nauwelijks groter dan een doorsnee slaapkamer en natuurlijk veel lager. En ze waren nog met zijn zessen ook. Toch hadden ze nooit ruzie, zelfs geen discussies op luide toon, zo meenden ze zich later te herinneren.

Natuurlijk speelden de drugs daarbij een rol. Hasj maakte hen rustig, vrolijk en hongerig, LSD verruimde hun geest en maakte hun zintuigen gevoelig voor de schoonheid om hen heen, en de zware rode wijn smoorde elke nerveuze opwelling. Maar de drugs konden niet alles beïnvloeden, ze konden alleen versterken wat er al was: een alomvattende affectie. Ze hielden van elkaar, ze accepteerden elkaar, ze ervoeren de combinatie van hun verschillende karakters, hun individuele voorkeuren niet als bedreiging, maar als verrijking.

Hoe kon het dan gebeuren dat hun diepe vriendschap, hun onverbrekelijke gehechtheid verzandde, alsof die nooit bestaan had?

Hoofdinspecteur Berghammer heeft donkere kringen onder zijn ogen, zoals bijna iedereen in de vergaderruimte, maar zijn stem klinkt energiek. Moorden zijn onverkwikkelijk, en niemand wenst dat ze plaatsvinden. Logisch, maar aan de andere kant zou de moordbrigade dan werkloos zijn. En ja, Berghammer heeft het ook voor de media al toegegeven: Bij spectaculaire zaken is er niets opwindenders dan de opsporing zelf. Alleen al omdat daarbij zoveel positieve krachten vrijkomen. Opeens is alles mogelijk, ook in een verder inflexibel ambtenarenapparaat. Er komt geld vrij voor dure genetische bevolkingsonderzoeken, de beste experts worden opgetrommeld en personeelsgebrek, waar anders overal over geklaagd wordt, is opeens een onbekend begrip.

En nooit werkt een team beter samen dan in deze uitzonderlijke situatie. De gebruikelijke intriges en interne machtsconflicten worden ter wille van het gemeenschappelijk doel naar de achtergrond geschoven, afdelingen die altijd vijandig tegenover elkaar staan werken opeens vlekkeloos samen, informatie komt zo gemakkelijk beschikbaar dat je er nauwelijks meer wijs uit wordt. En daar komt de bevrediging bij om bijna dagelijks je portret in de krant of op de regionale televisie te zien (daar spreekt

Berghammer niet over, maar iedereen weet hoe dol hij erop is persconferenties te leiden, interviews te geven en erop staat af en toe ook een talkshow te bezoeken, en dat niet alleen om het vooroordeel te bestrijden dat de politie en de media natuurlijke vijanden zijn).

'Ik wil dat je naar dat Issing toe gaat,' zegt Berghammer, en iedereen kijkt Mona aan.

'Als chef van de MB1 moet ik hier de activiteiten coördineren,' zegt Mona, hoewel ze weet dat dit een achterhoedegevecht is. Tegen Berghammer verzet je je niet. Maar ze moet in elk geval weten of zijn bevel een degradatie of promotie betekent. Of dat hij niet meer weet welke functie ze bekleedt (wat hetzelfde zou zijn als een degradatie, en nog wel in het bijzijn van alle collega's en medewerkers).

'Je hebt werkelijk een goede prestatie geleverd in Issing,' zegt Berghammer, waarna er een zacht gefluister door de zaal gaat. 'Ik heb graag dat je ter plaatse verder op onderzoek uitgaat. Ik geef je Hans Fischer als assistent, als je dat goedvindt.'

'Zeker,' zegt Mona. Dit is de eerste expliciete loftuiting van hogerhand, sinds ze gepromoveerd is. Dit zou een soort doorbraak kunnen zijn. Dan wil je zelfs Fischer met zijn slechte humeur nog wel voor lief nemen. Haar blik valt op het ongelovige gezicht van eerste hoofdinspecteur Armbrüster, die haar tien dagen geleden nog bij haar chef Krieger zwartgemaakt heeft. Ze lacht hem vol in zijn gezicht toe.

De rector houdt zijn blik op de hockeyspelers gericht, een selectie uit de derde, vierde en vijfde klas. Ze trainen voor komende zaterdag, als ze tegen Neubeuern spelen. Het is een koude dag, de eerste sneeuw dreigt te gaan vallen. De spelers dragen leggings onder hun korte broeken en grijze sweatshirts met lange mouwen, met daarop het logo van Issing. Hun gezichten zijn rood geworden, hun vochtige haren kleven op hun voorhoofd. Behalve hun gekuch is alleen het getik van hun voeten op de rubberen speelvloer en het droge getik van de hockeysticks te horen. De sportleraar schreeuwt korte bevelen.

'Laten we een stukje gaan lopen,' zegt Michael Danner, die naast de rector staat.

De rector kijkt Danner aan, met zijn krullende blonde haar, zijn klassieke mannelijke profiel met een lange rechte neus en smalle lippen, en vervloekt zijn eigen besluiteloosheid. Hij had direct moeten reageren. Eigenlijk had Danner hier niet mogen zijn, zelfs niet als onschuldige. Het blijft namelijk ongehoord en onacceptabel dat hij zijn leerlingen ertoe heeft aangezet te liegen, nog afgezien van die toestand met zijn vrouw.

'Mij best,' zegt hij, hoewel hij zich van Danner zou moeten distantiëren, met name in het bijzijn van de leerlingen.

'Ik neem aan dat ik geschorst ben,' zegt Danner quasi-nonchalant, terwijl ze richting bos lopen.

'Vanzelfsprekend.' Terwijl de rector zijn jas tot aan het bovenste knoopje sluit en zijn sjaal schikt, vraagt hij zich af of hij Danner over het gesprek met Rosie Thessen moet inlichten. Moet hij vertellen dat ze geen advocaat wil financieren, ook niet gedeeltelijk? Wellicht realiseert hij zich dan ten volle hoe ernstig de situatie voor hem is. Niemand staat hier nog achter hem.

'Je bent nog niet echt van alles af, hè? Wat de politie betreft, bedoel ik.'

'Nee,' geeft Danner toe. 'Waarschijnlijk niet.'

'Ze blijven je als verdachte beschouwen?'

'Ze hebben geen ander, dat is het probleem. Ze hebben niet genoeg bewijs tegen me om me in voorlopige hechtenis te houden, maar er is geen ander die alle slachtoffers kent. Dat wil zeggen, die is er natuurlijk wel,' zegt hij met een kort, verbitterd lachje, 'maar ze weten niet wie het is.'

'Ik wil je nu absoluut niet vragen of jij het geweest bent...'

'Jawel!' roept Danner, terwijl hij opeens blijft staan. In de heldere, frisse lucht lijken zijn ogen donkerder en zijn gelaatstrekken scherper dan eerst. Waarschijnlijk is hij tijdens de korte periode in de gevangenis afgevallen. Plotseling pakt hij de rector bij zijn schouders vast en kijkt hem met een doordringende blik aan. Nog nooit zijn de mannen elkaar zo dicht genaderd als in dit moment.

'Ik wil dat je het me vraagt. Verdomme nog aan toe, vraag het me dan! Iedereen praat er maar omheen. Je kunt het me vragen. Ik ben er niet gevoelig meer voor. Dat hebben ze er echt wel uitgedreven bij me.'

De rector ziet enkele zomersproeten rond de neus en wimpers die voor een man ongewoon lang zijn; uiterlijkheden die een man normaal gesproken bij vrouwen opvallen op wie ze verliefd zijn. Hij wendt zijn blik van de ander af. Pas nu merkt hij hoezeer hij Danner altijd gemogen heeft en hoe diep de teleurstelling eigenlijk is. Er is heel veel verwoest, hoe de uitslag van het onderzoek ook zal uitvallen.

'Goed dan,' zegt hij op vlakke toon. 'Heb jij het gedaan?'

Danner glimlacht even en laat zijn armen hangen, alsof hij opgelucht is.

'Nee. Werkelijk waar niet. Ik hield van Saskia. De beide anderen, Steyer en Amondsen, heb ik al jaren niet meer gezien.'

'Je hebt Saskia mishandeld.'

Hij flapt het er opeens uit, en het komt niet alleen door de verontwaardiging, maar ook door zijn slechte geweten.

111

'Mijn god, Thomas. Dat tussen Saskia en mij, dat was zo... Ik weet het ook niet. Ze heeft zich als slachtoffer aangeboden.'

'Dat is weerzinwekkend en pervers, wat je daar zegt. Besef je dat wel?'

'Niemand die onze relatie niet kent, kan dat begrijpen. Niemand, ook jij niet, dat zweer ik je.'

Er bestaat geen relatie waarin geweld gerechtvaardigd is. Dat weet de rector, maar dat lijkt hem zo'n gemeenplaats dat hij het niet zegt. Ze lopen steeds sneller, tot ze bij het kleine dennenbos aankomen dat een deel van het meer omringt. Een relatief smalle, hobbelige weg vol boomwortels leidt naar de zwemplaats van het internaat, die om verzekeringsredenen bijna het gehele jaar gesloten is. Er moet een leraar zijn die bereid is het toezicht over een stel ongehoorzame leerlingen op zich te nemen, en de meesten proberen zich daaraan te onttrekken. Zo dicht bij de Alpen is het behalve in augustus toch al bijna altijd te koud om te zwemmen, en in augustus is het zomervakantie.

'Wat was er dan zo bijzonder aan jullie relatie? Zo uniek, dat je...' Hij krijgt de woorden niet over zijn lippen. Er duiken beelden voor zijn geestesoog op, waarvan de meeste waarschijnlijk van de tv afkomstig zijn: vrouwen met verwarde haren, kapot gescheurde bloes en een verwilderde blik, die er voor een betreurenswaardig slachtoffer meestal behoorlijk sexy uitzagen. Hij probeert zich Saskia, de naïeve onopvallende Saskia met haar eeuwige bruine en beige truien tot op haar dijen in deze rol voor te stellen, maar dat lukt hem uiteraard niet. Danner als dolgeworden vechtjas? Nee, ook dat kan niet.

Boven hen beginnen de bomen in een ijzig koud briesje uit het noorden te ruisen.

'Ik hield van haar,' zegt Danner na een pauze. 'Ze was zo gevoelig, zo begripvol, zo verstandig. Ze wist als enige hoe je mij moet aanpakken.'

'Dat klopte dan blijkbaar niet.'

Danner kijkt de rector van opzij aan, terwijl ze zich ondertussen bijna in looppas een weg banen over het hobbelpad.

'Dat klopt wel degelijk. Ik weet niet hoe ik het moet uitleggen, maar ik zal het proberen, want het is voor mij belangrijk dat jij me in elk geval begrijpt.'

Maar de rector kijkt recht voor zich uit. Distantie. Hij moet zich hiervan distantiëren. Danner komt zoals altijd charmant en geloofwaardig over, maar hij is het niet. Misschien is hij gewoon een geweldig toneelspeler, die zijn ware ik achter het gordijn laat zien.

'Hoor eens, eerlijk gezegd kun je je de moeite besparen. Ik wil het niet horen, ik wil het gewoon niet horen. We hebben altijd goed met elkaar

112

overweg gekund. Je was een prima leraar. Je leerlingen droegen je op handen. Je hield ze niet alleen onder controle, maar je was ook een voorbeeld.' De rector loopt steeds sneller, slaat natte takken opzij, struikelt over een wortel die als een reusachtige ader uit de aarde steekt. Danner kan hem nauwelijks bijhouden. 'Jij was het toch die het altijd over de macht van de bereidheid tot onderhandelen had, over geweldloze akkoorden op grond van betere argumenten, uitgerekend jij!'

'Hoezo?' hijgt Danner achter hem, 'Klopte dat dan niet?'

'Het was leugenachtig! Je kon je vrouw niet eens zonder geweld overtuigen!'

'Ja, dat is me niet gelukt. Maar dat betekent niet dat ik het niet wilde. Ik wilde het wel degelijk. Ik was wanhopig omdat het me niet lukte.'

'Dat is toch onzin. Als je het werkelijk gewild had, waren er mogelijkheden geweest.'

'Sorry, maar je begrijpt er niets van.'

'Nee, dat klopt. En misschien wil ik dat ook niet. Het is namelijk jouw probleem, niet het mijne. Jij moet dat oplossen, niet ik. Ik moet erover nadenken hoe ik het allemaal aan de ouders en de leerlingen uitleg.'

Ze zijn bij de zwemplaats aangekomen, waarvan alleen een houten deur zichtbaar is, die schijnbaar midden in het hoge riet voert.

'Heb jij de sleutel bij je?' vraagt Danner.

De rector knikt onwillig, nog altijd opgewonden. Eigenlijk zou hij Danner het liefst ter plekke laten staan. Aan de andere kant gelooft hij dat hij hem een gesprek schuldig is. Hij haalt een grote sleutelbos uit zijn jaszak en maakt het primitieve hangslot open. Ze lopen over de vlonder tussen het riet door naar de aanlegplaats aan het eind. Voor hen strekt het stille grijze meer zich uit.

Danner gaat op de planken zitten en steekt een sigaret op.

'Ga zitten, Thomas,' zegt hij, naast zich op het hout kloppend. De rector aarzelt maar gaat toch naast hem zitten. Het is vreemd, maar hij heeft het gevoel dat hij het afgelopen halfuur meer over Danner te weten is gekomen dan in de tien jaar ervoor. Hij begrijpt bijvoorbeeld opeens waarom de leerlingen als was in zijn handen zijn. Danner ziet er erg goed uit, hij is goed van de tongriem gesneden, origineel en zelfbewust. Hij schudt moeiteloos filosofische theorieën over leven, liefde en lijden uit zijn mouw en leent daarbij schaamteloos en met veel fantasie van veel grotere geesten dan hij. Maar dat is niet het enige. Onweerstaanbaar is de vanzelfsprekendheid waarmee hij aanneemt dat hem toekomt wat hij zich wil toe-eigenen.

'Als een man zijn vrouw slaat,' zegt Mona, 'brengt hij haar dan ook om?'
'Niet per se,' zegt de politiepsycholoog verbaasd.
'Dat weet ik ook wel. Ik bedoel, onder welke omstandigheden doet hij dat? Of zou hij dat gedaan hebben?'
'Om die vraag te kunnen beantwoorden, zou je eerst meer over de huiselijke situatie van de betrokkene moeten weten. Huiselijk geweld is altijd een multifactoreel fenomeen.'
'Een wat?'
'Doet u nu niet alsof u het niet begrijpt. Meerdere factoren spelen een rol, als het om huiselijk geweld gaat.'
'Huiselijk geweld betekent dat de man zijn vrouw mishandelt?'
'Hoor eens, mevrouw, u hebt toch ervaring? U weet dat dat een te beperkte visie is.'
Mona knikt. Ze is weer eens als een stoomlocomotief doorgedenderd. Ze moet gewoon handiger worden. Zoals Strasser. Die krijgt alles uit mensen getrokken doordat hij vol begrip op hun opmerkingen ingaat in plaats van hen met eigen conclusies de loef af te steken.
'Goed, beginnen we nog eens opnieuw. Heel in het algemeen, wat zijn het voor types die hun vrouwen slaan?'
'Heel in het algemeen? Goed dan: Het gaat om frustratietolerantie. Bij de een is de tolerantiedrempel hoger dan bij de ander. Wat doet u als u gefrustreerd bent?'
'Ik?'
'Ja, u. Uw chef veegt u de mantel uit, uw beste vriendin houdt zich niet aan een afspraak en dan komt u thuis en ziet dat uw partner niet eens de ontbijttafel afgeruimd heeft. Hoe reageert u?'
'Ik begin in elk geval niet mijn partner te mishandelen.'
'Natuurlijk niet, want die is tweemaal zo sterk als u. Hebt u kinderen?'
'Ja.'
'Hoeveel?'
'Een zoon.'
'Als uw frustratiedrempel overschreden wordt, dan komt u in de verleiding uw zoon een oorvijg te geven. Klopt dat?'
'Dat is nogal een forse insinuatie.'
'Tenzij uw tolerantiedrempel hoog is. Is dat zo?'
'Weet ik niet. Normaal waarschijnlijk.'
'Weet u, dit antwoord zou iedereen geven. Iedereen beschouwt zijn gevoelens en reacties als normaal, want hij kent geen andere. Daarom is het ook zo ingewikkeld een therapie te bieden voor mensen die mishandelen. Omdat die zichzelf heel normaal vinden. En daaruit volgt dat altijd

de anderen schuldig zijn. De moeilijke omstandigheden, de stomme chef, de liefdeloze jeugd en het allermeest de vrouw die zou provoceren. En als helemaal niets helpt, dan is er altijd nog de onverklaarbare blackout. De ik-kan-me-niks-herinneren-alles-overkwam-me-opeens-blackout.'

'En als dat klopt? U kunt toch niet bij die mensen naar binnen kijken?'

'Natuurlijk is dat bij psychotische symptomen mogelijk. Maar de gemiddelde mishandelaar is niet gek. De meesten functioneren in de rest van hun sociale omgeving relatief normaal. Ze gaan nooit door het lint. Maar thuis veranderen ze plotseling in een woesteling die niet meer weet wat hij doet. Dat is toch vreemd, nietwaar?'

'Ja. En waarom doen ze dat? Wat hebben ze daaraan?'

De psycholoog zwijgt enkele seconden en kijkt Mona schattend aan, alsof hij erachter wil komen in hoeverre ze op het volgende voorbereid is. Dan zegt hij: 'Mannen slaan diegene het meest van wie ze het meest houden en aan wie ze zich het sterkst binden.'

'Dat gelooft u toch zelf niet!'

'Hoe verklaart u dan dat het in avontuurtjes of toevallige relaties vrijwel nooit tot geweld komt?'

'Is dat zo?'

'Dat is zo, mevrouw Seiler. Een vrouw loopt het meeste gevaar als ze binnen een langdurige, nauwe relatie leeft.'

En dat is waar, zoals Mona uit ervaring weet. De gevaarlijkste plek voor een vrouw is het gezin. En niet het donkere park.

'Waarom zijn mannen zo, althans gewelddadige mannen?'

'Gewelddadige mannen kunnen hun negatieve emoties niet uiten. Ze hebben geen toegang tot hun gevoelens. Ze kunnen geen woorden vinden als het om hun problemen gaat. Dat verhoogt het frustratieniveau. Weet u, frustratie is niets anders dan negatieve energie. En negatieve energie ervaren we als onaangenaam. We willen ervan af. We willen die aan anderen delegeren, als het ware. Dat werkt bij zwakkere personen heel goed. Je kunt tegen ze schreeuwen, ze beledigen of zelfs slaan, zonder dat dat negatieve consequenties heeft.'

'Dat klinkt allemaal zo gepland. Maar ze zitten toch niet in hun kamertje te bedenken hoe ze van hun negatieve energieën afkomen?'

'Nee, integendeel. Ze willen helemaal niet weten wat ze doen. Dan zouden ze de verantwoordelijkheid op zich nemen. Pas in de loop van de therapie ontdekken ze dat die opgeheven hand hun eigen hand is, die ze hoogstpersoonlijk besturen. En niet de Heilige Geest. En niet de alcohol die ontremmend op hen werkt. En niet de slechte vrouw die hen provoceert. Ze doen het zelf, en alleen zij zelf kunnen het laten gebeuren. Het is hun eigen beslissing.'

'Stelt u zich een man voor die zijn vrouw jarenlang mishandelt. Is het logisch dat hij haar op een gegeven moment vermoordt?'

'Niet per se, zoals ik al zei. Maar als geen van beiden iets tegen het geweld onderneemt, dan zakt zijn drempel.'

'Hij wordt dan steeds gewelddadiger?'

'Inderdaad. Maar wat uw zaak betreft... als u me toestaat...'

'Ja zeker.'

'Die is anders. De moord op deze vrouw was geen gemoedsopwelling, maar boosaardige opzet. Een man die zijn vrouw slaat, wil haar pijn doen, maar niet doden. Hij neemt haar dood feitelijk weliswaar op de koop toe, dat wel, maar daar gaat het hem niet om. Hij wil dat niet.'

'Hoezo niet?'

'Omdat ze dan weg is.'

'Hij zou dan niemand meer hebben...'

'Op wie hij zijn frustraties kon afschuiven, inderdaad.'

11

Delicten tegen het leven zijn meestal relatiedelicten, en de daders zijn in de regel mannen: geweld is een mannelijk verschijnsel. Elke politieagent ontdekt dat in zijn eerste dienstjaar. Niemand hoeft het hem te vertellen. Na een bepaald aantal surveillancediensten is dat ook de traagsten van begrip duidelijk.

Voor het eerst denkt Mona erover na wat er in een politieman omgaat die een seksegenoot moet afvoeren omdat die zijn vrouw doodgeslagen of het ziekenhuis in gemept heeft. Wat voelt hij daarbij? Denkt hij na over zijn eigen bereidheid om geweld te gebruiken? Of doet hij net alsof het hem allemaal niets aangaat?

En hoe staat het met haarzelf? Denkt zij over de slachtoffers na? Over de vrouwen die hun gewelddadige mannen helemaal niet of pas dan verlaten als ze zelf nauwelijks nog enig perspectief hebben? Nee, dat doet ze niet. Ze zou de slachtoffers dan als stommelingen veroordelen, en dat wil ze niet. Ze zou er ook niets mee opschieten.

Maar hoe zou ze zich in een voorkomend geval gedragen, ervan uitgaande dat ze van de betreffende man hield? Tot nu toe is ze nog nooit geslagen, maar ze is wel degelijk op een andere manier verwond. En in de regel heeft ze uit deze ervaring hetzij te laat, hetzij helemaal geen consequenties getrokken. Ze heeft er natuurlijk wel over gepraat en ertegen geprotesteerd. Maar ze is niet vertrokken, of in elk geval te laat. Pas toen de psychische wonden al toegebracht waren en het een eeuwigheid zou duren voordat die genezen waren.

Anton beweert dat er voor een man maar twee mogelijkheden zijn om met een vrouw samen te leven. Geweld of terugtocht.

Mannen zijn niet graag afhankelijk van vrouwen, zegt Anton. Als ze zich afhankelijk voelen, worden ze agressief. Maar mannen, denkt Mona, hebben er vreemd genoeg blijkbaar geen probleem mee om van andere dingen en mensen afhankelijk te zijn. Namelijk van hun baan, hun chef en vooral van hun eigen voorstellingen wat het betekent om een man te zijn. En als ze bijvoorbeeld naar iemand als Fischer kijkt, dan zijn ze nog altijd even rigide als een eeuw geleden.

'Wat betekent het voor jou een man te zijn?'
'Huh?'
'Je hebt me heel goed verstaan.'
Het is avond en ze rijden over de Donnersberger Brücke naar de auto-snelweg richting Salzburg. Ditmaal zit Fischer achter het stuur. Zijn ge-zichtsuitdrukking is niet zo afwijzend als anders wanneer Mona zich in zijn nabijheid bevindt, maar dat kan ook aan het rossige schijnsel van de achterlichten van de auto's voor hen liggen.
'Stomme vraag.'
'En toch wil ik een antwoord, en wel meteen.' Mona heeft niet luid ge-sproken, maar toch merkt ze dat de sfeer verandert. Fischer kijkt haar kort aan. Dan laat hij zich dieper in zijn stoel zakken, legt zijn linker elle-boog op de portiersteun en pakt het stuur nonchalant met zijn rechter-hand vast. Het ontbreekt er nog maar aan dat hij de motor laat loeien, maar daar leent deze avondspits zich niet toe.
'Bedankt,' zegt Mona. 'Ik geloof dat ik het begrepen heb.'

Het was Danner die hun kameradengroep gevormd en geïnspireerd heeft. Hij alleen. Ze hebben zich dat nooit zo sterk gerealiseerd als op dit moment, nu hij er niet meer is. De leraar maatschappijleer, die ze de Geit noemen omdat hij zo'n stom mekkerend lachje heeft, probeert naar beste vermogen Danners plek in te nemen. Natuurlijk lukt hem dat niet. En dat laten ze hem merken ook. Als ze hem met zijn allen dwarsbomen, voelen ze zich weer een eenheid.
Maar voor het overige valt de groep uit elkaar. De harde kern, dus Stro-bo, Sabine, Marco en Peter, heeft Danner al in zijn woning in het dorp bezocht, maar zwijgt samenzweerderig over die bijeenkomst. De overige vier leden van de kameradengroep weten niet veel met elkaar te begin-nen. Hun onvrede over hun buitensluiting is niet zo groot dat die een gevoel van solidariteit schept. Ze voelen zich alleen op subtiele wijze be-drogen.
Over één ding zijn ze het echter eens, zonder dat ze er ooit over hoefden te praten: dat Berit Schneider een verraadster is en bestraft moet worden. En zo ziet Berit dat haar naam in de volgekraste schooltafels is gekerfd: *Berit is a whore. Asshole Berit. Flikker op, Berit.* Op de rokersplaats, het belangrijkste ontmoetingspunt en de contactbeurs na de maaltijden, staat ze meestal in haar eentje tussen de groepjes in. Alsof de verachting van haar kameradengroep besmettelijk werkt op de rest van de leerlin-gen. Niemand spreekt met haar, niemand vraagt haar naar het waarom, terwijl ze het heel graag aan iemand zou uitleggen. Pas sinds een week

moet ze deze collectieve afwijzing verdragen, en ze gelooft nu al dat ze het niet lang meer volhoudt.

Gisteren heeft ze met haar ouders gebeld, en in bed hield ze haar mobieltje tegen haar wang gedrukt, die nat van de tranen was. Haar ouders wonen in Berlijn, haar vader heeft een vriendin die in scheiding ligt, en haar moeder heeft een minnaar die nog studeert. Gelukkig is het huis in Reinickendorf zo groot dat ze hen gemakkelijk kan ontlopen. Beide ouders hebben hun eigen telefoonaansluiting, en daarom belt Berit meestal eerst haar moeder en meteen daarna haar vader op. Haar moeder koopt panden, die ze renoveert en in etages opdeelt, waarna ze die afzonderlijk verkoopt. Meestal heeft ze het over arbeiders die prutswerk afleveren of over ambtenaren die haar dwarszitten of over de belastingdienst met zijn belachelijke speculatiebelasting.

Haar vader is directeur van een klein tv-productiebedrijfje, dat niet erg goed loopt (gelukkig heeft hij een erfenis gekregen en daarvan niet al te veel in het bedrijf geïnvesteerd). Hij is bijna altijd aan het werk. Als hij met Berit belt, dan gaat het meestal over de minnaar van haar moeder, die volgens hem van haar profiteert. 'Dat doet jouw vriendin toch ook met jou,' zegt Berit dan. Ze vindt dat haar vader er oud en onaantrekkelijk uitziet en kan zich niet voorstellen dat er vrouwen zijn die met hem omgaan zonder de kosten-batenfactor in ogenschouw te nemen. Desondanks houdt ze van hem, omdat hij van nature opgewekt is en haar snel aan het lachen kan maken.

Maar toen ze in tranen aan de telefoon bekende dat ze weer naar huis wilde, en liefst meteen, was het gebrek aan enthousiasme bij beiden duidelijk te merken.

'Schatje, nu moet je niet overdrijven. Dat komt wel weer goed' (haar moeder).

'Lieverd, toch niet aan het begin van het schooljaar. Wacht in elk geval tot het tussenrapport' (haar vader).

Moeder: 'Iedereen is nu erg opgewonden, en dan reageren ze af en toe te emotioneel. Je zult zien dat ze het over enkele weken allang weer vergeten zijn.'

Vader: 'Je hebt daar veel betere mogelijkheden dan hier. Hier zouden we je ook naar een particuliere school moeten sturen en die hebben allemaal vreselijk lange wachtlijsten.'

'Ik kan toch ook weer naar een staatsschool gaan?'

'Ben je niet wijs, kindje? Met al die buitenlanders op de scholen hier? Daar leert niemand meer iets.'

Berit bleef huilen en snikken tot haar moeder haar voor Kerstmis een nieuw wollen Gucci-shirt beloofde dat ze in een van de boetieks in de Friedrichstrasse gezien had ('alsof het speciaal voor jou gemaakt is'). Haar vader stelde haar een stadsauto naar keuze in het vooruitzicht als ze in elk geval tot het eind van het schooljaar zou volhouden.

Tot het eind van het schooljaar; wat een afschuwelijk idee.

'Berit.'

Het is zo lang geleden dat iemand haar naam heeft geroepen, dat Berit eerst gelooft dat ze het verkeerd verstaan heeft. Zo ver is het al met haar gekomen. Slechts een week lang heeft ze moeten ondervinden hoe het is om niet geliefd te zijn, en nu al gelooft ze dat ze haar zintuigen niet meer kan vertrouwen. Maar iemand heeft werkelijk haar naam geroepen. Ze draait zich om.

Strobo loopt de trap van het hoofdgebouw af en komt op haar toe. Haar hart begin te bonzen. Strobo heeft geen woord meer met haar gesproken sinds de dag waarop ze Danner bij de politie verraden heeft. Ze probeert te glimlachen, maar Strobo vermijdt haar rechtstreeks aan te kijken. Als het beter met haar zou gaan, zou ze merken dat hij verlegen is, maar in haar toestand ziet ze alleen de afwijzing. Haar glimlach ebt weg, en ze gaat onwillekeurig rechtop staan, alsof ze een aanval verwacht.

'Danner wil je spreken,' zegt Strobo, terwijl hij voor haar staat en naar een punt rechts achter haar gezicht kijkt. Hij trekt rillend zijn schouders op en hopt van het ene been op het andere.

'Wat?'

'Ja, hij heeft het je vergeven.'

'Aha.'

Danner hoeft haar niets te vergeven. Hij zou zich eerder bij haar moeten verontschuldigen, bij hen allemaal trouwens, omdat hij hen gebruikt heeft. Want dat heeft hij gedaan. Daar bestaat geen vriendelijker uitdrukking voor.

Maar het zou ontzettend hard zijn om deze uitgestrekte hand nu weg te duwen. Ze wil er dolgraag weer bij horen. Ze wil vooral Strobo weer dolgraag zien, zijn handen, zijn mond.

'Ik heb geen slecht geweten,' zegt ze. 'Ik voel me belazerd omdat hij me zo behandeld heeft, maar ik heb geen spijt van wat ik gedaan heb.'

'Dat weet Danner. Hij accepteert dat. Hij vindt je moedig. Je hebt je tegen de groep teweer gesteld. Helemaal in je eentje.' Ook Strobo, die nu als het ware toestemming heeft van zijn meester, kijkt haar nu met een geheel nieuwe, bijna respectvolle blik aan.

Dat is typisch voor Danner. Hij doet altijd wat niemand van hem verwacht. Het is een dwang om koste wat kost origineel te zijn. Berit gelooft geen woord van wat Strobo zegt. Dat is allemaal show, en ze begrijpt gewoonweg niet dat Strobo, die ze toch voor een slimme jongen houdt, in deze truc trapt. Om van de anderen nog maar te zwijgen. Het lijkt wel alsof ze blind en doof zijn. Iedereen moet toch in de gaten hebben dat er niets echts en authentieks aan Danner is, geen enkel gevoel, geen enkele reactie, niets. Maar de anderen hebben niet gezien wat zij gezien heeft. Ze weten niet dat hij altijd alleen op het effect uit is, als een would-be goeroe.

Ze herinnert zich nog de dag na de verschrikkelijke maanverlichte nacht in Telfs, toen het groepje blowers als een zielig hoopje voor de hut zat, uitgeput door een gebrek aan nachtrust, geplaagd door misselijkheid en een slecht geweten. Binnenin zat Danner met de Oostenrijkse politie te praten, terwijl de rest van de politieagenten de omgeving uitkamde, op zoek naar de verdwenen Saskia Danner. Ze denkt eraan hoe Peter zei: *en wat doen we nu?* Op een toon alsof hij het antwoord al heel precies wist. En omdat Berit al enig vermoeden had welk waanzinnig idee hij had, antwoordde ze snel en bot: *Wat dan? Niets!*

Hoe bedoel je, 'niets'? We moeten op een of andere manier reageren.

Waarop wil je dan reageren? We weten niets van Danners vrouw, we hebben niets gezien, niets gehoord...

We moeten het tegen hem zeggen.

Wat dan, idioot! Dat we helemaal out zijn van de dope? Zodat hij ons kan aangeven? Zodat we van school gestuurd worden?

Nooit. Hij zou ons nooit aangeven. Als we het tegen hem zeggen, dan is dat een bewijs van ons vertrouwen.

Vertrouwen waarin? En vooral: waarom zouden we dat doen?

Wie heeft daar wat aan, behalve hij zelf? Hij zou ons helemaal in zijn macht hebben.

Ik weet niet wat er met je aan de hand is, Berit. Je bent zo paranoïde als het om Danner gaat, echt absurd.

En jij bent ervan bezeten hem voortdurend je genegenheid te bewijzen. Dát is pas echt absurd.

Maar ze was er niet in geslaagd hen te overtuigen. De anderen hadden Peters zijde gekozen. Ze wilden Michael Danner per se alles bekennen, om zich dan door zijne heiligheid de absolutie te laten toedienen. En zo was het dan ook precies gegaan. Hij had hen grootmoedig alles vergeven. En daarna had hij hen uiterst behendig ertoe overgehaald voor hem te liegen. Hij had het zelfs voor elkaar gekregen hen te laten geloven dat het hun eigen idee geweest was.

Weten jullie, het probleem is dat ik me enerzijds vereerd voel door jullie ver-

trouwen, maar dat jullie me anderzijds in een vreselijke situatie brengen. Als ik jullie aangeef, dan worden jullie van school gestuurd. Als ik jullie niet aangeef, dan maak ik inbreuk op mijn zorgvuldigheidsverplichting.

En dan dat gezicht dat hij daarbij trok! Dat voorhoofd met die zorgelijke rimpels. Dat dramatisch dooreen gewoelde haar.

En vooral: wat vertellen we de politie? Want die zou ik ook jullie gedrag moeten melden, en dan hebben jullie een aanklacht wegens het gebruik van verboden verdovende middelen aan je broek.

Wat hingen ze allemaal aan zijn lippen met hun angstige bleke gezichtjes! En hoe sluw wist Danner vervolgens de verantwoordelijkheid aan hen over te laten.

Ik moet helaas zeggen dat ik volledig radeloos ben. Ik doe nu iets zeer ongewoons voor een leraar. Ik vraag jullie om raad. Wat zouden jullie in mijn plaats doen?

Natuurlijk zei niemand iets. Dat was een onderdeel van zijn strategie. Er ontstond een lange, pijnlijke pauze waarin Danner met zijn ernstigste gezicht de een na de ander opnam alsof hij hem of haar nog nooit gezien had. Uiteindelijk liet hij zijn hoofd in zijn handen zakken: een stereotiep beeld van radeloze vertwijfeling. Hoewel Berit zich ondertussen al even ellendig voelde als de rest van de groep, was ze er toch uiterst benieuwd naar wat er nu zou gebeuren. Hij voerde iets in zijn schild, dat merkte ze.

Ik moet jullie helaas nog iets vragen, en ik vraag daarbij om een volstrekt eerlijk antwoord.

Luisteren. Zwijgen.

Ik wil graag weten of jullie op welke manier dan ook hebben gemerkt hoe mijn vrouw de hut uit is gegaan.

De politie had hetzelfde gevraagd. Iedereen had nee gezegd. Ook Danner. De zoekactie ging nog altijd door. Er werden helikopters ingezet die bergreddingswerkers afzetten die Saskia Danner in een noodgeval snel hadden kunnen helpen.

Allemaal schudden ze hun hoofd. Niemand had iets gemerkt, niemand. Danner glimlachte en leek vreselijk opgelucht. Zijn leerlingen. Zijn kameradengroep. Vanzelfsprekend hadden ze hun mond opengedaan als ze iets gemerkt hadden. Het was niet fair om iets anders zelfs maar te denken.

Jongens, ik wil van alles, maar niet jullie aan de schandpaal nagelen. Jullie zijn jong, jullie hebben nog een leven voor je. Ik weet niet wat ik nu moet doen.

Op dat moment had Peter het woord genomen. Krijtwit, maar zelfverzekerd.

Niemand heeft iets gezien of gehoord. We hebben tot vier uur 's ochtends in

de keuken zitten drinken en praten. Wij, dat zijn Strobo, Marco, Sabine,
Berit en ik. En jij, Michael. We hebben zitten drinken en praten en niet
op de tijd gelet. We hebben niets gemerkt.
Het bleef ijzingwekkend stil. Berit merkte hoe haar hoofdhuid samen-
trok, alsof haar haren haar letterlijk te berge rezen. Ze wist nu dat Danner dit gepland had, en ze wist ook waarom. Maar ze zei niets, helemaal
niets. Peter had Danner een voorstel tot een deal gedaan, en als Danner
daarop in zou gaan, dan was één ding in elk geval duidelijk: er was Saskia
Danner iets overkomen. Of Danner was bang dat dat het geval kon zijn
en dat hij daarbij verdachte was. Danner liet zijn hoofd weer in zijn handen zakken, alsof hij ingespannen nadacht. Op dat moment schoot het
toeval hem weer te hulp. Een van de politiemannen kwam binnen en begon de groep te ondervragen. Peter was degene die het eerst loog. Hij
loog de politieman recht in zijn gezicht voor.
We hebben tot vier uur 's ochtends hier gezeten. Geen van ons heeft iets ge-
hoord. Maar het ging er ook levendig aan toe.
Is dat waar?
De politieman wendde zich tot Danner. Danner knikte. En daarmee was
het voor iedereen duidelijk. Ze zouden niet van school gestuurd worden.
Ze zouden niet eens bij de directeur hoeven te komen. Er zou helemaal
niets meer gebeuren. Ze waren uit de problemen.
Net als Danner, overigens. Maar dat vonden ze opeens niet meer zo in-
teressant.

Berit en Strobo lopen langzaam door de steile Dorfstrasse. Berit heeft
nog steeds het gevoel dat ze een fout maakt. Danner is een zieltjeswin-
naar. Ze is een interessante uitdaging voor hem, omdat ze zich vaak tegen hem te weer heeft gesteld. Hij heeft niets met haar zelf op.
Maar een week contactverbod is nog erger.
Aan de andere kant heeft ze het gevoel dat ze haar huid niet duur genoeg
verkoopt. Het is niet goed tegen je eigen principes in te handelen, zelfs
als die mogelijk verkeerd zijn. Daar gelooft ze in. En dat is merkwaardig,
omdat haar ouders haar volledig waardevrij opgevoed hebben en daar
nog altijd trots op zijn. Zonder enige morele dwang, zegt haar vader
soms tegen vrienden. Het enige dat Berit moest leren, was rekening te
houden met de behoeften van anderen. Een zeer pragmatisch opvoe-
dingsdoel. Met morele lessen wilden ze haar niet lastigvallen. Maar je
mist altijd uitgerekend dat wat je niet hebt.
'Danner heeft zijn vrouw mishandeld. Ik heb dat door het raam gezien.'
Strobo weet dat al. Ze heeft dat hem en de anderen al lang voor het uit-

stapje van de kameradengroep verteld, zelfs nog voor de zomervakantie. Maar geen van hen heeft zich daardoor willen laten imponeren. Ze hebben het verhaal aangehoord, en Peter zei dat zijn ouders regelmatig ruzie met elkaar maakten tot een van beiden met borden begon te smijten. Daarna konden ze altijd weer heel goed met elkaar overweg. Maar zo was het niet, zei Berit. Danner heeft zijn vrouw volgens alle regelen van de kunst kapot gemaakt. Ze heeft zich niet verzet, zich niet eens verweerd. Ze heeft het over zich heen laten komen, alsof het al duizend keer op die manier gebeurd was. Alsof ze eraan gewend geraakt was.

'Als iemand zoiets doet, dan geloof je zijn kletspraatjes niet meer,' zegt Berit. Haar stem heeft iets smekends gekregen, maar ze is zich daarvan niet bewust. Waar ze zich wel bewust van is, is haar vertwijfelde wens dat iemand haar begrijpt en het met haar eens is. Langzaam begint ze zichzelf namelijk nogal merkwaardig te vinden. Kan het zijn dat de anderen meer weten dan zij? Dat ze zich alleen maar belachelijk maakt met haar scrupules?

'Danner heeft daar met ons over gesproken,' zegt Strobo. Er ontstaan ijswolkjes voor zijn lippen terwijl hij spreekt. 'Hij heeft zelf heel erg geleden onder de situatie.'

'Hij? En wat dacht je van zijn vrouw?'

Het is zaterdag, en het dorp is volkomen verlaten. Ze horen alleen hun adem en het klikken van hun hakken op het asfalt. Er is geen mens op straat, geen auto, niets. De opzichtig gerenoveerde huizen in de winkelstraat met hun erkertjes en gevelschilderingen lijken wel gebarricadeerd. Precies om twaalf uur gaan de winkels hier zaterdags dicht, en dan verstoppen de bewoners zich in hun huisjes, alsof ze een natuurramp verwachten. Pas in het voorjaar kruipen ze ook in het weekend weer uit hun holletjes om toeristen van koffie, ijs en taart te voorzien en daarbij flink te incasseren.

Hoewel Berit sinds drie jaar het grootste deel van het jaar hier doorbrengt, weet ze vrijwel niets over de mensen buiten de school. Er zijn nauwelijks contacten tussen beide werelden. Meisjes die zich met jongens uit het dorp inlaten, krijgen op school geen voet meer aan de grond. Omdat je zoiets gewoon niet doet. Omdat het niet cool is met figuren om te gaan die in hun vrije tijd niets beters te doen hebben dan hun motor op te poetsen.

'Je geeft hem helemaal geen kans,' zegt Strobo. Ze slaan de Seestrasse in, die naar de promenade leidt. Op de benedenverdieping van een van de geelwit gepleisterde villa's woont Danner. Boven hem woont zijn huurbaas, een hardhorende oude man.

'Wat deed je hier eigenlijk?' vraagt Strobo.

'Wanneer?'

'Toen je Danner... toen je hem gezien hebt.'

'Ik was aan het wandelen.'

'In Danners tuin of zo?'

Berit haalt diep adem. 'Het was avond, zo tegen tienen. Ik was aan het meer geweest en ben langs zijn huis gelopen. En toen hoorde ik een knal. Ik heb naar zijn woonkamervenster gekeken, maar je kon niets zien omdat de gordijnen dicht waren. Je kon alleen zien dat er iemand was en zich bewoog, omdat het licht aan was.'

'En toen ben je gewoon naar binnen gegaan of zo?'

'De tuindeur was open. We zijn vaak bij Danner in huis geweest, dus waarom zou ik niet even rondkijken? Er was tenslotte een knal geweest.'

Berit zwijgt opeens, want ze zijn voor Danners tuindeur aangekomen. Strobo kon het gesprek nu gemakkelijk afbreken door op de bel te drukken. Maar dat doet hij niet. In plaats daarvan gaat hij tegen het lage draadgaashek aan staan en slaat zijn armen over elkaar.

'Die knal. En toen?' Hij kijkt haar alweer niet aan.

'Ik ging dus de tuin in, liep het pad af tot aan het raam. De gordijnen waren niet helemaal dicht. Ik kon door een spleet naar binnen kijken.'

Berit begint nu lichtjes te rillen. Het schemert al. De decemberkou dringt door haar jas en de twee truien die ze over elkaar aangetrokken heeft heen. Strobo's gezicht is zo bleek en uitdrukkingsloos als een masker. Ze weet niet of het goed is om verder te praten. Of ze dan niet alles met hem verpest.

'En toen?'

Hij praat zo zacht dat het bijna gefluister is. Alsof hij voor zichzelf en voor haar niet wil toegeven dat hij het toch graag wil weten.

Het gebibber wordt erger, tot het haar lippen bereikt en ze over haar hele lichaam trilt alsof ze koorts heeft.

'Ze lag op de grond, met haar benen opgetrokken en haar hoofd tussen haar armen verstopt als... Ik weet niet, als een egel die zijn stekels opzet of zo. Alleen had ze natuurlijk geen stekels. Hij sloeg met zijn vuisten als een waanzinnige op haar rug. Steeds weer, met een gezicht alsof hij er niet... niet helemaal bij was.'

'Waarom heb je niets gedaan? Je had toch... nou ja, kunnen bellen of zo. In elk geval iets.'

Ze had niets gedaan. Na misschien een minuut was ze achterwaarts door de tuin teruggelopen, waarbij ze de spleet in het gordijn steeds in het oog hield. Daarna was ze gaan lopen, de hele weg naar school terug. En het had dagen geduurd voordat ze kon reageren. Er was gewoonweg geen gedragsregel voor dergelijke gevallen. Als iemand overleed, dan huilde je, als iemand je lastig viel, dan verweerde je je. Maar wat deed je als je iemand die je tot op dat moment bewonderd had, iets zag doen wat volstrekt weerzinwekkend was?

En daarom, zo weet ze nu, wilde niemand van de anderen haar geloven. Want als ze het geloofd hadden, dan hadden ze niet alleen moeten toegeven dat ze zich door iemand hadden laten misleiden die zelf niet volgens zijn eigen geboden leefde. Ze hadden ook iets moeten doen. Iets. Het was dus de gemakkelijkste oplossing gewoon de ogen te sluiten voor iets wat gewoon niet had mogen gebeuren. Alleen kon ze dat niet. Ze had het gezien.

Maar ze had ook niets ondernomen.

Strobo maakt zich langzaam los van het hek, als in een vertraagde opname. Langzaam draait hij zich naar Berit toe en neemt haar stevig in zijn armen.

Dan drukt hij op de bel.

12

Op zondag, hebben de leerlingen tegen Fischer gezegd, is alles anders. Het ontbijt is op die dag tussen acht en tien en als je wilt kun je kadetjes, vlechtbroodjes, boter, worst en jam naar je kamer meenemen. Fischer betreedt na een onrustige nacht tegen negen uur de eetzaal. Op Mona's bevel logeert hij niet zoals zij in hotel Zur Post, maar in de kamer van een leerling die wegens ziekte bij zijn ouders verblijft. De kamer meet hoogstens 15 vierkante meter en is even karig gemeubileerd als een monnikscel. De stereoapparatuur met de bijna manshoge boxen is daarentegen van topklasse, evenals de computer met het vlakke lcd-scherm. En dat terwijl er een speciale computerruimte in de school is, zelfs met internetaansluiting. In de kast hangt duur ogende vrijetijds- en sportkleding naast twee Prada-kostuums en – ongelooflijk, maar waar – een smoking. Het bed is daarentegen krakkemikkig en het matras veel te zacht. Maar het dekbed en het kussen zijn met een zwart satijnen laken en sloop overtrokken dat Fischer in een commode gevonden heeft.

Zo leven de kinderen van rijke ouders dus, precies zoals hij altijd al gedacht heeft. Op de wankele boekenplank heeft Fischer tussen verfomfaaide schoolboeken en schriften een album met vakantiefoto's ontdekt. Skiën in St.Moritz, zomervakantie op Martha's Vineyard. Een leven in luilekkerland zonder financiële beperkingen. De bewoner van deze kamer kan elk beroep kiezen dat hij wil. Hij kan tientallen jaren lang studeren of in bars rondhangen, hij kan ondernemingen oprichten die nooit winstgevend hoeven te zijn of het als kunstenaar proberen zonder ooit een beeld te verkopen. Hij kan elk meisje neuken dat hij leuk vindt of zich door fantastisch uitziende chique hoeren laten bedienen, die sekstrucjes beheersen waarover Fischer niet eens durft te dromen.

Fischer vindt het maar niets om hier te zijn. Het is funest voor zijn humeur. Hij wordt er jaloers van. Maar ondertussen verzet hij zich niet meer tegen de plannen van Seiler, omdat het geen zin heeft tegen de stroom in te zwemmen. De afdeling staat momenteel achter Seiler.

Fischer voelt zich niet prettig als hij aan een lege tafel in de eetzaal plaatsneemt. De tafel ligt vol broodkruimels en kopjes met bruin opgedroogde randen. Hij staat weer op als hij in de hoek van de ruimte een soort buffet ziet. Daar is ook koffie en thee in enorme thermoskannen.

Eigenlijk moet hij met leerlingen van de Danner-kameradengroep contact opnemen. Hij acht deze missie weliswaar zinloos, want ze hebben inmiddels allemaal verteld wat ze weten. Als minderjarige getuigen werd hun verzekerd dat ze niet vervolgd zouden worden, en hun verklaringen zijn in procesverbalen opgenomen. Er komt verder beslist niets uit.

Aan de andere kant kun je nooit weten.

'Waarom hebben ze hem ontslagen?'

Mona haalt haar schouders op. Ze heeft de rector nog nooit zo korzelig gezien. Hij maakte tot nu toe op haar de indruk van een flegmatisch persoon die zich met de omstandigheden verzoend heeft. Het valt haar alweer op hoe armzalig zijn kantoor is, hoe weinig representatief voor een dure particuliere school.

De rector loopt met grote passen door zijn kantoor. Hij draagt weer de uitgelubberde beige corduroybroek en een grijsbruin tweedjasje. Misschien heeft hij daar een hele kast vol van. Het is merkwaardig dat de leerlingen allemaal in de duurste vrijetijdskleding lopen, terwijl de leraren ronduit armoedige kleren dragen. Het lijkt wel alsof ze in geen geval de indruk willen wekken dat ze de strijd willen aangaan met een nooit in te halen concurrentie.

'Eerst wordt hij met veel kabaal gearresteerd en dan doet iedereen alsof er helemaal niets gebeurd is. Ik begrijp dat niet.'

'De rechter-commissaris heeft dat nu eenmaal bepaald. Er zijn geen bewijzen. Het motief is ook tamelijk onduidelijk. Misschien als de andere moorden niet gepleegd waren...'

'Wat? Wat bedoelt u daarmee?' De rector blijft achter zijn bureau staan en kijkt Mona met een priemende blik aan.

'Als Saskia Danner de enige dode geweest was, was de zaak veel duidelijker geweest. Danner heeft haar mishandeld. Danner is de enige die er mogelijk baat bij heeft dat ze niet meer leeft. Maar voor de andere moorden is er helemaal geen motief, wat hem betreft. Zelfs geen aanwijzingen ervoor. Maar zoals de zaken nu staan, is er een verband tussen deze moorden.'

'Danner heeft toch geen alibi!'

'Zonder ernstige verdenking hoeft hij dat ook niet te hebben. Evenmin als u.'

'Maar er is toch een ernstige verdenking!'

'De rechter-commissaris meent van niet. Soms is dat een nogal arbitraire kwestie.'

'Misschien heeft hij de anderen alleen omgebracht om valse sporen te leggen.'

'Volstrekt uitgesloten. Geen mens zou zoveel moeite doen.'

Wat is er met hem aan de hand? Waarom windt hij zich zo op?

'Hebt u... Is Danner geschorst?'

'Natuurlijk! Wat hadden we anders moeten doen? Hij zit nu thuis, wij hebben een uitstekende leraar Frans minder en niemand weet hoe het verder moet.'

'En als hij schuldig was, dan had dat allemaal nut gehad, bedoelt u?'

'Dan was de zaak duidelijk geweest. Nu blijft alles in de lucht hangen. Alleen is Danners carrière voorgoed naar de knoppen, alleen al vanwege die kwestie met zijn vrouw. Hij kan in feite nergens meer les geven. Kunt u zich voorstellen hoe dat is? Na dit schandaal wil geen school hem meer hebben. Midden veertig, en dan al met vervroegd pensioen.'

'Tja,' zegt Mona. 'Zo gaat dat nu eenmaal als iets in de publiciteit komt.' Maar onwillekeurig moet ze aan haar eigen dienst denken. Aan de hoofdinspecteur bijvoorbeeld die prompt bevorderd werd nadat een vrouwelijke ambtenaar hem wegens seksuele intimidatie had aangegeven. Niet altijd gebeurt er iets, als iets in de openbaarheid komt.

De rector gaat achter zijn bureau zitten en ondersteunt zijn hoofd met beide handen. Hij heeft dun grijs haar, dat een beetje vettig lijkt. Nog iets dat Mona hier opvalt: de voortdurende omgang met jongeren is kennelijk geen garantie om jong te blijven. Integendeel.

'Vindt u uw werk leuk?' vraagt ze, zonder precies te weten waarom.

'Op dit moment niet, zoals u zich kunt voorstellen.'

'Ik bedoel ook niet nu, maar in het algemeen.'

'Ik heb u wel begrepen.'

Het was een spontane vraag. Waarschijnlijk te persoonlijk; het gaat haar ook niets aan.

Maar tot haar verrassing geeft hij antwoord. 'Het vervelende is dat deze kinderen niet meer op te voeden zijn. Ze zijn bedorven.'

'Bedorven? Toch niet allemaal?'

'Nee, niet allemaal. De meesten niet. Maar nog altijd te veel.'

'En waarom? Omdat ze te veel geld hebben?'

'Het gaat niet alleen om het geld. Het gaat om de mogelijkheden, de vele kansen. Als je voortdurend de keuze hebt, dan word je onevenwichtig. Je moet psychisch heel stabiel zijn om rijkdom te kunnen verdragen.'

'Dat geldt ook voor armoede,' zegt Mona geïrriteerd.

De boodschap is aangekomen. De rector kijkt Mona opeens aan alsof hij haar voor het eerst echt ziet. Hij wil iets zeggen, maar bedenkt zich dan. Uiteindelijk zegt hij: 'U hebt natuurlijk gelijk. Armoede en rijkdom zijn extremen. Het is altijd makkelijker met de middelmaat te maken te hebben, om genoeg geld te verdienen om de belangrijkste behoeften te kunnen bevredigen, maar niet allemaal. Het werkt corrumperend om geen onvervulde wensen te hebben, en daar helpt geen perfecte opvoeding aan. In welke richting zou die trouwens moeten gaan? Meer bescheidenheid misschien? Er loopt hier nauwelijks een achttienjarige rond zonder eigen cabrio. Sommigen rijden in een weekend op en neer naar Milaan om een nieuwe garderobe te kopen. Het is belachelijk daar met zedenpreken tegenin proberen te gaan.'

'Dus kijkt u slechts toe.'

'Ja, natuurlijk. Wat zou u doen?'

'Weet ik niet,' zegt Mona. Het gesprek begint haar te vervelen. Wat een luxe problemen. 'Ik denk dat het hier paradijselijk is, vergeleken met veel andere scholen.'

De rector pakt een vlakgom in zijn hand en begint er afwezig in te knijpen. 'Tja, zeker. We hebben geen last van een harddrugsscene op deze school, dat is al heel wat waard. Maar de meeste oudere leerlingen hebben wel aan minstens één cokefeestje deelgenomen. Gelukkig vindt dat meestal in de vakanties plaats.'

'Aha.'

'De drugs zijn in de jaren zeventig de scholen binnengedrongen. Toentertijd waren er nog andere middelen, een andere moraal en andere methoden om de leerlingen in toom te houden. Tegenwoordig gebruiken sommige ouders zelf cocaïne. Ik bedoel maar, dat is toch geen voorbeeld voor de jeugd!'

'Nee.'

'We kunnen de leerlingen niet meer controleren. Ze lachen ons uit als we dat proberen. Het komt door de vele mogelijkheden. Te veel mogelijkheden en te weinig verplichtingen, dat zijn de dingen die jonge mensen zwak maken. Verplichtingen scheppen een bepaalde structuur, en het gebrek daaraan veroorzaakt chaos.

Konni en Robert waren dood, en daarom was het normaal dat die in een droom voor haar verschenen. Gehuld in lange gewaden, die eruitzagen als een mengeling van engelenkledij en hippie-hobbezakken, kwamen ze op haar toe. Hun haar was weer lang en krullend zoals vroeger. *Jullie zijn ongelooflijk mooi,* zei ze tegen hen, maar de wind rukte haar de woorden uit de mond, zodat ze onverstaanbaar bleef. Het landschap verkleurde in vloeiend roze en daarna in grijs asfalt, maar nu van een siroopachtige consistentie. Haar voeten voelden kleverig aan.

Jij bent onze bloem van de Oriënt.

Ze glimlachte gelukzalig, zoals ze al jaren niet meer geglimlacht had. Alles was er weer! De goede tijden waren teruggekeerd, en het geluk nam weer even vanzelfsprekend bezit van haar als toentertijd, toen ze dacht dat haar niets meer gebeuren kon omdat ze bemind werd en waardevol was. En opeens dook het strand voor haar op. Het strand, de sterren, de zee. Ze was weer op de plek waar alles begon. Het mooie en het afschuwelijke.

We houden van je.

O ja, wat was alles prachtig.

Ik houd ook van jullie.

Konni en Robert knikten glimlachend. Ze hoefde dat niet tegen hen te zeggen, want ze wisten het al. Ze wisten alles over haar. Ze probeerde bij hen te komen. Maar het zand was zo fijn dat haar voeten erin wegzakten en ze slechts heel traag en moeizaam vooruitkwam.

Je moet ons helpen.

Graag, maar hoe?

Help ons naar de andere wereld. Haal de anderen en kom dan.

Nee! Blijf alsjeblieft bij mij. Ga niet weg! Ik wilde dat niet. Komen jullie alsjeblieft terug.

Iets haalde haar terug naar een werkelijkheid waarin ze niet wilde verkeren. Iets trok en rukte aan haar benen. De wind. Ze opende haar ogen. Onder haar was koud beton, boven haar oranje tegels. Naast haar benen knielde een man met een kale schedel en een warrige grijze baard die probeerde haar spijkerbroek uit te trekken. Zijn eigen broek hing op zijn knieën.

De werkelijkheid deed vreselijk pijn. Ze begon te schreeuwen: 'Rot op, smeerlap!'

De man liet haar los en liep kwaad mompelend weg. Ze stond direct op en trok de broek op, die stijf en kleverig was van de modder. Ze bevond zich op een leeg metrostation, en het was even voor middernacht, maar deze feiten drongen al niet meer echt tot haar door. Ze wist niet hoeveel dagen of zelfs weken ze al op straat leefde, want in haar universum speelde dat geen rol meer. Ze had een missie te vervullen, en ze had niet veel tijd meer. Daar ging het om. Weer zonk de wereld om haar heen weg en werd die tot een minuscuul licht in een lange tunnel gereduceerd. De stemmen die haar nu weer onder controle hadden, zeiden tegen haar wat ze moest doen. Ze moest door deze tunnel gaan, waar die ook heen leidde, en ze mocht zich daarbij niet van haar stuk laten brengen, dat was alles. Dan zou alles goed gaan.

13

Het sneeuwt voor het eerst dit jaar. De vlokken dwarrelen speels uit de hemel, om zich dan door de wind weer te laten wegvoeren, het duister in. In Danners woning is het warm en heerst een gezellige sfeer. De parketvloer in de wintertuin glanst alsof die net gepoetst is, diverse zorgvuldig opgestelde lampen verspreiden een warm licht.

Buiten worden alle geluiden door de vers gevallen sneeuw gedempt.

'Hoe drinkt u uw koffie?' roept Danner uit de keuken.

'Met melk, zonder suiker,' roept Mona terug.

Ze weet ondertussen genoeg over hem om zich niet om zijn vinger te laten winden. Ze kan de kop koffie dus zonder enig probleem accepteren. Ze blijft namelijk op haar hoede.

Danner betreedt de wintertuin met een dienblad, dat hij handig op een salontafeltje neerzet. Mona wil opstaan, maar met een handgebaar duidt hij aan dat ze moet blijven zitten. Ze laat zich weer in de zwarte leren stoel wegzakken. Alles in deze woning is zwart, wit, grijs, beige of van glas. Alleen een groot beeld in de woonkamer, dat in zachte roze, gele en blauwe tinten is uitgevoerd, brengt kleur in de ruimte.

Smaakvol is het woord dat Mona als eerste invalt, maar het is niet helemaal goed getroffen. Smaakvol klinkt alsof er moeite voor gedaan is, maar dat lijkt in Danners woning in het geheel niet het geval. De inrichting lijkt volledig natuurlijk, alles lijkt hier zijn natuurlijke plek te hebben.

'Bevalt het u hier?' Danner schenkt eerst voor haar en dan voor zichzelf koffie in en schuift vervolgens het melkkannetje naar haar toe.

'Ja, zeker,' zegt Mona.

'Saskia heeft alles ingericht. Mij was dat nooit zo gelukt.'

Mona zwijgt. Danner heeft haar vanochtend in haar hotelkamer opgebeld en haar uitgenodigd 'voor een kop koffie en een kerstkoekje'. Ze zit nauwelijks vijf minuten hier of hij brengt het gesprek al op zijn vrouw. Nu is ze toch echt benieuwd hoe het verder gaat. Ze zal hem in elk geval niet sparen.

'Een koekje?' Hij presenteert haar een schaal met vanillehoorntjes en kaneelkoekjes. Ze zien er te klein en te volmaakt uit om zelfgebakken te zijn. Ze neemt een kaneelkoekje met een dikke witte suikerlaag.

'Maakte uw vrouw die normaal gesproken?'

Danner trekt de schaal weg en zet die weer op tafel zonder zelf een koekje te nemen.

'Ja,' zegt hij. 'Elk jaar om deze tijd hebben we de kameradengroep van dat moment uitgenodigd. Er waren koekjes en bisschopswijn. Aan het eind waren we meestal allemaal bezopen.' Hij zwijgt opeens, leunt achterover en sluit zijn ogen. Mona zegt niets. Ze zal hem niet helpen, dat heeft ze zich vast voorgenomen. Maar het blijkt moeilijk te zijn hem niet aan te kijken. Zijn gezicht, met de rechte neus en de fraai gewelfde lippen, is tegelijk een open boek en geheimzinnig. Ze wil haar blik afwenden, maar op hetzelfde moment opent hij zijn ogen. Hij glimlacht vaag, alsof ze hem betrapt heeft. Mona kan er niets aan doen dat ze van binnen verstijft. Uiteindelijk richt hij zich met een zucht op. Het lachje verdwijnt, hij komt nu heel zakelijk over.

'U vraagt zich waarschijnlijk af waarom ik u uitgenodigd heb.'

'Ja,' zegt Mona.

'Hebt u geen enkel idee waarom ik dat gedaan heb?'

'Dat wel.'

'Wat dan?'

'Mijn vermoedens zijn voor u niet zo interessant. Zegt u me nu gewoon wat er aan de hand is.'

'U verliest niet graag tijd.'

'Als het even kan, niet.'

Mona heeft het gevoel dat deze slag voor haar is, maar ze blijft voorzichtig. Uiteindelijk slaakt Danner opnieuw een zucht en haalt zijn hand door zijn haar.

'Nog koffie?'

'Ik heb nog, dank u. Waarom zegt u niet wat u wilt zeggen? Ik bedoel, het is ons toch allebei duidelijk dat dit geen beleefdheidsbezoekje is.'

Danner heft zijn handen op, zich gewonnen gevend. Dan vouwt hij zijn handen voor zijn buik en strekt zijn lange benen uit. Hij zit nu half van Mona afgewend, met zijn hoofd lichtjes tegen de rugleuning van de stoel gedrukt. Zijn blik dwaalt af naar buiten, naar de sneeuwjacht. 'Ik zou willen dat iemand me gelooft, daar is het me om te doen.'

Mona ontspant zich. 'Dat kan ik begrijpen.'

'Ik wil met iemand over Saskia spreken. Kan ik dat met u doen, zonder dat u gelijk...'

'Ik ben geen biechtvader, als u dat bedoelt. Ik luister naar u, maar ik kan niets beloven, helemaal niets.'

Danner draait zijn hoofd in haar richting en wendt zich direct weer af. 'Ik hield van Saskia. Wilt u dat van me aannemen?'

'Zeker,' zegt Mona. Sinds het gesprek met de politiepsycholoog weet ze dat dat de norm is, niet de uitzondering.

Danner praat verder alsof hij haar niet gehoord heeft. 'We hebben elkaar ongeveer veertien jaar geleden leren kennen. Ze studeerde toen en werkte als kelnerin in de *Oase*. Dat was een café vlak bij de universiteit, misschien kent u het wel.'

'Nee.'

'Ik heb toentertijd bijna alle weekends in de stad doorgebracht. Vanwege Issing was mijn relatie op de klippen gelopen. Mijn toenmalige vriendin wilde namelijk niet in de provincie gaan wonen, terwijl ik elders geen baan kon vinden. Lerarenoverschot, u weet wel.'

'Hm.'

'Ik zat in een crisis. Issing is geen slechte werkplek, maar het leven hier... Je wordt er gek van. Ochtendviering in de aula om half acht. Vergadering om half elf. Lunch om één uur. Tweemaal in de week huiswerkbegeleiding voor de onderbouw tussen half drie en vijf. Avondeten om half zeven. En steeds dezelfde mensen met dezelfde kuren, elk jaar weer. De een stinkt zo penetrant naar pijptabak dat niemand het naast hem uithoudt, de ander bezweert dat de ondergang van het Avondland aanstaande is als leerlingen na bedtijd online gaan, een derde wordt door zijn vrouw voortdurend op dieet gezet en blijft maar dikker worden. En dan dat eeuwige gejammer over verwende kinderen, aan wie elke opvoedkundige moeite verspild is, terwijl je aan hun neus al ziet dat ze gewoon jaloers zijn. Je stikt hier gewoon. Iedereen met een greintje verstand en fantasie stikt hier.'

'Om op uw vrouw terug te komen...'

'Ja, Saskia. Saskia was leuk en levendig, lief en pittig. En ze was bereid hierheen te verhuizen. Ze had een bedragje geërfd, en daardoor konden we dit huis hier kopen. De hele erfenis werd aan het huis besteed, maar dat kon haar niet schelen. Ze wilde mij hebben, ze vond het mooi hier en we hadden gezamenlijke vrienden. Met Saskia was het leven hier draaglijk.'

Misschien zijn er meerdere waarheden. Danners waarheid en die van Berit Schneider. En die van Saskia Danners gynaecoloog, die inmiddels ook een verklaring heeft afgelegd en Berits weergave bevestigd heeft.

Ze deed er altijd heel moeilijk over als ze haar bovenlichaam moest ontbloten voor het borstonderzoek. Ik dacht aanvankelijk dat ze extreem preuts was. Toen zag ik de bloeduitstortingen op haar schouders, op haar dijen. Je kunt dat gewoon niet voor eeuwig verbergen. Ik heb mevrouw Danner erop aange- sproken. Ik zei dat ik vermoedde dat ze mishandeld werd. Ze heeft dat be- streden. En dat terwijl het eigenlijk geen vermoeden meer was. Ik wist het zeker. Ik wist alleen niet wat ik doen moest, hoe ik moest reageren. Ik heb al enkele malen echtgenoten aangegeven en doe dat nooit meer, omdat ik daarna nauwelijks plezier meer in mijn leven had. Geloof maar niet dat iemand je er dankbaar voor is. Jaren geleden wilde een vrouw me wegens laster voor het gerecht slepen. Een vouw die door haar man ooit half dood ge- slagen was, stelt u zich dat eens voor. Ik doe dat nooit meer. De vrouwen moeten zoiets in eigen hand nemen, anders redden ze het niet. Ik kan dat niet van hen overnemen. En toen mevrouw Danner alles ontkende, dacht ik: best meid, dat is jouw pakkie-an. Als je niets aan je situatie wilt veran- deren, laat je dan maar verder mishandelen. Ik meng me daar niet meer in. En nu denk ik: had ik het toch maar gedaan. Had ik me er nog maar één keer mee bemoeid.

'Wanneer is het voor het eerst gebeurd?'
'Hoe bedoelt u?' Maar hij weet wat ze bedoelt, dat ziet ze aan hem.

's Avonds eet Mona met Fischer in restaurant Der Post. De samenwer- king verloopt beter. Althans, dat beeldt Mona zich in.
'Stukken lijk,' zegt Fischer opeens, nadat de ober het eten gebracht heeft.
'Wat?'
Hij wijst op het halve gegrilde haantje van Mona. 'Echte stukken lijk.'
Mona weet niet hoe ze het heeft. 'Ben je vegetariër?'
'Zeker weten.'
'Nee toch. Ook geen vis en eieren?'
'Eieren wel, vis niet. Ik eet geen dieren.'
'Uit principe?'
'Precies.'
Mona kan niet zoveel met deze provocatie. Waarschijnlijk is dat Fischers manier om met haar in gesprek te komen. Ze heeft vastgesteld dat hij pas ontdooit als hij iemand langer kent. Dan kan hij zelfs grappig zijn. Met haar is hij nog niet zover.
'Als je wilt,' zegt ze, 'kun je terugrijden. Misschien is je aanwezigheid in de school toch niet zo zinvol.'
'Hoe dat zo opeens?' Hij klinkt alweer geagiteerd, en Mona vraagt zich af waarom.

Ze zegt: 'Ik denk dat Danner het niet gedaan heeft.'

'Wat dan nog? Iemand moet het geweest zijn, en die moet uit de omgeving van de school komen, of niet soms?'

'Tja, natuurlijk.'

Het heeft geen enkele zin je iets voor te nemen. Ze zitten op een doodlopend spoor. Dat betekent in dit geval niets anders dan dat ze iets over het hoofd gezien hebben. Dat kan niet anders.

Feit nummer een: er is een verband tussen alle drie de moorden. Feit nummer twee: bij hun onderzoek zijn ze daar niet op gestuit. Waarom niet?

'Hoe was het bij Danner?' vraagt Fischer.

Dat is ook zo'n onderwerp waarover ze het liefst helemaal niet wil praten.

Hoe het was? Tweeslachtig. Danner heeft zich tegenover haar opener en kwetsbaarder getoond dan welke man dan ook tevoren. Hij heeft haar vragen beantwoord, en wel zeer uitvoerig. Hij heeft bijvoorbeeld beschreven hoe het is om thuis te komen en in woede te ontsteken over zaken die Mona hoogstens als kleinigheden zou bestempelen. Post die in de keuken lag in plaats van op zijn bureau. Dat zijn vrouw bij het afwassen water verspilde. Dergelijke dingen.

Daar kun je je toch niet serieus over opwinden.

Ik wel, dat is nu juist het erge. Ik ben nu eenmaal zo. Ik wind me overal over op, wat in mijn ogen niet perfect is. Ik weet dat ik daarmee te veel gevraagd heb van Saskia; ik had van iedere vrouw daarmee te veel gevraagd. Maar ik ben nu eenmaal zo. Ik probeer het tien keer, twintig keer op een vriendelijke manier. En de eenentwintigste keer ga ik door het lint.

Ik ben nu eenmaal zo en daarmee uit; dat is een tamelijk miserabel excuus.

Ja. Dat weet ik.

Maar u hebt desondanks niets ondernomen, toch?

En toen begon hij te huilen. Geen man heeft ooit gehuild waar Mona bij was. En ze kon het niet helpen, maar ze voelde medelijden. Maar nu vraagt ze zich af of hij er werkelijk helemaal doorheen zat of alleen maar geraffineerd was.

Ik weet wat ik gedaan heb en dat daar geen excuus voor is. Ik had in therapie moeten gaan...

Wat u niet gedaan hebt...

Bij wie dan? Probeert u op het platteland maar eens een therapeut te vinden die ervaring heeft en zijn vak verstaat!

Hebt u dat dan geprobeerd?

Ja, voorzover dat hier mogelijk is, zonder dat de hele wereld er direct over

praat. Ik ben bij twee kwakzalvers geweest, die me geschokt aanstaarden om-
dat ze waarschijnlijk dachten dat iemand die zijn vrouw sloeg, er als een kle-
renkast uit moest zien en de manieren van een bouwvakker moest hebben.
'En?' vraagt Fischer. 'Hoe was het nou bij Danner? Heeft hij geprobeerd
je om zijn vinger te winden?'
Is dat zo duidelijk aan haar te zien? Maar Fischer concentreert zich op
zijn *penne all'arrabiata* en let niet op haar. Misschien was het zomaar
een losse flodder.
'Heb je daar toevallig de lijst met alle ondervraagden?'
'Wat? Geloof je dat ik die overal mee naartoe neem?'
'We hebben iemand vergeten,' zegt Mona.
'Natuurlijk, en wel meer dan een ook. We hebben niet eens iedereen gevonden. Neem bijvoorbeeld de ex-leerlingen van Issing. Sommigen zijn
getrouwd en hebben nu een andere naam, weer anderen wonen ergens in
het buitenland. Amondsen en Steyer waren niet eens van dezelfde jaargang, ze hadden verschillende vrienden, zaten in andere groepjes. Dat
vergroot de kring mensen nog.'
Ze zijn de Issing-jaargangen van halverwege de jaren zeventig tot begin
jaren tachtig nagegaan, en de collega's hebben met iedereen gesproken
die ze konden traceren. Als Mona het zich goed herinnert, waren dat
minstens veertig ex-leerlingen en twintig leraren. Die zijn allemaal verhoord, maar geen van hen kon iets zinnigs zeggen over een mogelijk verband tussen Saskia Danner, Konstantin Steyer en Robert Amondsen.
'Nou, wil je hier blijven?' vraagt Mona aan Fischer.
'Zeker. Ik kijk nog wat verder rond bij de leerlingen.' Hij vermijdt haar
blik, maar omdat hij dat zo vaak doet, valt het Mona niet echt op.

Het kwaad bestond. Het kwaad was geen metafoor en geen middel tot het
doel om afvallige gelovigen binnen de kerk te houden. Het kwaad was een
kankergezwel dat zich in zwakke organismen als het hare kon uitbreiden,
totdat het alles in haar vernietigd had wat gezond, positief, helder denkend,
mensvriendelijk en zachtaardig was. Op een dag zou het kwaad haar doden,
en op die dag wachtte ze begerig, want ze had zichzelf allang opgegeven.
Wat haar zelf betrof was er niets meer aan verloren.
Ze bevond zich in een daklozenopvang, dus in een soort voorportaal van
de hel. Een jong meisje met een piercing door haar bovenlip, dat ze ergens had leren kennen, had haar hierheen gebracht, en ze had zich laten
overhalen naar binnen te gaan, omdat het te koud was om in de openlucht of in metrostations te slapen. Maar het was er verschrikkelijk door
het lawaai, de stank en de viezigheid. Ze wezen haar een van de twintig

bedden in de vrouwenslaapzaal aan, die naar ondergeplaste matrassen stonk. Ze was nog nooit in een dergelijk oord geweest. Zelfs een psychiatrische inrichting leek haar opeens een stuk beter te verdragen dan dit. Maar ze had de kans voorbij laten gaan om zich vrijwillig te laten opnemen. Ze liet het hoofd zakken en staarde naar de linoleumvloer.

Waarom was ze hier? Waar was ze precies? Telkens als ze zich deze vragen stelde, raakte alles in haar arme hoofd helemaal in de war. Alsof daar iemand was die koste wat kost voorkomen wilde dat de chaos in haar zich oploste en ze weer met beide benen op de grond terechtkwam. Als het wat beter met haar ging, was dat haar grootste wens: om uit de trip te ontsnappen, waar maar geen eind aan kwam. Omdat het geen trip meer was, maar een volslagen psychose, beste meid.

Psychose. Schizofrenie. Endogene Depressie. Paranoïde fasen. Catatonisch. Ze bevond zich wederom midden in een brij van woorden. De artsen spraken die woorden over haar hoofd heen uit, alsof ze doof of achterlijk was en niet geestelijk verlamd door de medicijnen. De woorden veranderden in een maalstroom en trokken haar naar de bodem der vertwijfeling toe.

Hier sprak niemand daarover, want niemand had tijd zich om haar geestelijke toestand te bekommeren. Mensen als zij, die hier belandden, waren toch al niet meer te helpen. Ze gaven haar enigszins schoon beddengoed en lieten haar verder aan haar lot over, en aan de stemmen die in haar schreeuwden en fluisterden, bevelen uitdeelden en introkken, paniekgevoelens creëerden en onzinnige verwachtingen lieten ontstaan en weer verdwijnen, al naar gelang hen inviel.

Later op de avond zit Mona op haar bed in hotel Der Post. Zeven jaarboeken van Issing liggen opengeslagen voor haar, daarnaast de lijst met alle ondervraagden. Ze checkt de een na de ander. Twee klasgenoten van Steyer en een van Amondsen konden niet verhoord worden. Een heeft zelfmoord gepleegd, een was volgens informatie van zijn ouders begin jaren tachtig in Nepal spoorloos verdwenen en de laatste was niet te vinden.

Mona neemt een van de jaarboeken in haar hand en begint erin te bladeren. Het is het boek van 1979. Er staan foto's in van de eindexamenklas, van het hockeyelftal, huwelijks- en overlijdensadvertenties van zogeheten *Altlandheimer*. Verder adreswijzigingen van ex-leerlingen en korte blijken van waardering voor uitstekende beroepsprestaties van ex-leerlingen. En daartussen staat een bericht over een sporttoernooi met een foto van de toen zestienjarige Robert Amondsen, die als beste hoogspringer van zijn jaargang gekwalificeerd werd. Achter Amondsen, en op de vage zwartwitfoto nauwelijks te herkennen, staat een oudere man met een opvallend volumineuze snor. Zijn rechterhand rust op Amondsens schouder.

Mona kijkt fronsend en bladert terug. Op bladzijde vier treft ze een foto van dezelfde oudere man met snor aan. Daarboven staat vetgedrukt: 'Nietzsche vertrekt!' Daaronder een mededeling.

Meer dan 26 jaar heeft Alfons Kornmüller in het internaat Issing gewerkt. Nu hij 61 is, heeft de vakbekwame leraar Duits, die door zijn leerlingen en collega's liefdevol 'Nietzsche' genoemd wordt, besloten zich uitsluitend nog aan zijn hobby te wijden, de rozenteelt. Wij allen betreuren dit ten zeerste en wensen Alfons Kornmüller het allerbeste.

Mona kijkt op haar lijst. Alfons Kornmüller behoort niet tot de ex-leraren die verhoord zijn. Misschien leeft hij niet eens meer. Maar waarom staat hij achter Amondsen, en wat betekent dat vertrouwelijke gebaar? Was hij een soort mentor voor hem? Had Amondsen hem in vertrouwen genomen?

Dit is niet eens een aanwijzing, het is slechts een vermoeden. Je zou het ook hoop kunnen noemen.

Morgen zal ze proberen Kornmüllers adres te traceren, als hij tenminste nog in leven is.

Nu moet ze Lukas opbellen. Sinds hij bij Anton woont, belt ze hem elke avond rond half acht op.

Anton is veel onderweg, maar hij werkt ook vaak thuis. Dan houdt hij zich bezig met het voorbereiden van zijn zaken. Hij spreekt inmiddels kennelijk vloeiend Pools. Meer wil Mona er liever niet van weten. Als Lukas bij hem slaapt, is Anton 's avonds altijd thuis. Dat is meer dan waar veel andere vaders toe bereid zijn. Overdag is er een huishoudster, voor wie Anton in zijn huis een kleine woning heeft ingericht en die liefdevol voor Lukas zorgt. Mona zou zich geen zorgen hoeven maken, maar ze doet het toch.

Maar stel dat Anton weer in de gevangenis belandt en Lukas dat te weten komt?

'Met mij, met Mona.'

'O, ben jij het!'

'Tja. Je had zeker een van je vriendinnetjes verwacht?'

'Klets niet zo raar, Mona.'

'Hoe gaat het met Lukas?'

'Goed, zoals altijd als hij hier is. Toch, Lukas?'

Er klinkt een zacht 'ja' op de achtergrond. Mona moet glimlachen.

'Geef hem maar even.'

14

Schacky droomt dat het sneeuwt. De sneeuw valt in minuscule, nauwelijks zichtbare vlokken, maar zo dicht dat het landschap waarin hij zich bevindt binnen de kortste keren onder een witte deken verdwenen is. Vreemd genoeg boezemt hem dat angst in, uitgerekend hem, de hartstochtelijke *Tiefschnee*-skiër. Hij laat zich op zijn knieën vallen en begint als een hond te graven. Maar de sneeuw is sneller dan zijn klamme handen zodat Schacky er uiteindelijk onder begraven wordt, tot hij met een paniekschreeuw ontwaakt.

Hij slaat zijn ogen op, zijn schreeuw, die in werkelijkheid waarschijnlijk slechts een zacht gekreun was, klinkt nog na in zijn oren.

De nacht is stil, alsof iedereen behalve hij dood is. Naast hem ligt zijn vrouw Silvia. Schacky richt zich op en staart in het duister. Het is pikkedonker, omdat Silvia anders last krijgt van slaapstoornissen. Elke avond rond half twaalf laat Silvia de rolluiken neer en trekt dan ook nog de zware kobaltblauwe gordijnen dicht. In warme zomernachten mag Schacky de ramen gelukkig wel open laten. Maar nu is het winter. *Van de geringste tocht en het miniemste lichtstraaltje – Schacky imiteert in gedachten haar hoge, hese stem – word ik heel zeker wakker, schatje. Geloof me nou maar!* Schacky heet eigenlijk graaf Christian von Schacky Behlendorf, maar hij heeft begin jaren tachtig zijn adellijke titel afgelegd. Hoofdzakelijk om zijn vader te ergeren, die hem daarna prompt onterfde. Maar dat gaf niks, want Schacky's moeder was zo mogelijk nog rijker. Schacky's inkomen was dus min of meer veiliggesteld. Ondertussen heeft hij toch spijt gekregen van deze stap, want in tegenstelling tot vroeger waren zijn adellijke titels momenteel juist hip, anderzijds weet iedereen die ertoe doet toch wel uit welke stal Schacky werkelijk afkomstig is.

Ik ben in wezen een eigenaardig figuur.

Schacky, die bijna weer in slaap gevallen was, schrikt voor de tweede keer op. De stem in zijn oor klonk bijna angstig echt. Alsof er iemand in de kamer is. Alsof er iemand direct naast hem staat.

'Ik haal een glas water,' mompelt Schacky en stapt uit bed. Vanaf Silvia's kant klinkt een slaperig gebrom en het geluid dat iemand maakt als hij zich op zijn andere zij draait en daarbij de deken rechttrekt. Silvia klemt die steeds weer tussen haar knieën, misschien om die te beschermen omdat ze nogal knokig zijn.

Schacky loopt op de tast door de kamer, langs de garderobekast en het wanstaltige, bijna manshoge beeldhouwwerk dat Silvia tijdens een safari bij Lake Kariba per se tot haar eigendom moest maken. Toen het ding dan helaas ook nog daadwerkelijk afgeleverd werd – ze moesten het per scheepspost laten versturen omdat het veel te volumineus en zwaar was voor het vliegtuig – wist Silvia niet wat ze met het monsterlijke beeld aan moest, dat ze trouwens allang niet mooi meer vond. Sindsdien ontsiert het hun slaapkamer, en dat zal het waarschijnlijk tot in de eeuwigheid blijven doen.

Dit verhaal hoort sinds jaar en dag tot Schacky's vaste anekdotes. *Willen jullie het zien?* vraagt Schacky om het verhaal af te ronden, en dan lopen hij, Silvia en hun gasten, meestal al aardig beneveld, met veel gestommel de trap op, waar het gelach bij de aanblik van het monsterlijke beeld, dat Schacky en Silvia Olifantenmens genoemd hebben, bijna niet meer ophoudt. ·

Op de overloop schakelt Schacky het licht aan en slaakt onwillekeurig een zucht. In zijn hoofd heeft het idee postgevat dat hij beslist iets moet drinken. Dorst, hij heeft heel gewoon dorst.

Maar niet naar water. Het is een ander soort dorst, dat hem naar de keuken drijft, waar de enorme koelkast staat. Daarin staat, op ijs, een fles wodka. Schacky loopt het water in de mond bij het vooruitzicht op de ijskoude, scherpe drank die de kwade gedachten en angsten van de laatste weken uit zijn geest moet verdrijven.

Terwijl hij aan de keukentafel zit te drinken en naar het venster tuurt, waarin zijn silhouet onduidelijk weerspiegeld wordt, komt hij tot een besluit. Hij moet hier weg. Helemaal weg, en dat betekent in dit geval heel ver weg. Schacky denkt bijvoorbeeld aan een cruise op de *Silver Cloud*, een van de exclusiefste schepen ter wereld, met ruime buitenhutten van waaruit je van de schitterendste zonsondergangen op volle zee kunt genieten. *Captain's Dinner* op de brug, barbecues rond het zwembad op Dek 8 en een stewardess die Schacky's wensen vervult.

Op Schacky's gezicht verschijnt een lachje, waardoor hij er weer als een jongen uitziet, ook al is hij bijna veertig. Dat denkt hij tenminste als hij zijn onscherpe spiegelbeeld in de ruit ziet, en Schacky is momenteel bepaald niet in de stemming om de waarheid koste wat kost te achterhalen. Hij heeft nu illusies nodig, hoe meer en hoe verleidelijker, hoe beter het is. Maar om te beginnen moet hij Silvia warm maken voor het idee. En dan niet voor het idee 'wij met zijn tweetjes op de *Silver Cloud*, zou dat weer niet eens leuk zijn', maar voor het idee 'Schacky is volkomen gestrest en heeft een tijdje rust nodig'. Niet door toedoen van Silvia, hoe komt ze daar nu bij? Natuurlijk wil hij dat ze meegaat. Maar anderzijds wordt het met de kerstperiode in haar galerie steeds drukker, en daarom dacht hij... Hij heeft echt alleen aan haar gedacht...

Nee, zo gaat dat niet bij Silvia. Ze zal de pest in hebben als hij probeert haar buiten te sluiten. Maar hij kan haar er nu echt niet bij hebben. Hij moet nadenken, over diverse dingen duidelijkheid krijgen. En dat lukt alleen in relatieve eenzaamheid. Dat lukt niet als Silvia weer met Jan en alleman vriendschap sluit en verder van 's ochtends vroeg tot 's avonds laat bezig is haar bijzondere wensen aan boord kenbaar te maken, en wel met zoveel omhaal van woorden en zo langdurig dat niemand haar meer kan uitstaan, van de eerste officier tot aan de hulpsteward.

Dat gaat niet. Silvia moet thuis blijven. Maar hoe lukt het Schacky om de schijn te wekken dat het haar voorstel was om hem alleen op vakantie te laten gaan?

In wezen is het heel simpel: Hij zal haar morgenvroeg, als ze nog half slaapt, met de Silver Cruise-zaak overvallen. Hij zal met geen woord erover spreken dat hij alleen weggaat. In plaats daarvan: *liefje, zullen we nog eens iets volkomen mafs doen, wat vind je ervan?*

Weer glimlacht Schacky. Silvia heeft aan niets een grotere hekel dan aan 'iets mafs doen'. In haar ervaring, beweert ze, heeft dat bij Schacky altijd hetzij met neuken hetzij met zuipen te maken, en voor beide is ze zelden in. Silvia is tien jaar jonger dan Schacky. Ze is van goede komaf – haar meisjesnaam luidt gravin Larwitz von Meiningen – maar heeft geen geld. Haar schoonheid is haar enige bezit, en voor het behoud ervan is ze bereid van vrijwel alles af te zien. Silvia eet weinig, drinkt weinig en rookt niet. Ze bezoekt dagelijks Leo's Gym, waar ze haar eigen trainer heeft en zich vrijwillig aan de vergelijking met bloedmooie jonge aspirant-modellen, leerlingen van de toneelschool en studentes in de rechten en theaterwetenschappen blootstelt. Ze kan de concurrentie nog best aan, daarvan kon Schacky zich bij een van zijn zeldzame bezoekjes aan Leo's overtuigen. Wie daar geen goed figuur slaat, is Schacky zelf, maar dat is weer een heel ander hoofdstuk. Daar kan hij over nadenken als hij zijn geest weer heeft vrijgemaakt voor de leuke, onbelangrijke details van het leven.

Dat zal het geval zijn als hij hier vertrekt, om misschien nooit meer terug te komen.

Nee. Hij zal zeker terugkomen. Zonder deze stad, zonder zijn vrienden kan hij niet leven. Hij is op de mooiste plaatsen ter wereld geweest, maar nooit heeft hij ergens anders willen wonen dan hier. Hier, waar iedereen die in deze stad iets voorstelt, hem kent en graag mag. In de nabijheid van de Prinzregentenplatz, vanwaar je in een oogwenk overal bent en 's zomers niet eens een auto nodig hebt, behalve om op de Leopold-strasse mee te pochen.

Hij weet niet hoe het gebeurd is, maar de wodkafles die zojuist nog half-vol was, is nu praktisch leeg.

Hij kijkt op de keukenklok boven het glimmend witte aanrecht. Het is half vijf. Daarnet was het nog half drie. Hij begrijpt het niet.

Op hetzelfde moment, althans zo lijkt het voor hem, gaat de telefoon, die direct naast hem staat. Schacky krimpt ineen, omdat het geluid zijn oren teistert.

Geen mens belt op dit moment op. Geen mens, behalve...

Schacky laat de telefoon overgaan. Overal in huis klinkt gerinkel, be-halve in de slaapkamer, zodat er in elk geval geen gevaar bestaat dat Silvia er wakker van wordt. Hij wil niet weten wie er belt. Na vijf keer overgaan wordt het antwoordapparaat ingeschakeld, dat in Schacky's kantoor staat. De deur van het bureau is dicht, maar het antwoordapparaat staat zo luid ingesteld, dat hij de stem nog hoort. Hij kan niet verstaan wat ze zegt, maar het zal diegene zijn die hij intussen heeft geleerd te vrezen.

Als hij tuut-tuut-tuut hoort, staat Schacky op en leegt de asbak in de vuilnisbak onder het aanrecht (er zitten acht sigarettenpeuken in; het is belachelijk wat hij allemaal wegpaft zonder het te merken). Daarna loopt hij met trage, moeizame passen met het glas in zijn hand naar zijn kan-toor en wist het bericht. Hij is dronken, maar niet op een prettige ma-nier. Het gaat beroerd met hem, hij is zwaar gedeprimeerd. Hij heeft iemand nodig met wie hij over zijn ellende kan praten.

Maar er is niemand. Niet dat hij niemand kent. Integendeel, hij kent Jan en alleman. Met Jan en alleman zit hij praktisch alle avonden in *Käfer* of in *Trader's Vic*, voordat hij naar de *P1* of weer naar huis gaat, maar in dat vertrouwde rondje worden onderwerpen zoals schuld en boete nooit aangesneden. Het is gewoon niet de juiste setting, zouden zijn vrienden zeggen. Ze hebben het over beleggingen en belastingconstructies, wisse-len tips over lekkere meiden uit (de mooiste zouden in de *Csar* komen), doen verslag van hun laatste vakantie op St.Barth en klagen over de hoge dollarkoers, waardoor de populaire oorden in het Caribisch gebied naar verhouding veel te duur zijn.

Ze praten heel zeker niet over zonden die ze bijna twintig jaar geleden begaan hebben en die met de beste wil van de wereld niet meer in de rubriek pekelzonden passen.

Kort gezegd: er is niemand tegen wie Schacky in vertrouwen iets kwijt kan. Geen mens die begrip voor hem zou hebben. Hij moet het in zijn eentje opknappen, en hij weet dat hij dat niet kan. Schacky is een man die in goede tijden met volle teugen kan genieten, maar in slechte tijden moet hij wegduiken.

Hij weet dat hij bijna veertig jaar lang ongehoord veel geluk heeft gehad in het leven.

Dat is nu voorbij.

Het doet pijn daarover na te denken. Schacky gaat op de witte bank liggen en valt in slaap.

Twee uur later wordt hij wakker omdat er driftig aan de deur wordt gebeld. Zijn mond is droog, hij heeft koppijn, de huid van zijn linker mondhoek staat strak omdat het speeksel uit zijn mond is gelopen, dat nu als een vochtige plek op de sofa zichtbaar is. Buiten wordt het licht. Schacky kijkt naar het raam. Het sneeuwt bijna zo hard als in zijn droom.

Enkele seconden is hij de kluts kwijt, waarna hij opeens bij de huisdeur blijkt te staan. Er wordt alweer gebeld, en Schacky opent de deur, alsof iemand hem dat bevolen heeft. Iemand die heel goed bekend is met schuld en boete en die nu besloten heeft dat het tijd wordt voor Schacky zich eveneens met dit thema bezig te houden. Of hij daar nu zin in heeft of niet.

Er duikt een gezicht voor Schacky op dat hij kent en toch weer niet. Een fata morgana, die zeker meteen weer zal verdwijnen. Schacky's hoofdpijn neemt apocalyptische vormen aan, maar hij begrijpt het nog altijd niet. Door een verschrikkelijke pijn in zijn linkerzij begint hij luid te kreunen. Hij grijpt met zijn ene hand ongelovig naar die plek. Het is net als in de film! Zijn beige ochtendjas kleurt rood, en heel snel ook, en wat is er een hoop bloed! Hij grijpt onder de stof en het bloed borrelt warm tegen zijn handpalm aan. Schacky's knieën worden slap en hij zoekt steun tegen de deurlijst. Zijn ogen worden heel groot, kinderlijk en onschuldig, wat er vreemd uitziet omdat zijn gezicht zo zwaar getekend is door drank, coke, nicotine en veel te lange nachten zonder slaap.

Een tweede steek treft hem recht in het hart. Hij valt om en komt op zijn achterhoofd terecht. De derde hevige pijnscheut. Sterven is erg pijnlijk. Schacky richt zich moeizaam weer op. Een nieuwe steek treft hem in het rechterbeen. Langzaam verstrijken de seconden, dan voelt Schacky iets kouds en duns in zijn hals, als een kwaadaardige slang. Hij hoest, kokhalst, wil iets zeggen maar hoort zichzelf alleen kreunen. Het is een verschrikkelijk geluid. Het is een verschrikkelijk gevoel te weten dat er niet meer komt. Dat dit het was, zijn leven. Nooit meer drinken, nooit meer roken, nooit meer vrijen, nooit meer...

Schacky weet niet of hem het niets of de hel te wachten staat. Hij gelooft in het diepst van zijn vertwijfelde, gebroken ziel aan het laatste, en dat maakt zijn doodsstrijd tot een afschuwelijke kwelling.

Drie uur later staan Mona, Fischer, Berghammer en de mensen van de technische recherche voor het lijk van Christian Schacky. De marmeren vloer voor de huisdeur op de derde verdieping zit onder het bloed, evenals het parket in de woning. De dode ligt op zijn rug in de deuropening, half binnen en half buiten. Zijn ledematen zijn zo verwrongen dat ze een soort hakenkruis vormen. Zijn ogen zijn waarschijnlijk na afloop dichtgedrukt, evenals die van Amondsen en Steyer. Christian Schacky zat op school in dezelfde klas als Robert Amondsen. Konstantin Steyer zat een klas boven hen. Er komt maar geen eind aan de zaak-Issing.

Maar ditmaal komt Michael Danner niet als dader in aanmerking. Die is volgens de instructies van Berghammer 24 uur per dag door de collega's in Miesbach in de gaten gehouden en was op het moment van de moord in zijn woning.

'We hebben hem twee weken geleden verhoord, verdomme,' zegt Fischer schor. Hij lijkt meer ontdaan dan Mona hem ooit gezien heeft. Helemaal afgedraaid. Het is nu eenmaal anders als je een dode kent. Je hoeft hem niet eens graag te mogen; het is al voldoende als je weet hoe hij er als levende uitzag. Hoe hij zich bewoog, hoe hij gesproken, gegesticuleerd en geglimlacht heeft. Dan kun je voor jezelf niet meer doen alsof het om zomaar een lijk gaat.

'Verdomme nog aan toe,' zegt Fischer nog eens. Hij schudt zijn hoofd, haalt zijn hand nerveus over zijn korte haar. Berghammer begint hem wat nauwkeuriger te bekijken.

'Alles goed met je, Hans?' vraagt hij.

'Ja, best.'

Maar het is helemaal niet best, dat zien ze allemaal. Uiteindelijk kan Fischer zich niet meer inhouden. 'Ik heb met hem gepraat. Ik heb hem alles gevraagd wat belangrijk is. Hij wist nergens van, echt niet. Ik zweer dat hij van niets wist.'

'Geeft niet,' zegt Berghammer bezorgd. Met een onhandig gebaar pakt hij Fischers schouder beet. Die verstijft direct. Berghammer haalt zijn hand weer weg. 'Wil je even de frisse lucht in?'

'Nee,' zegt Fischer, die als een koppig kind klinkt.

'Echt niet?'

'Nee! Alles is goed met me. Bovendien staan die lui van de media voor de huisdeur. Ik weet niet wat ik tegen hen moet zeggen.'

'Goed dan,' zegt Berghammer. De journalisten worden door de persvoorlichter bediend, maar als ze Fischer zouden zien, dan zouden ze natuurlijk toch proberen informatie uit de eerste hand te krijgen, en Fischer is nu niet in staat om interviews te geven.

De politieagente die zich om mevrouw Schacky bekommerd heeft, komt naar hen toe en meldt dat Silvia Schacky nu in staat is verhoord te worden.

Berghammer vraagt: 'Mona en Hans, nemen jullie dat over?'

Op dat moment komt Strasser van de recherche Coburg de trap op gestommeld. Daarop besluit Berghammer meteen dat niet Fischer, maar Strasser het verhoor van Silvia Schacky samen met Mona op zich zal nemen.

'Dat is niets persoonlijks, Hans. Alleen heeft Strasser ook al met mevrouw Amondsen gesproken.'

Fischer wordt nog iets bleker, maar hij protesteert niet.

'Alweer een vrouw, die helemaal niets over haar man weet,' zegt Strasser. Hij heeft Mona weer naar een etablissement geloodst waar ze eigenlijk niet heen wilde. Ditmaal is het een café in de Schellingstrasse dat vol zit met jonge, mooie mensen. Strasser bestelt voor zichzelf en Mona appeltaart zonder haar te vragen wat ze wil. Maar omdat Mona appeltaart lekker vindt, zegt ze niets.

'Ik weet niet wat die kerels hun vrouwen tegenwoordig vertellen,' zegt Strasser. 'In elk geval niet wat er allemaal in hen omgaat.'

'Maar misschien ging er wel helemaal niks in die man om,' zegt Mona.

'Ach kom, vertel mij wat. Steyer gebruikt regelmatig psychofarmaca, Amondsen is een volstrekt depressief type en Schacky zuipt als een bouwvakker. Dan weet je toch dat er iets niet goed zat. Bij allemaal niet.'

'Je bedoelt dat ze alledrie hun moordenaar kenden? Ze waren alledrie bang voor hetzelfde, voordat het gebeurde?'

'Nee maar!'

'Je zult het nauwelijks geloven, maar zo ver waren wij ook al. Maar als ze wat wisten, waarom zijn ze dan niet naar ons toe gegaan? Waarom zegt die Schacky Fischer geen woord over zijn bange vermoedens, hoewel hij toch op zijn vingers kan natellen dat hij een van de volgenden zal zijn?'

'Als hij dat kan natellen. Misschien heeft hij de verbinding niet gelegd. Misschien had hij werkelijk geen idee.'

'Maar Richard, daarnet zei je nog...'

'Ja! Ach, weet ik veel.'

Mona zwijgt. Het patroon van de moorden is veranderd.

De dader heeft ditmaal niet alleen een wurgdraad gebruikt, maar ook een mes. Vermoedelijk is het slachtoffer alleen al door de messteken (de technische recherche heeft er elf geteld) dodelijk gewond geraakt. De wurgdraad was mogelijk helemaal niet meer nodig. Die was er zogezegd alleen voor de sier, zodat het principe in stand bleef.

Welk principe?

Aan Silvia Schacky hadden ze helemaal niets gehad, net zoals bij Carla Amondsen, voorzover ze het nu konden beoordelen. Ja, het was haar opgevallen dat haar man de laatste tijd nog meer dronk dan vroeger, voorzover mogelijk dan.

Wat ze daarmee bedoelde? Of ze daarmee wilde zeggen dat haar man alcoholist was?

Alcoholist? Dat is nog veel te vriendelijk uitgedrukt. Haar man dronk op het laatst wodka als water.

En wat heeft zij, Silvia Schacky, daartegen ondernomen?

Niets. Deze man heeft zich nooit iets laten zeggen, al helemaal niet door een vrouw. En al helemaal niet door zijn eigen vrouw.

Had u het gevoel dat uw man zich ergens zorgen over maakte?

Ja. Maar hij praatte niet met mij. Dat heeft hij nooit gedaan. Ik was een soort decorstuk. Eigenlijk kon hij helemaal niet met vrouwen omgaan, behalve... u weet wel. We zijn vijf jaar getrouwd, en ik heb tot op de dag van vandaag geen idee wat deze man voelt en denkt, waarin hij gelooft en waarvoor hij bang is. Geen idee.

Aha.

Tja, zo was het. En nu is het te laat.

Of ze eraan had gedacht van hem te scheiden, vooral de afgelopen tijd? Ze moest tussen haar tranen door glimlachen. Nee, nooit. Maar ze hield van hem, ondanks alles. En hij had al het geld. Ze waren op huwelijkse voorwaarden getrouwd, waardoor zij bij een scheiding nu niet direct aan de bedelstaf zou raken, maar toch een flinke vermindering in haar levensstandaard op de koop toe moest nemen.

Maar nu erft u waarschijnlijk een heleboel geld. Ik neem aan van wel. Maar toch heb ik het niet gedaan, neemt u dat van mij aan.

'Ze leek me erg gelaten,' zegt Mona tegen Strasser. 'Ze huilde wel, dat

wel, maar alles bij elkaar was ze erg koeltjes. Ik geloof niet dat zij het ge-
daan heeft, maar sommige mensen beschikken over zoveel zelfbeheer-
sing...'
Strasser kijkt haar lachend aan. 'Ben jij ooit getrouwd geweest?'
'Nee.'
'Heb je langere tijd met een man samengewoond?'
'Wat vind jij lang?'
'Nou ja, drie of vier jaar. In die orde.'
Drie of vier jaar, heel grappig. Nog nooit heeft een man het zo lang met
haar uitgehouden of zij met hem. Ze weet niet waar dat aan ligt. Of ze
altijd nog zo aan Anton gehecht is, tegen beter weten in, of dat er iets
met haar is dat mannen in het algemeen stoort. Haar uiterlijk lijkt het
niet te zijn. Misschien is ze te kordaat, niet truttig genoeg. Niet geheimzinnig genoeg. Maar dat gaat ze Strasser niet allemaal aan zijn neus hangen.
'Zoiets,' zegt ze. En direct daarna: 'Waar wil je naartoe?'
'Het is moeilijk de liefde langer dan drie, vier jaar te bewaren, daar wil ik
naartoe. In het beste geval word je goede vrienden.'
'En verder? Wat heeft dat met Schacky te maken?'
'Ach ja, of je begint na een paar jaar een echt te gekke vriendschap. Je
vertrouwt elkaar alles toe en zo. Of je leeft langs elkaar heen en ieder
houdt zich met zijn eigen zaken bezig. Het kan allebei heel lang goed
gaan. En zo ging het ook bij de Schacky's. Ieder hield zich met zijn eigen
dingen bezig. Eenmaal per dag ontmoetten ze elkaar bij het ontbijt of zo
en wisselden de nieuwtjes uit. Ik bedoel maar, dat is ook een manier om
getrouwd te zijn, en voor veel mensen niet de slechtste.'
'Je bedoelt dat ze daarom zo weinig over hem wist? Maar hoe zat dat bij
de Amondsens? Die wist ook niets, maar die gingen tocht echt best intiem met elkaar om. Voordat ze van hem wilde scheiden, was dat een gelukkig paar, best innig met elkaar en zo. Dat heeft ze zelf gezegd.'
'Misschien luisterde ze in de scheidingsfase niet meer naar hem.'
'Mogelijk,' zegt Mona met volle mond. Anders komt ze er bij hem helemaal niet toe om te eten. Wat kletst die vent.

Silvia Schacky heeft haar man rond negen uur 's ochtends gevonden, toen
ze naar de huisdeur liep om de krant te halen. Naar eigen zeggen heeft ze
niets aan de plaats van het delict veranderd, maar heeft ze eerst de ambulance en daarna de politie gebeld. Daarna is ze naast de dode gaan zitten. Ze
heeft hem niet aangeraakt, 'omdat ik dat gewoon niet kon'. Ze heeft hysterisch zitten snikken en geen moment helder kunnen denken.

Een paar minuten daarna kwam de ambulance, waarna een arts de dood van het slachtoffer vaststelde. Hij bevestigt Silvia Schacky's verklaring: Ze heeft inderdaad gehuild en was niet in staat een behoorlijk gesprek te voeren. Daarom heeft hij haar in een deken gehuld en geprobeerd haar naar de woonkamer te brengen. Mevrouw Schacky had er de voorkeur aan gegeven bij haar man te blijven. Ze was op de grond naast hem gaan zitten en had uiterst vertwijfeld zitten snikken. Een kalmeringsmiddel had ze afgewezen. De arts was bij haar gebleven totdat de politie ter plaatse was. Ze was verbazend snel weer bij haar positieven gekomen en was vrijwillig naar de woonkamer gegaan.

Silvia Schacky heeft geen enkele verdenking geuit. Ze verklaarde dat ze zeker wist dat haar man geen vijanden had; als die er toch waren, dan had haar man in elk geval nooit over hen gesproken. Ze wist dat haar man enkele jaren lang op een internaat aan de Tegernsee had gezeten, maar hij had over die tijd slechts zelden gesproken; het interesseerde haar ook niet bijzonder. Vriendschappen uit zijn schooltijd had hij kennelijk niet meer. Voorzover ze wist had hij geen contact met Konstantin Steyer, Robert Amondsen of Saskia Danner. Ze had deze namen nog nooit gehoord. Nee, ze had geen idee dat haar man al verhoord was over de moordzaken Steyer, Amondsen en Saskia Danner. Hij heeft er met geen woord tegen haar over gesproken.

De laatste tijd was hij wel nerveuzer dan anders, vermagerde en dronk ook steeds meer. Ze heeft geprobeerd tot hem door te dringen, maar hij zei steeds weer dat alles in orde was en dat ze zich geen zorgen hoefde te maken. Ze begon te vermoeden dat hij een verhouding had en had al zijn spullen doorzocht, maar ze had niets gevonden wat op een andere vrouw zou kunnen wijzen. Toen had ze het opgegeven.

Tijdens de laatste levensdagen van Christian Schacky was haar niets bijzonders opgevallen, behalve dat hij blijkbaar steeds slechter sliep. Ook in de nacht voor zijn dood was hij evenals enkele nachten daarvoor rond half drie 's nachts de gemeenschappelijke slaapkamer uit gegaan. Of hij daarna nog teruggekomen was, wist ze niet, omdat ze al snel weer in slaap gevallen was.

Van de moord zelf heeft ze helemaal niets gehoord. De woning van de Schacky's meet meer dan 200 vierkante meter, verdeeld over twee verdiepingen. De slaapkamer bevindt zich op de vierde verdieping van het huis, de huisdeur op de derde. In zoverre is haar verklaring plausibel, aannemelijk zelfs.

Ze hield van haar man, zei Silvia Schacky aan het eind van het verhoor. Hoewel ze hem nooit had begrepen, hield ze van hem. Maar hij heeft haar nooit echt tot zich toegelaten, en ze is nooit te weten gekomen waarvoor hij aan het eind zo bang was.

15

De leraar Duits van Robert Amondsen, Alfons Kornmüller, alias Nietzsche, leeft nog. Hij is ondertussen over de tachtig en woont slechts op een half uur rijden van Issing in het plaatsje Windau. Dat ligt midden in de Vooralpen, in een momenteel sprookjesachtig besneeuwd landschap. Zijn huis is moeilijk te vinden. Kornmüllers vrouw heeft Mona telefonisch de weg uitgelegd, maar haar beverige oude stem was nauwelijks te verstaan geweest.

Mona belandt uiteindelijk in de dorpskern en belt de Kornmüllers nog eens op. Niemand neemt op. Ze heeft er geen goed gevoel over. Met Kornmüller zelf heeft ze al helemaal nog niet gesproken, omdat zijn vrouw hem niet aan de telefoon wilde laten komen. Hij praat niet graag door de telefoon, zei ze, en Mona zou echt op bezoek moeten komen als ze iets van hem wilde. Misschien is hij seniel, misschien kan hij zich niets meer herinneren, misschien maakt ze deze reis tevergeefs.

Vandaag schijnt voor de verandering de zon. De lucht is strakblauw, de sneeuw glinstert op de bomen, de akkers en de heuvels. Ze parkeert voor een barokkerk en gaat even naar binnen.

De fresco's in de koepel zijn blijkbaar pas gerenoveerd, want het ruikt nog naar verf. Roze, lichtblauwe, witte en gouden kleuren lichten op in het binnenvallende zonlicht. Dikke naakte jongetjes lijken op Mona af te zweven, een glimlachende Madonna in een lichtblauw gewaad houdt een Jezuskind in haar armen, dat een veel te klein hoofd heeft voor een baby en er daardoor uitziet als een droevige minigrijsaard. Mona sluit de ogen, maar het is al gebeurd. De herinnering komt naar boven, neemt een sprong van een kwart eeuw alsof het niets is.

Mama, blijf zitten. Alsjeblieft, mama, niet opstaan. Nee, nee...

Het orgel speelt een krachtig *Te Deum*, en opeens snapt ze het en kan Mona de gedachten van haar moeder lezen, wat een vreselijk gevoel is. Ze voelt wat zich in een ander afspeelt, ze ervaart pijn en obsessies die niet de hare zijn. Ze kan zich niet afsluiten, maar dat moet wel, wil ze overleven.

Mama! Nee!
Ik moet het doen, Mona. Ik moet getuigen.
Nee! Alsjeblieft, blijf zitten!

Mona spert haar ogen open.
Er is niets gebeurd. Het draait om het heden, het verleden is dood en be-graven, *in alle eeuwigheid, amen.*
Ze staat op, loopt licht wankelend door het middenschip en duwt opge-lucht de zware deur naar buiten open.

Het huis van de Kornmüllers ziet er als een ingesneeuwd Hans-en-Griet-je-huis uit. De muren zijn met klimop bedekt, en het dak met de dikke sneeuwlaag lijkt gekromd.
Van binnen is het zoals zo vaak bij oude mensen. Op het eerste gezicht ziet alles er opgeruimd en schoon uit. Dan merkt Mona pas dat het een beetje naar een mengeling van stof, zweet, urine en schoonmaakmidde-len ruikt. De vensterbanken in de woonkamer staan vol met woekerende kamerplanten, waardoor het er ondanks het tijdstip – het is elf uur 's ochtends – zo schemerig als in een grafkelder is.
Mevrouw Kornmüller, een magere en rappe vrouw met een grijs water-golfkapsel, brengt koffie met koekjes. Meneer Kornmüller zit in een fau-teuil voor de terrasdeur in het niets te staren. Het is zoals Mona al ge-vreesd had: Hij lijkt ziek en afwezig, alsof hij helemaal van de wereld is.
'Mevrouw Kornmüller...'
'Een moment nog, ik ben zo klaar.' Behendig zet mevrouw Kornmüller de kopjes neer, schenkt koffie in, doet er voor zichzelf en haar man melk en suiker in en schuift dan het kannetje en de suikerpot in Mona's rich-ting.
'Neemt u toch zelf, juffrouw.' Haar stem klinkt tegelijkertijd hees en eigenaardig piepend, als bij een verkouden merel.
'Nee, dank u,' zegt Mona.
Ze had zich deze reis werkelijk kunnen besparen. Alfons Kornmüller schijnt haar aanwezigheid nauwelijks op te merken. Hij heeft zijn kopje van tafel opgenomen en drinkt zijn koffie met kleine slokjes. Zijn nek is zo uitgemergeld en pezig, dat je kunt zien hoe hij slikt. Zijn blauwgrijze overhemd is op één plek uit zijn tot op de draad versleten gabardine-broek gegleden, zijn bretels zitten scheef. Hij heeft nog altijd een snor die zijn mond bijna geheel bedekt, maar in vergelijking met de foto in het jaarboek is die schever en dunner geworden. Zijn blik dwaalt onzeker door de kamer, alsof hij iets zoekt waaraan hij zich kan vasthouden.

'Meneer Kornmüller,' zegt Mona.

Geen reactie.

'Meneer Kornmüller! Ik wil graag met u spreken. Is dat goed?'

Geen reactie.

Om raad te vragen wendt Mona zich tot mevrouw Kornmüller, die intussen op de rand van een stoel is gaan zitten. Ze draagt een gebloemde huishoudschort die waarschijnlijk uit de jaren zestig van de vorige eeuw stamt.

'Mevrouw Kornmüller? Kunt u me misschien helpen?'

De oude vrouw glimlacht, alsof ze wil zeggen: Ziet u nu wel, ik heb het toch gezegd... maar dat had ze nu juist niet gedaan. Voor het eerst krijgt Mona het idee dat ze misschien de gelegenheid op wat gezelschap te baat wilde nemen. En dat is zeker begrijpelijk, maar niet voor Mona, niet in deze situatie, waarin ze het zich absoluut niet kan permitteren tijd te verliezen. Nog afgezien ervan dat het in de onaangenaam warm gestookte en met lelijke meubels volgepropte kamer ongelooflijk benauwd is.

'Mevrouw Kornmüller, of u helpt me nu met uw man, of ik moet weer vertrekken. Het spijt me,' voegt Mona eraan toe, omdat mevrouw Kornmüller opeens zo verdrietig kijkt alsof Mona tegen haar geschreeuwd heeft. Misschien is zij geestelijk eveneens niet helemaal honderd procent meer.

'Schat,' zegt mevrouw Kornmüller, die zich naar haar man toe heeft gewend. Ze gaat heel dicht bij hem staan en pakt zijn rimpelige, magere hand.

'Schat, er is hier een jonge vrouw die graag met je wil praten.'

Langzaam, heel langzaam komen de ronddwalende ogen van de oude man tot rust.

'Schat, zie je die mevrouw? Ze wil graag met jou over een leerling spreken. Een voormalige leerling van je. Ze wil graag weten of je je die nog herinnert. Haar stem klinkt zacht, geduldig en aandoenlijk teder. Ze kent haar man zeker al een halve eeuw, en toch is er niets merkbaar van afkeer of irritatie, slechts van vriendelijkheid en genegenheid. Opeens merkt Mona hoe de nervositeit van haar afvalt. Deze ondervraging zal niet gemakkelijk zijn en misschien zonder resultaat blijven. Maar wat maakt dat uit? Er zijn wel ergere dingen, bijvoorbeeld het verdriet als een geliefde langzaam wegglijdt in gebieden waarin je hem niet meer kunt volgen.

'Schat,' zegt mevrouw Kornmüller weer, ditmaal wat energieker. Ze pakt zijn hand en schudt die lichtjes. 'Je moet hem er soms toe dwingen om terug te komen,' zegt ze tegen Mona. 'Maar het lukt hem wel. Soms is hij alleen maar een beetje lui.' Ze glimlacht, en Mona lacht onwillekeurig terug.

'Het geeft niet als het niet gaat.'

'Het zal wel gaan, als u een beetje geduld hebt. Zegt u de naam van de leerling maar. Misschien reageert hij daarop.'

'Robert Amondsen,' zegt Mona gedwee. Er gebeurt niets.

'Nog eens. Zegt u de naam luider. Hij hoort weliswaar nog heel goed, maar...'

'Robert Amondsen!'

De oude man schrikt op. En voor het eerst lijkt hij Mona echt te zien. Zijn ogen schieten niet meer heen en weer. Hij kijkt haar recht aan, en Mona probeert zijn blik vast te houden zodat hij zijn aandacht niet weer verliest. 'Robert Amondsen was een van uw leerlingen.' Ze haalt het jaarboek uit haar schoudertas en slaat gehaast de bladzijde op, met de foto met Amondsen en Kornmüller. 'Kijkt u eens, dat bent u met Robert Amondsen.'

Kornmüller pakt het boek en bekijkt de foto zorgvuldig. Na een tijdje bladert hij verder, totdat hij bij de bladzijde komt waarop zijn afscheid aangekondigd wordt. Hij leest de kop, zo langzaam als een eersteklasser: 'Nietzsche vertrekt.'

'Nietzsche, dat bent u.'

'Vanwege zijn snor,' zegt mevrouw Kornmüller. Ze is naast haar man gaan staan en kijkt over zijn schouder mee. 'Nietzsche had ook zo'n reusachtige snor.'

'Aha,' zegt Mona, terwijl ze haar blik op Kornmüller gericht houdt. Ze weet niet hoe ze nu verder moet. Moet ze hem in alle rust laten nadenken of valt hij dan weer in zijn eigen wereld terug?

'Kunt u zich dat herinneren, die tijd waarin u Nietzsche genoemd werd?'

'Zarathoestra,' zegt Kornmüller ten slotte op plechtstatige toon.

'Pardon?'

'Zarathoestra was een Iranese stichter van een religie. Nietzsche beschrijft hem als kluizenaar die op een dag naar de mensen afdaalde om ze deelgenoot te maken van zijn inzichten.'

'Wat?'

'Dat jullie in elk geval als dieren volmaakt zouden zijn. Maar bij het dier hoort de onschuld. Raad ik jullie aan je zintuigen te doden? Ik raad jullie de onschuld van de zintuigen aan.'

'Amondsen,' zegt Mona. 'Robert Amondsen. Wat weet u over hem?'

'Raad ik jullie de kuisheid aan? De kuisheid is bij sommigen een deugd, maar bij velen bijna een zonde. Deze onthouden zich weliswaar, maar hondse zinnelijkheid geeft hun een nijdige blik bij alles wat ze doen. En hoe aardig kan hondse zinnelijkheid om een stuk geest bedelen als haar een stuk vlees ontzegd wordt!' Kornmüller is opgestaan en citeert met een welluidende, krachtige stem. Hij heft zijn rechterhand op en wijst naar de muur achter zich, alsof daar een schoolbord hangt.

'Vuil bevindt zich op de bodem van hun ziel, en wee als er nog geest zit in hun vuil. Wie de kuisheid zwaar valt, dient haar ontraden te worden, opdat die niet de weg naar de hel wordt.'

'Hij heeft daar toentertijd les in gegeven,' fluistert mevrouw Kornmüller. 'Nietzsche was een buitengewoon ongelukkig mens. Hij was verlegen in de omgang met andere mensen, uiterst fijngevoelig en lichamelijk kwetsbaar, gekweld door ziektes. En toch heeft hij een werk geschapen dat zijns gelijke niet kent...'

'Schat,' zegt mevrouw Kornmüller.

'Welk kind zou geen reden hebben over zijn ouders te wenen?'

'Wat bedoelt hij daarmee?'

'Zarathoestra,' zegt mevrouw Kornmüller. 'Daar citeert hij graag uit.'

'Nietzsche was niet alleen een groot filosoof, ook al zijn enkele van zijn geschriften tegenwoordig omstreden, zoals Zarathoestra's stellingen over de *Übermensch,* die door velen verkeerd begrepen worden. Volkomen verkeerd, maar dat interesseert niemand meer. Hij was ook een geweldige lyricus, een stilist van het hoogste niveau...'

'Schat, alsjeblieft. Deze mevrouw wil iets over een leerling weten. Je hebt hem gekend.'

Maar Mona merkt dat het zinloos is. Inderdaad is Kornmüller in het verleden teruggekeerd, maar niet op een wijze die voor haar van nut zou kunnen zijn.

'Alfons wilde toentertijd beslist met pensioen,' zegt mevrouw Kornmüller. 'Hij droomde van zijn rozentuin. Eindelijk komt er rust in mijn leven, heeft hij steeds gezegd. Maar toen bleek dat hij alles toch erg miste. U moet weten dat hij altijd met hart en ziel voor de klas stond. Mensen zoals hij zijn er tegenwoordig helemaal niet meer...'

'Ja, ik begrijp het.'

'Ik geloof dat hij dit afscheid nooit te boven is gekomen.'

Kornmüller is weer gaan zitten. Hij ziet er verhit en verward uit, alsof hij een zware lichamelijke inspanning heeft gepleegd. Langzaam laat hij zijn hoofd op zijn borst zakken. Zijn ogen met hun bijna doorzichtige leden vol ouderdomsvlekken vallen als vanzelf dicht.

'Hij is niet meer bij ons,' zegt mevrouw Kornmüller. Ze staat nog altijd achter zijn stoel en legt haar handen berustend op zijn afhangende schouders.

'Het heeft waarschijnlijk niet veel zin om het nog eens te proberen,' zegt Mona.
'Nee, ik geloof het niet. Ziet u, er was toen iets...'
'Ja?' 'Iets dat hem aanleiding gaf om veel vroeger dan oorspronkelijk gepland met pensioen te gaan.'
'Weet u daar iets van?'
Mevrouw Kornmüller schudt haar hoofd en gaat bij de salontafel zitten.
'Het had iets met enkele leerlingen te maken. Ze hadden zich... slecht gedragen... zoiets. Maar er gebeurde niets met hen. Misschien werd er iets in de doofpot gestopt, maar dat weet ik helaas niet. Alfons wilde er nooit meer over praten. Maar sindsdien is hij veranderd.'
'In welk opzicht? Wat heeft hij gedaan?'
'Weet u, jongedame, dat is moeilijk te beschrijven. Alfons en ik kennen elkaar nu al meer dan een halve eeuw. Dan vallen psychische veranderingen je gewoon op, ook al zijn die zo op het eerste gezicht helemaal niet vast te stellen.'
'U kunt het natuurlijk proberen. Ik bedoel, om te beschrijven wat er plotseling zo anders aan hem was.'
Wilt u nog koffie?
'Nee, dank u. Of toch wel. Graag.'

Het was de zomer van 1979. De Kornmüllers woonden in het Boshuis. Alfons Kornmüller was als huisvader verantwoordelijk voor twintig meisjes, die in negen tweepersoons- en twee eenpersoonskamers woonden. Het was een normale zomer in Issing, dat wil zeggen dat er een hoop ellende was. Wegens een nachtelijk feest aan het meer waren vier leerlingen van school gestuurd. Een van de deelnemers liep daarop weg maar werd twee dagen later door de politie gepakt. Een meisje uit het Eikenhuis liep een alcoholvergiftiging op omdat ze twee flessen brandewijn achter elkaar had leeggedronken. De reden was liefdesverdriet. Het meisje lag drie dagen in het ziekenhuis en werd weer gezond. Zij werd eveneens van school gestuurd.
'Had uw man iets met deze gebeurtenissen te maken?'
'Nee, ik geloof het niet. Hij maakte natuurlijk deel uit van de leraarsvergadering. Dergelijke besluiten, bijvoorbeeld over het van school sturen van leerlingen, werden daar bij meerderheid van stemmen genomen.'
'Hoe hebt u zich op die school gevoeld? Ik bedoel, u...'
'Ik weet al wat u bedoelt. We hebben zelf geen kinderen, ik had geen echte verplichtingen. Zo is dat nu eenmaal als vrouw van een leraar. Maar ik heb daar nooit problemen mee gehad. Het was normaal, ik wist niet beter.'

'Had u contact met de leerlingen?'

'Niet veel. Dat was het domein van mijn man.' En daarmee bijt de slang zich weer in haar eigen staart. De toenmalige rector is dertien jaar geleden overleden. De tot nu toe verhoorde leraren hadden niets relevants over de zaak te melden. En Mona zit bij een oude vrouw, die evenmin iets weet, maar wier man misschien de enige getuige is. Als Mona nu maar eens wist waarvan...

'U hebt gezegd dat uw man toen veranderde. In welk opzicht is hij veranderd, en wanneer precies?'

Een lange pauze. Dan begint mevrouw Kornmüller te vertellen. Het was zomer, zoals gezegd. In die periode waren de leerlingen erg ongedurig en nog recalcitranter dan anders. Met name haar man was daarbij betrokken geweest; geen wonder met twintig meisjes die allemaal in de voorbereidingsklas zaten. Die deden wat ze wilden. Ze rookten op de kamers, klemden stoelen onder de deurklinken vast als ze jongens op bezoek hadden, namen de bedtijden niet in acht en lieten zich niets zeggen. Maar Alfons had geluk. Zijn stoepje bleef schoon, op de gewone toestanden na. Vier leerlingen van school gestuurd, een alcoholvergiftiging, maar geen enkel meisje in het Boshuis was erbij betrokken. O ja, en er was een zwangerschap geweest. Die was in het diepste geheim behandeld, maar Alfons had tegenover haar zijn mond voorbijgepraat. Maar ook dit meisje woonde niet in het Boshuis.

Mevrouw Kornmüller zwijgt. Ze komt simpelweg niet op het onderwerp. Weer komt bij Mona de verdenking op dat ze hier eigenlijk alleen is omdat mevrouw Kornmüller om een praatje verlegen zit.

'Om op uw man terug te komen...'

'Ja?'

'Die was toch zo veranderd? Waarom?' Als het nodig is, stelt ze de vraag ook nog voor de vierde of de vijfde keer.

'O ja. Hoe moet ik dat uitleggen... De leerlingen waren dol op Alfons. Dat bleef niet onopgemerkt, en dat zeiden ook zijn collega's telkens weer.'

'Ja, en?'

'En hij was dol op hen. Hij was altijd degene die zich voor hen inzette. Hij was degene die tegenstemde als het om zware straffen ging. Hij wilde altijd de dialoog aangaan.'

'Maar?'

Mevrouw Kornmüller kijkt Mona aan, die het opeens begrijpt. Wat mevrouw Kornmüller nu op het punt staat te vertellen, heeft ze nog nooit tegen iemand gezegd. Ze heeft het zich misschien zelf nooit gerealiseerd. Het is zogezegd een gloednieuwe herinnering.

'Uw man wilde altijd de dialoog aangaan,' zegt Mona op een voor haar doen behoedzame manier. 'Vanaf welk moment heeft hij dat niet meer gedaan?'

Opeens slaat mevrouw Kornmüller haar handen voor haar hoofd en begin zacht te huilen.

Er waren maar weinig leerlingen die Elfriede Kornmüller beter kende. De leerlingen waren voor haar een gezichtsloze massa, waaruit slechts enkele namen naar boven kwamen. Dat waren de namen van de leerlingen over wie Alfons haar vertelde. Ze zag het leven in het internaat door zijn bril, ze nam zijn oordelen over, ongefilterd door haar eigen ervaringen, want ze bezat geen enkele functie in dit gecompliceerde organisme. Ze was niet eens een radertje in het grote geheel. Haar enige taak was haar man met zorgen te omringen, en dat was voor haar voldoende, althans zolang Alfons tevreden was.

Sinds de invoering van de voorbereidingsklas enkele jaren eerder was Alfons Kornmüller verantwoordelijk voor de vervolgcursus Duits. Een van de leerlingen heette Robert Amondsen. Hij zat toen in de zesde klas. 'Hebt u Robert Amondsen ooit gezien?' 'Ja, diverse malen. Sinds Alfons die vervolgcursussen gaf, had hij de gewoonte opgevat zijn leerlingen eenmaal per maand uit te nodigen. Hij noemde het werkgesprekken. Ik bracht dan thee, koffie en wat snoepgoed. Na afloop brachten de leerlingen alles weer naar de keuken en hielpen mij met afwassen. Zo ben ik met enkelen van hen in gesprek gekomen. Dat was eigenlijk heel leuk, dat contact.'

'Kunt u zich Robert Amondsen nog herinneren?'

'Ja. Een aardige blonde jongen. Heel, heel beleefd. Ik mocht hem graag. Hij kwam ook enkele malen alleen, als ik het me goed herinner. Alfons had hem in zijn hart gesloten. Ze gingen zelfs met elkaar wandelen.'

'Maar?'

Mevrouw Kornmüller kijkt haar verrast aan. 'Niets maar. Alleen, op een gegeven moment stopte het contact.'

'Op een gegeven moment?'

'Ik geloof dat het na de zomervakantie was. Toen het nieuwe jaar begonnen was, kwam Robert nog slechts eenmaal. Hij was alleen, en daarna kwam hij niet meer.'

'Wat bedoelt u daarmee, dat hij niet meer kwam?'

'Hij nam in elk geval nog aan de vervolgcursus deel, want dat was verplicht. Hij zat toen in de eindexamenklas. Maar hij kwam niet meer naar de maandelijkse bijeenkomst met de andere leerlingen. En ook niet meer alleen.'

'Waarom niet?'

Mevrouw Kornmüller trekt haar magere schouders op. 'Ik heb het Alfons toentertijd gevraagd, maar hij wilde er niet over praten. Als ik me goed herinner, zei hij: een nare zaak.'

'En in die periode viel het u op dat uw man veranderde.'

'Ja,' zegt mevrouw Kornmüller langzaam.

'In hoeverre?'

Mevrouw Kornmüller wrijft over haar armen alsof ze het koud heeft en ziet er opeens als een ijskoud, verward vogeltje uit. 'Hij werd steeds knorriger. Stiller en deels ook ongeduldiger. U moet weten dat hij een heel vriendelijke man was. Opeens bezat hij een bepaalde nervositeit die ik helemaal niet van hem kende. En toen zei hij op een dag plotseling: "Weet je, Elfriede, ik heb eigenlijk helemaal geen zin meer."'

'Dat kwam zomaar opeens uit de lucht vallen?'

'Ja. Maar ik merkte wel dat hij er lang over nagedacht had. Helemaal alleen. Toen hij me dat vertelde, was me gelijk duidelijk dat zijn besluit vaststond. Ik was er aan de ene kant blij over dat hij dan meer tijd zou hebben. Maar aan de andere kant...'

'Wat?'

'Ik wilde ook niet dat hij met een slecht gevoel de school verliet.'

'Maar hij heeft u niets verteld, niets wat met Robert Amondsen te maken had? Denkt u goed na.'

Mevrouw Kornmüller trekt gedwee een peinzend gezicht, maar natuurlijk schiet haar niets te binnen. 'Nee, het spijt me.'

'Heeft uw man ooit de namen Konstantin Steyer, Christian Schacky of Saskia Danner genoemd?'

'Dat hebt u me aan de telefoon ook al gevraagd. Nee, ik kan me die niet herinneren. Wat is er dan met die mensen?'

'Ze zijn allemaal dood,' zegt Mona.

16

'Hebt u wel eens met seriemoordenaars te maken gehad? Ik bedoel in een leidende functie?'

Mona bijt op haar lippen en schudt haar hoofd. Haar kennis bestaat uit wat ze op de politieschool over seriemoordenaars geleerd heeft, verder niets. Hier te lande is nog niet veel onderzoek gedaan naar het verschijnsel. In heel Europa zijn er misschien vijftig gespecialiseerde rechercheurs. Bij hen komen de gevallen terecht waarop andere rechercheurs zich de tanden stukgebeten hebben. Meestal zijn het zedendelicten of in elk geval extreem perverse verkrachtingen van vrouwen of kinderen.

'Hier is dat anders,' zegt Kern. Hij leidt de eenheid voor strategische daadanalyse, die door Berghammer in het leven is geroepen en die sinds enkele jaren in het gehele land actief is. Kern ziet eruit als begin dertig, tot je hem in zijn ogen kijkt. Dan schrik je bijna, omdat de uitdrukking erin zo kinderlijk en kwetsbaar is, eigenlijk veel te gevoelig voor zijn functie.

'We hebben met een geval van overkill te maken,' zegt Kern, terwijl hij iedereen die aan tafel zit, te weten Mona, Fischer en de forensisch arts Herzog, een voor een aankijkt. Kerns stem is in tegenstelling tot zijn ogen helemaal niet fijngevoelig. Hij klinkt zakelijk, vlak en monotoon. Misschien is dat de reden dat Mona al meer dan een uur regelmatig een geeuw moet onderdrukken. Ze zitten in Herzogs kantoor, voor hen liggen de fotoalbums met de detailopnamen van de lijken van Steyer, Danner, Amondsen en Schacky. Overal uiteengereten huid, blauwe plekken, wurgwonden. De fotografen hebben geen centimeter overgeslagen.

'Overkill,' herhaalt Kern, alsof hij genoegen schept in de uitdrukking of alsof hij erop wacht dat iemand hem om uitleg vraagt. Maar iedereen aan tafel is al op de hoogte. Overkill betekent dat iemand op zijn slachtoffer insteekt, schiet of inslaat, hoewel de dood al is ingetreden. Veel seriemoordenaars hebben daar de neiging toe, ofwel omdat het hen om de daad van het doden op zich gaat en ze die kunstmatig willen verlengen, of omdat het slachtoffer zo snel overleed dat de woede of de lust waardoor de dader gedreven werd, nog niet verdwenen is en botgevierd moet worden.

Daarom is Kern hier. Omdat het bij vier doden om een seriemoordenaar moet gaan, ook als seksuele motieven in afwijking van de meeste gevallen kennelijk geen rol spelen. En omdat de laatste moord nog gruwelijker was dan de vorige. Ook dat wijst op een seriemoordenaar. Bovendien werd een nieuw moordwapen gebruikt, een mes. Dat betekent meestal dat de dader genot blijkt te vinden in het doden zelf en om de lust te vergroten op een uitgebreider en ingewikkelder draaiboek overstapt.

'De conclusie is dus gewettigd dat bij de volgende moord de garrot en het mes weer gebruikt zullen worden,' zegt Mona, met haar blik op Kern gericht. Hij knikt. Het woord garrot is inmiddels ingeburgerd bij het speciale team Konstantin, hoewel er nauwelijks nog iemand bij Afdeling 11 is die niet weet dat het bij het moordwapen in werkelijkheid om een wurgdraad gaat. Waarschijnlijk ligt het aan de plaatselijke en Beierse media, die in hun berichtgeving al wekenlang in vette koppen over een 'garrotmoordenaar' berichten.

'En verder?' vraagt Mona. 'Ik bedoel, welke conclusies kunnen we nog meer trekken?'

Iedereen kijkt haar radeloos aan en concentreert zich weer op de foto's van de lijken, alsof het om zoekplaatjes gaat waarin de oplossing verborgen ligt. Wat inderdaad vaak echt het geval is. Maar ditmaal gelooft Mona daar niet in.

Als ze over de liefde droomt, verscheen die in de gedaante van een vrouw in een wit gewaad van zijde en tule. De tule was met fijne zwarte ranken en bloemen geborduurd. Deze jurk had ze zelf als achtjarige naar het vastenavondbal van haar school gedragen. Een naaister had het volgens haar aanwijzingen rond de taille zo strak genaaid, dat ze noch de vastenavondbeignets nog de Weense worstjes met scherpe mosterd kon eten die voor de gelegenheid in het met slingers versierde klaslokaal klaarlagen.

Die dag had ze de eerste kus van een medeleerling gekregen. Ze herinnerde zich alleen zijn achternaam nog, omdat alle jongens op school toentertijd alleen met de achternaam werden aangesproken. Weber, Kreuzer, Naumann, Berger. De jongen die haar kuste, heette Staudacher. Hij kwam uit een gezin dat door de anderen fluisterend als asociaal betiteld werd. Hij had zeven of acht zussen en mocht niet aan schoolreisjes deelnemen omdat zijn ouders zelfs de kleine bijdrage in de kosten niet konden betalen die de school voor dergelijke evenementen vroeg.

Maar zijn kus was de tederste en meest beschroomde die ze ooit zou krij-

gen. Tegelijk geloofde ze dat ze het aroma van melancholie en vertwijfeling proefde. Dat was echte liefde, dacht ze voortaan: zoet en bitter tegelijk, net als tranen.

Tot de vele vernederingen die het leven haar de dertig jaar daarna bezorgde, behoorde ook haar poging in een man de jongen terug te vinden
die haar zo teder en fijngevoelig met iets in contact bracht dat zij als liefde beschouwde. Toen ze allang volwassen was, was ze nog eens naar haar
oude omgeving teruggekeerd en was op zoek gegaan naar Staudacher.
Natuurlijk had ze zich niet ingebeeld dat hij nog wist wie ze was, twintig
jaar later. Maar de hoop, die ellendige, leugenachtige slet, die haar zo
vaak onder hoongelach op een dwaalspoor gebracht had, de hoop had
haar niet met rust gelaten en haar naar een plek gevoerd waar ze eigenlijk
niets meer te zoeken had.

En zo belandde ze op een dag voor een groen geschilderd huurhuis, waar
zich in het achterhuis een bedrijf voor timmerbenodigdheden bevond.
Het bedrijf heette Staudacher BV. Ze was naar binnen gegaan en had
naar de eigenaar geïnformeerd, waarna ze naar een kantoor werd gebracht waar een dikke man met handen als kolenschoppen in de telefoon
zat te brullen: *Hufter, als jij morgen niet levert...*

Toen zag hij haar bij de balustrade staan en gaf haar met een van woede
vertrokken gezicht en ongeduldige handbewegingen te kennen dat ze
moest verdwijnen, en wel meteen! *Ik heb nu geen tijd!*

Ze was meteen vertrokken. Misschien was het een andere Staudacher geweest. Maar in zijn gezicht, verborgen achter de grimmige mimiek van
een opvliegende volwassene, had ze de melancholie en vertwijfeling van
de kleine jongen gezien, die er nu niet meer was.

Waarom werden mannen zo? Waarom geloofden ze genadeloos te moeten zijn om te kunnen overleven?

Dergelijke gedachten en gevoelens had ze kort voordat de stemmen de
macht weer overnamen en alles wegdrukten dat tot haar eigen identiteit
behoorde. Ze verloor zichzelf in gedachtekronkels die haar onvermijde-
lijk de diepte in voerden, naar gebieden waar geen mens iets verloren
had, en zij al helemaal niet. Toen namen de stemmen het over.

De artsen zeiden dat de stemmen een deel van haar waren dat ze probeerde af te splitsen. Nee, wacht: de artsen zeiden meestal helemaal
niets, maar gaven haar medicijnen die de stemmen uitschakelden, maar
niet alleen de stemmen. De medicijnen namen de angst weg, beëindig-
den de chaos in haar hoofd, maar maakten haar tegelijkertijd traag, paf-
ferig, lusteloos en zwijgzaam.

De artsen zeiden niets, maar de psychologen spraken des te meer. Ze spraken over berichten die het onderbewustzijn aan haar stuurde. Ze beweerden dat het onderbewustzijn zich van stemmen bediende, en dat het daarom belangrijk was die berichten te decoderen.

De psychologen verschenen ten tonele toen de artsen haar 'goed ingesteld' hadden. Dus toen ze de juiste dosis aan pillen binnenkreeg, kwam de gespreksfase. Steeds weer vertelde ze over haar jeugd, haar angsten, haar trauma's. Steeds weer analyseerde ze haar herinneringen, meestal samen met jonge leerling-therapeuten en analytici die voor hun semester psychiatrie moesten slagen om hun toelatingsbewijs voor de ziektekostenverzekeringen te krijgen en zich te kunnen vestigen. Aansluitend werd ze door oudere, zachtmoedige bezigheidstherapeutes aangemoedigd om potten te bakken, manden te vlechten, collages te maken en te schilderen 'wat zich in haar afspeelde'. Met pottenbakken was ze goed geweest, altijd al trouwens. Haar hele huis stond vol gedraaide vazen, kopjes en schoteltjes. Als iemand haar vroeg wat ze de hele tijd in de kliniek gedaan had, kon ze op deze productie wijzen, die tevens het tastbare bewijs vormde dat ze niet helemaal voor niets daar gezeten had.

Ze zat altijd in dezelfde kliniek. De artsen, verpleegkundigen en therapeuten wisselden in de loop der jaren, maar de sombere, slecht verlichte lange gangen, de verschrikkelijke kantine in het souterrain met de bruine, bekraste plastic tafels en de afwasbare groenige muurverf, de metalen bedden met het harde witte beddengoed, dat alles bleef hetzelfde. Als ze merkte dat de stemmen weer oprukten, liet ze zich normaal gesproken zelf opnemen.

Ditmaal waren de stemmen echter sneller geweest en hadden ze dat weten te verhinderen.

De stemmen waren er altijd op tegen dat ze hulp bij 'de anderen' zou zoeken. Geen wonder, want de anderen waren de natuurlijke vijanden van de stemmen.

Het kon haar niet schelen, ze was toch al een marionet. Nooit had ze zich iemand gevoeld die haar leven in eigen hand had, zelfs niet in haar allerbeste fase. Daarom had ze het allang opgegeven om te proberen invloed op haar eigen leven uit te oefenen. Het leven liet zich door haar niet vormen, hoezeer ze zich ook inspande. In plaats daarvan bleef ze volledig en weerloos overgeleverd aan dat wat de anderen het lot noemden. Ze wist dat best, want ze had het geprobeerd.

Ze had echt haar best gedaan om haar leven in eigen hand te nemen. Niemand kon haar verwijten dat ze niet alles geprobeerd had; alle psychische trucs die haar bijgebracht werden, probeerde ze uit. Maar de plannen die ze gedwee bedacht en de voornemens die ze maakte gleden tussen haar vingers door, zodra die in de echte wereld verwezenlijkt moesten worden. Ze was niet 'tegen conflicten opgewassen' (een therapeutenterm die niets anders betekende dan dat ze bij de geringste tegenslag de moed verloor). Zij en de echte wereld, die twee gingen gewoonweg niet samen. Het was haar niet eens gelukt eenmaal per week een lezing aan de universiteit te bezoeken. En dat terwijl ze zich dat toch vast had voorgenomen, en haar toenmalige therapeut, een jonge opgewekte man met een volle zwarte haardos, zich enthousiast had betoond voor het idee. Het zou een stapje terug in het normale leven geweest zijn. Ze zou niet eens een examen hoeven af te leggen of zich hoeven inschrijven. Maar het was weer gegaan zoals altijd. Ze was het tijdstip vergeten, had het lezingenrooster niet gevonden, was het vel papier kwijt waarop ze de aanvangstijden genoteerd had. Eenmaal was er een angstdroom tussengekomen, waarna ze de straat niet meer op durfde.

Ze bevond zich nu op een lange weg in het niets. *On the road to nowhere.* Ze neuriede de song zachtjes voor zich uit. *We're on the road to nowhere nanananaa...* Ze zag zichzelf op deze kaarsrechte weg, die achter de horizon verdween. Ze liep op licht, bijna wit asfalt. Ze droeg cowboylaarzen, een wijde, op heuphoogte met een dikke leren riem samengesnoerde spijkerbroek, een houthakkershemd en een trekkingrugzak op haar rug. Haar tred was kordaat en stevig, haar gezicht hoekig en optimistisch.

Maar zij was het niet, en dat wist ze. Het was een visioen van de vrouw die ze had kunnen worden als er niet zoveel tussengekomen was. Onder andere haar eigen karakter. Niet opgewassen tegen conflicten. Kon je God of een of andere instantie ervoor verantwoordelijk stellen dat ze niet de noodzakelijke bagage bezat om in de wereld haar plek te vinden? En als je het bijvoorbeeld vergeleek met alle vluchtelingen in Afrika, ging het haar dan niet zo geweldig goed dat het eigenlijk haar plicht was in elk geval te proberen het beste van haar leven te maken, ook als de voorwaarden niet optimaal waren?

Ze rilde even.

Voor het eerst in dagen, misschien weken, waren de stemmen zachter geworden. Ze stonden haar een kleine pauze toe. Ze stonden haar normale menselijke gevoelens toe, zoals de ontzetting om gedroogd bloed aan haar handen en spijkerbroek te ontdekken. Ze hief haar hoofd op en begon zachtjes te hijgen. In een oogwenk bevroor haar adem tot een waas, en ze realiseerde zich...

Ik heb het koud.

Voor haar lag de Karlsplatz met de nu dik besneeuwde fontein. Ze stond onder de arcaden voor de etalages van een grote speelgoedzaak. Geen van de talrijke voorbijgangers lette op haar. Er stootte zelfs niemand tegen haar aan. Het leek alsof ze er helemaal niet was. Maar ze was er wel, haar handen zaten onder het bloed en ze wist dat het niet haar eigen bloed was. Ze was teruggekomen. Haar missie, die de stemmen haar hadden opgedragen, was weer mislukt.

Met trage, moeizame passen liep ze naar de McDonald's ernaast, waar ze in het damestoilet onder zachte muzak haar handen waste. Jonge meisjes verdrongen zich voor de spiegels, frummelden aan hun haar en brachten hun toch al veel te felle lippenstift opnieuw op, en weer lette geen mens op haar. Zelfs niet op het bloed dat, door het water opgelost en verdund, in bijna eindeloze bruinige stroompjes in de afvoer wegvloeide.

Mona's gsm gaat over op het moment dat ze naast Fischer in de auto plaatsneemt.

'Met mevrouw Seiler?' Een onzeker klinkende vrouwenstem, die Mona vaag bekend voorkomt.

'Met Carla... eh, Carla Amondsen. De vrouw van... eh...'

'Ik weet het.' Mona sluit het autoportier en haar eigen bewegingen lijken plotseling vertraagd, alsof ze zich onder water bevindt. Ze houdt haar telefoon vast alsof het om een kostbaarheid gaat die elk moment kon breken als je hem verkeerd vasthield. Alsof ze weet dat dit telefoontje alles kan veranderen, mits ze nu geen fout maakt. Fischer kijkt haar van opzij aan, met zijn hand op het contactsleuteltje. Mona geeft hem een teken nog niet weg te rijden. De verbinding is slecht en ze wil niet het risico lopen dat de lijn met Carla Amondsen verbroken wordt.

'Ik geloof dat ik u iets moet vertellen,' zegt Carla Amondsen, onderbroken door piep- en knarsgeluiden. Mona drukt de luidspreker tegen haar oor, alsof dat helpt.

'Ja?' Ze zou kunnen voorstellen nu meteen naar Coburg te komen, maar ze durft het niet.

'Kunt u me verstaan?'

'Ja, ik versta u. Waar gaat het om?'

'Ik...'

Gepiep en geknars.

'Kunt u dat nog eens herhalen, mevrouw Amondsen?'

'Mijn man,' zegt Carla Amondsen. 'Ik geloof dat mijn man...'

'Ja? Uw man?'

'Robert heeft... lang geleden... iets gedaan...'

'Ja?'

'Iets gedaan... dat... ik weet het niet, ik vermoed het alleen... dat misschien zijn dood heeft veroorzaakt.'

'Mevrouw Amondsen? Bent u er nog?'

'Ja.' Nu klinkt haar stem zelfverzekerd, maar tegelijkertijd berustend, alsof de eigenaresse ervan een onomkeerbaar besluit heeft genomen dat haar doodongelukkig maakt.

'Bent u momenteel thuis, mevrouw Amondsen?'

'Ja.' Weer die berustende ondertoon.

'We komen langs. We zijn over circa drie kwartier bij u. Is dat goed?'

'Ja. Zeker.'

Lieve, beminde Carla! Als je deze brief in handen houdt, ben ik niet meer in leven. Je krijgt die alleen als ik dood ben. Deze brief is dus een soort testament, hoewel ik nauwelijks iets nalaat, zoals je weet. In elk geval niets materieels, behalve dingen als het huis, enz., alles wat toch al voor de helft van jou was en na mijn dood helemaal. Jij en Anna zijn mijn enige nabestaanden. Maar daar gaat het niet om. Ik weet niet hoe ik moet beginnen. De laatste tijd heb ik het idée fixe dat ik zou kunnen overlijden en dat je van anderen moet horen hoe ik werkelijk was. Daarom is deze brief mijn enige kans althans iets te verklaren, zodat je niet de overtuiging krijgt met een monster getrouwd geweest te zijn.

Of nee: ik was een monster, maar ik ben het niet meer. Ik heb me aan iets schuldig gemaakt, maar ik heb ook boete gedaan, met slapeloze nachten en de voortdurende angst jou en onze lieve kleine Anna te verliezen. De angst om in het niets gestort te worden. Te moeten leven zonder jouw liefde. Feit is: ik heb je niet alles verteld, en zelfs het weinige dat ik wel verteld heb, heeft jou van mij weggevoerd. O God. Ik ben zo in de war. Jouw liefde is voor mij even belangrijk als je waardering, en beide heb ik verloren, en nog terecht ook. Maar je weet niet alles. Je moet alles weten, je mag het niet van anderen horen, want... Ik wil zo eerlijk mogelijk tegen je zijn. Ik schrijf deze brief met de hand, niet op de computer. Ik verbeter geen fouten, ik begin niet weer opnieuw als een formulering niet goed genoeg is. Deze brief is de eerste en enige versie die je moet lezen. Niet opgesierd vanwege scrupules achteraf, begrijp je? Ik zal niets corrigeren, dat beloof ik.

Weet je nog hoe je gezegd hebt dat ik de beste persoon was die je ooit had leren kennen? Je hebt je vergist, Carla, ik ben misschien wel het tegendeel. Er zijn zeker mensen die veel meer dingen gedaan hebben waarover ze zich moeten schamen dan ik. Maar daar komt het niet op aan, dat weet ik nu. De kwantiteit betekent in een hogere morele zin helemaal niets. Ik weet gewoon dat dat zo is. Ik kan mijn zonden in dit leven niet goedmaken. Niets wat ik doe, is goed genoeg, niets. Ik heb het geprobeerd.

We waren toen nog jong, maar dat is geen excuus, begrijp me niet verkeerd. Het is een verklaring, maar die relativeert niets.

Konni, Schacky, Micha, Bredo en ik. Wij waren een vakantie lang de magische vijf. Jij kunt dat niet begrijpen, jij bent een vrouw. Vrouwen vormen dergelijke groepjes van gezworen kameraden gewoon niet. En vrouwen bereiden zich er niet gezamenlijk op voor de wereld te veroveren. Wij hebben dat wel gedaan, en dat het zo eindigde zoals het eindigde, dat was... dat heeft het leven van ons allemaal verwoest. In de letterlijkste zin van het woord. Zie je, Carla, dat is het risico als je een man tussen andere mannen bent. Je richt gezamenlijk een IT-bedrijf op en verdient miljoenen of je trekt gezamenlijk de oorlog in en doodt miljoenen... Je denkt nu natuurlijk dat dit een afleidingsmanoeuvre is, maar zo is het niet. Het is alleen zo dat je – als het moet, dan moet het maar – werkelijk alles moet weten. Je kunt me veroordelen, maar pas dan als je alles weet en begrepen hebt. En dan vraag ik je, hoe jij in mijn plaats gehandeld zou hebben. Dan mag je me veroordelen, eerder niet. Het is jouw beslissing om me te begrijpen of te veroordelen.

Micha, Schacky, Konni, Bredo en ik waren een toevallige groep. We waren niet bevriend en kwamen desondanks bij elkaar. Uitsluitend en alleen omdat geen van ons plannen had voor de zomervakantie. Schacky en Konni hadden elkaar in het rokerspaviljoen ontmoet, en op een of andere manier kwamen ze op het onderwerp vakantie en dat geen van beiden wist waar hij naartoe moest. Bij Konni waren het zijn ouders, die zich na scheidingsplannen net weer verzoend hadden en hun zoon daarom eigenlijk bij een tante wilden onderbrengen. Bij Schacky was het zijn vader, die na een operatie wegens kanker verzorgd moest worden. Schacky gruwde altijd van ziektes. Hij kon het idee niet verdragen de hele vakantie in het huis van een wegkwijnend mens door te brengen. Micha was aankomend ambtenaar en had toentertijd geen vriendin met wie hij zijn vakantie had kunnen doorbrengen. Ik had mijn moeder, die pas gescheiden en doodongelukkig was. En het vooruitzicht om zes weken lang haar gejammer over mijn ontrouwe vader te moeten aanhoren. Op die leeftijd gaat alles heel snel. Micha had een auto, een VW-Passat, een stokoude kar, maar met plaats voor vijf. We hebben op de tweede dag van de vakantie slaapzakken en rugzakken in de auto gegooid en zijn richting zuiden gereden. We hebben onze ouders ingelicht toen we de Franse grens gepasseerd waren. We hebben hen vanuit een telefooncel in Biarritz vlak voor de Spaanse grens opgebeld, de een na de ander. Voordat ze zich konden opwinden, hadden we alweer opgelegd. Zeker, behalve Micha en Bredo waren we nog minderjarig, maar ze konden ons niks maken. We waren de eerste grens al gepasseerd. En ze wisten niet eens waar en in welke auto we onderweg waren.

Alles zou goed gegaan zijn, als zij niet opgedoken was. De gelegenheid maakt de dief, zeggen ze. Veel misdrijven zouden niet gepleegd zijn als de gelegenheid er niet geweest was. Alles zou goed gegaan zijn, als zij niet degene geweest was die ze was. Wij, Konni, Schacky, Micha, Bredo en ik, wij zouden nu nog vrienden zijn. Zij heeft alles verwoest. Daarom haat ik haar. Haar en mezelf.

17

'U zult me wel voor een monster houden,' zegt Michael Danner, en Mona herinnert zich direct Amondsens brief. *Ik was een monster, maar ik ben het niet meer.*

Dit verhoor heeft ook voor de rest het karakter van een déjà vu, want ze zitten voor de tweede keer in dezelfde samenstelling op het kantoor van hoofdinspecteur Bode in Miesbach. Maar ditmaal ligt er sneeuw op de Marktplatz voor het politiebureau en schijnt de zon in een staalblauwe hemel. Danner rookt weer een Camel, Bode wuift geïrriteerd regelmatig de rook voor zijn neus weg, wat Danner overigens niet lijkt te merken.

Toch komt hij vandaag allerminst arrogant over. Hij is eerder erg nerveus. De hand waarin hij zijn sigaret houdt, trilt een beetje. Het valt Mona op dat hij de afgelopen dagen afgevallen moet zijn. Zijn gezicht lijkt magerder, zijn nek dunner. Alles bij elkaar ziet Danner er duidelijk ouder uit.

Mona schakelt de band in en spreekt volgens voorschrift datum, naam van de verhoorde en reden ervan in. Bode maakt wederom aanstalten zich als ongeïnteresseerde waarnemer te gedragen. Alles komt dus weer op haar neer. Voor het eerst had Mona Fischer er graag bij gehad. Maar die ligt met buikgriep in bed en blijft de komende drie dagen nog weg.

'U weet dat u verdacht wordt van drie strafbare feiten,' zegt Mona. Ze heeft over deze openingszin zorgvuldig nagedacht. Het gaat erom Danner direct aan het begin schaakmat te zetten. Hij mag niet de kans krijgen weer spelletjes met haar te spelen.

Ze wacht op zijn antwoord. De band zoemt zachtjes.

Uiteindelijk zegt Danner op vermoeide, hese toon wat ze horen wil: 'Nee, dat wist ik niet. Welke verdenkingen bedoelt u?' Zijn ogen staan dof, hij draagt een vale spijkerbroek en een amodieuze Noorse trui die er een beetje afgedragen uitziet. Hij ziet erg bleek en ziet eruit alsof hij verscheidene nachten slecht geslapen heeft. Hij heeft nu iets over zich waardoor je niet meer kwaad op hem wordt, maar medelijden krijgt.

Zijn invloed op mensen is niet verdwenen, maar wel veranderd. En misschien is die niet minder gevaarlijk als tevoren.

Gevaarlijk? Hoe komt ze daarop? Danner is slechts een man met problemen. Een man die zijn vrouw mishandeld heeft. Een man zoals velen, die met huiselijk geweld reageert op geestelijke stress, maar waarschijnlijk geen crimineel in de juridische zin is, geen moordenaar. Mona knippert met haar ogen en schudt heel licht haar hoofd, zonder het te merken. Alsof ze van een gedachte af wil die haar dwarszit.

'Het openbaar ministerie verdenkt u van meineed, omdat u de feiten rond de moord op uw vrouw bewust verkeerd hebt voorgesteld. Een tweede verdenking betreft de veronachtzaming van de toezichtplicht tegenover uw leerlingen. En een derde verdenking betreft het verzwijgen van de aard van uw betrekkingen met Konstantin Steyer, Christian Schacky en Robert Amondsen. U had uiterlijk na de moord op Amondsen op het verband moeten wijzen. In elk geval zou Christian Schacky nog in leven kunnen zijn als u ons op tijd had ingelicht.'

Die zit. Danner wordt nog wat bleker. Onbarmhartig vervolgt Mona: 'We hebben overigens zonder uw gewaardeerde hulp ervaren wie "Bredo" is, die Robert Amondsen in zijn afscheidsbrief aan zijn vrouw noemt.'

'Simon von Bredow,' zegt Danner.

'Ja. Hij was na u de oudste. Zat vlak voor zijn eindexamen.'

'Waar is hij? Hoe gaat het met hem?'

'U hebt hem niet gewaarschuwd, hè? Zelfs dat niet.'

'Ik wist niet waar hij woonde. Ik heb geprobeerd achter zijn adres te komen, dat moet u van me aannemen. Niets. Ik bedoel dat die man echt niet te vinden is.'

En dat is waarschijnlijk de waarheid. Via de bureaus van de burgerlijke stand zijn ze erachter gekomen dat Simon von Bredow de naam van zijn vrouw heeft aangenomen, een zekere Sara Lemann. Daarom kon Danner hem niet vinden.

'Dat had u aan mij moeten melden. In het ergste geval kunt u wegens medeplichtigheid aangeklaagd worden.'

'Houdt u toch op,' zegt Danner, en ditmaal klinkt zijn stem alleen nog maar geïrriteerd. Hij kijkt haar aan met ogen met donkere kringen van de uitputting en Mona merkt dat ze voorzichtig moet zijn om hem niet kwijt te raken. Hij staat op het punt zich terug te trekken in een 'jullie-kunnen-me-wat'-houding en dan kan ze het verder wel vergeten.

Eerste regel van haar opleiding: bij een man die het allemaal niets meer kan schelen, kun je zelfs bij tamelijk sterke verdenkingen weinig beginnen.

'Als u ons nu helpt, zal dat Simon von Bredow beschermen.'

'Mijn god! Ik wil u toch helpen. Maar komt u me niet met zulke moralistische praatjes aan. Sinds vijf minuten probeert u me met rottige psychologische trucjes murw te maken, in plaats van eindelijk eens aan de slag te gaan. Begint u toch eindelijk eens, mevrouw Seiler, begin! Ik ben een en al oor!'

Mona krimpt ineen maar hervindt zich snel. Bode zegt zoals gebruikelijk niets. Hij zit ontspannen achterover geleund op zijn bureaustoel, staart voor zich uit en heeft waarschijnlijk niet eens geluisterd.

'Goed dan,' zegt Mona uiteindelijk. 'Eerste vraag: Wie is Felicitas Gerber?'

Misschien vergist ze zich, maar ze heeft de indruk dat het voor hem in stilte een schok is om die naam te horen. Misschien hoort hij die voor het eerst sinds vele jaren weer. Maar hij antwoordt gedwee: 'Ik weet niet wat ze tegenwoordig doet. Toentertijd zat ze op school in Issing. In dezelfde klas als Konstantin Steyer, geloof ik.'

'Toentertijd,' zegt Mona, terwijl ze het woord op de tong proeft. 'Toentertijd was u stagiair in Issing, klopt dat?'

'Ja.'

'U was slechts vijf jaar ouder dan uw oudste leerling.'

'Als u dat zegt, zal dat wel kloppen.'

'U had toentertijd geen vriendin en wist niet wat u met uw zomervakantie van zes weken moest beginnen. Klopt dat?'

'Ja.'

'Hoe kwam het zover dat u met uw eigen leerlingen op vakantie ging? Was dat eigenlijk wel toegestaan?'

'Weet ik niet. Dat kon me toen ook niet schelen. Ik was op redelijk goede voet met Simon komen te staan. Hij vroeg me of ik mee wilde rijden. Het was een volstrekt spontane beslissing van mijn kant. Ik had er gewoon zin in. Het is gewoon zo gelopen. Ik bedoel, zes weken... dat is een verdomd lange tijd voor een jonge man die niet weet waar hij thuishoort.'

'Had u geen vrienden van uw eigen leeftijd?'

'Ik had net een relatie achter de rug. Ik was vier jaar met een meisje samen geweest, we hadden gemeenschappelijke vrienden, en toen we eenmaal uit elkaar waren, waren dat opeens alleen nog maar haar vrienden, niet meer de mijne. Zij woonde in de stad, ik hier. Zij had het woonplaatsvoordeel. U weet toch hoe dat gaat. Plotseling sta je op straat. En vindt u in zo'n boerengat hier maar eens iemand van een geschikte leeftijd die niet al verloofd is met zo'n dikke dorpstrien...'

'Goed,' zegt Mona vastberaden. 'Daar gaat het nu ook niet om. U rijdt dus met Konstantin Steyer, Christian Schacky, Robert Amondsen en Simon von Bredow naar Portugal, in uw auto. Wanneer precies?'

'Op de tweede dag van de zomervakantie 1979. De dag van de week kan ik me niet meer herinneren. De nacht ervoor heeft iedereen bij mij geslapen. De leerlingen hebben al hun bezittingen bij mij neergezet, omdat de kamers aan het begin van de zomervakantie altijd volledig ontruimd moeten worden. Daarom konden we pas op de tweede dag vertrekken.'

'Wist iemand van de leraren van deze onderneming af?'

'Nee, niemand, voorzover ik weet. Ik was er natuurlijk ook niet echt op uit om het iemand te laten weten.'

'Hoe zat het met de ouders?'

'Weet ik niet, dat moet u... Simon vragen. Weet u, ik had geen enkel idee dat de ouders er niets van wisten, anders had ik dat toch nooit gedaan!'

'Waren er dan geen bezwaren van de ouders?'

'Jawel, zeker, na de vakantie was dat. Ik weet niet meer van wie. Maar dat liep op niets uit, omdat de toezichtplicht van de school op de eerste vakantiedag eindigt.'

'Het is nooit uitgekomen dat u erbij was?'

'Nee,' zegt Danner. Op dat moment wordt de zon in het raam van een tegenoverliggend gebouw weerkaatst en valt er een stralenbundel op Danners gezicht, die verblind zijn ogen sluit. Bode staat op en trekt een van de grijze gordijnen half dicht. Hij merkt dus wel degelijk wat er gebeurt, ook al houdt hij zich afzijdig.

'Uw leerlingen hebben gezwegen,' zegt Mona. Dit is zo'n overduidelijke parallel met de jongste gebeurtenissen, dat ze een moment lang in de war is. Hoe kunnen gebeurtenissen zich op zo'n verbluffende wijze herhalen? Is het toeval, het lot of heeft het iets met Danners karakter te maken?

'U bent dus doorgereden naar Portugal.'

'Ja.'

'U hebt op het strand geslapen bij een bepaalde plaats... hoe heette die ook al weer?'

'Carvoeiro,' zegt Danner, terwijl Mona verbaasd vaststelt hoe zijn gezicht opeens opklaart.

'Was er iets bijzonders mee, met dat...?'

'Carvoeiro,' zegt Danner weer op bijna vertederde toon. Zelfs zijn lichaamshouding verandert. Hij gaat rechter zitten en strijkt de haren uit zijn gezicht. De vermoeidheid is uit zijn ogen verdwenen.

'Ja. Wat is daarmee? Wat hebt u daar beleefd?'

Er volgt een korte pauze. Danner straalt werkelijk. Zelfs Bode in zijn hoekje achter het bureau maakt een beweging alsof hem iets opviel.

'Ik weet helemaal niet hoe ik u dat moet uitleggen,' zegt Danner.

'Probeert u het toch maar.'

'Ik ben er sindsdien nooit meer geweest. Ik heb me alleen laten vertellen dat Carvoeiro tegenwoordig een plaats vol lelijke hotelbunkers is. Helemaal volgebouwd, een gebied vol massatoerisme. Afschrikwekkend zelfs, zonde sfeer. Maar toen was het het paradijs.'

'Aha.'

Opeens buigt Danner zich naar voren en raakt Mona's arm aan in zo'n intiem gebaar dat het lijkt alsof ze met zijn tweeën hier zijn. Alsof er geen Bode en geen verhoor is, alsof Danner zijn verhaal deed aan een begripvolle vrouw, die meer over de man wil weten tot wie ze zich aangetrokken voelt.

Voordat Mona kan reageren, trekt Danner zich terug en herstelt daarmee in elk geval de fysieke afstand weer. Hij blijft haar echter aankijken. 'Mag ik u iets vragen?'

'Alleen als het relevant is voor de zaak.'

'Ja, dat is het zeker.' Bent u ooit op vakantie geweest met mensen van uw leeftijd? Ik bedoel, toen u jong was?'

Dat is zeker niet relevant voor de zaak.

'Sorry, maar het gaat hier niet om mij, maar om u.'

Alsof hij haar niet gehoord heeft, gaat Danner verder, nog altijd met die merkwaardig afwezige gezichtsuitdrukking, die haar insluit, alsof hij en zij op dit moment de enigen hier zijn. 'Stelt u zich een klifkust aan de Atlantische Oceaan van lichtbruine zandsteen voor. Een strand met zulk fijn wit zand dat je erdoor verblind raakt. Een donkerblauwe, altijd aangenaam koele zee, zelfs als het daarbuiten bloedheet is. Een grot in de rots, in miljoenen jaren uitgespoeld, toen de zee nog het gehele gebied bedekte.'

'Dat kan ik me voorstellen.'

'Ik heb dat toen voor het eerst gezien. Ik wist niet dat er op de wereld dergelijke plaatsen bestonden. Magische oorden zoals dit, vol jonge mensen zoals wij.'

'De kinderen van Torremolinos,' zegt Mona opeens, zonder dat ze weet waarom. Ze flapt het er zomaar opeens uit. Het heeft niets met de zaak te maken, strikt genomen. *De kinderen van Torremolinos* is een roman over een romantische hippiegemeenschap, die ze als jonge vrouw gelezen heeft. Plotseling is die magische atmosfeer er weer die dat boek weet op te roepen, maar die ze in haar eigen leven nooit gekend heeft.

Danner kijkt haar met een nieuwe blik aan, met een lachje. 'Ja! Zoiets was het! Dat wilde ik zeggen! Begrijpt u nu wat ik bedoel?'

Mona probeert zich te beheersen. Bode is hier, de band loopt, ze is met een verhoor bezig. Maar Danner praat verder alsof hij niet anders kan. Jarenlang heeft hij over Carvoeiro gezwegen, omdat direct naast het paradijs blijkbaar de hel lag. Nu stromen opeens alle indrukken naar buiten die hij zolang binnengehouden heeft. Evenals Steyer, Amondsen en Schacky, die hun zwijgen met de dood hebben moeten bekopen.

Ze reden overdag. Bredo en Micha wisselden elkaar af. Gelukkig had Bredo kort voor hun reis zijn rijbewijs gehaald. Ze vergingen 's nachts van de kou in een bosperceel bij Mulhouse en op de ijzige Spaanse hoogvlakte bij Salamanca. In Granada werden ze 's ochtends wakker van het geloei van een paar opgeschrikte koeien, die zich rond hun auto verzameld hadden. Uiteindelijk kwamen ze in Portugal aan. Aan de grens was een hotel, waar ze van een aardige receptioniste een tweepersoonskamer kregen waarin ze met zijn vijven mochten slapen. Ze bespraken nog even of ze de receptioniste, een leuke meid van halverwege de twintig, voor een glas van hun tweeliterfles rode wijn moesten uitnodigen. Dat ging niet door omdat geen van hen het durfde te vragen.

En dan Portugal. Boeren die langs de weg tomaten en perziken te koop aanboden, beige met witte dorpen die verlaten in de middaghitte lagen te glinsteren. Enorme vrachtwagens die ladingen kurk vervoerden, moorddadig verkeer op de tweebaansweg richting westen. In een scherpe bocht kwam het bijna tot een ongeluk omdat Bredo veel te laat remde. Met een power slide in de tweede versnelling wist hij, als absolute beginner, de wagen weer in het spoor te krijgen, nog net voordat ze door een enorme vrachtwagen op de andere rijbaan verpletterd zouden worden. Ze hadden er de grootste lol over dat ze door deze levensgevaarlijke manoeuvre bijna aan hun eind gekomen waren.

Toen ze op de vierde dag in de Algarve aankwamen, was het al donker. Ze overnachtten weer in de auto, direct langs de rotskust. Boven hen verscheen een sterrenhemel, zoals ze die nog nooit gezien hadden. De maan werd weerspiegeld in de zee, die zich diep onder hen tot aan de horizon uitstrekte.

Ze waren niet de enigen op de parkeerplaats. Groepen Portugezen, Spanjaarden, Fransen en nog wat andere Duitsers zaten op de harde, zanderige grond en lieten flessen wijn en joints rondgaan. Ze gingen erbij zitten.

Wat is ware vriendschap, schreef Amondsen, enkele dagen voordat hij vermoord werd.

Ik weet het niet meer. Ik had sindsdien geen vrienden meer. Geen mens met wie ik me ooit zo verbonden gevoeld had als met deze jongens. Misschien betekent vriendschap dat je in de allerconcreetste zin alles met elkaar deelt: het eten, de slaapplaats en inderdaad, ook de meisjes. Ik kan het alleen maar zo uitdrukken: er bestonden geen grenzen meer tussen ons. We waren even ondeelbaar als één persoon in vijf verschillende gedaanten. We konden elkaars gedachten lezen. In die zes weken kwamen we alles van elkaar te weten. Dat Bredo van elke soort sterkedrank altijd moest kotsen en daarbij de gekste geluiden maakte. Dat Schacky niet in slaap kon komen zonder zich af te trekken. Dat Konni soms sentimenteel werd als hij stoned was en dan begon te huilen. Ik vermoed, Carla, dat dergelijke informatie op jou onbenullig overkomt. Dat komt alweer doordat je een vrouw bent. Als wij vrouwen geweest waren, dan zouden we lange, intensieve gesprekken over onze persoonlijke situatie, onze angsten, onze ouders en onze liefdesrelaties gehouden hebben. Maar jongens zijn anders. Als ze werkelijk ernstig met elkaar praten, dan gaat het niet over zaken die ze niet kunnen veranderen, maar over plannen en visioenen. We hebben de prachtigste, avontuurlijkste luchtkastelen gebouwd en weer vernietigd. Micha heeft François Villon geciteerd en Schacky heeft de smerigste moppen verteld. Ik zou nog lang zo door kunnen gaan, Carla, omdat ik al deze ervaringen zo lang in me opgesloten heb tot ze begonnen mij en mijn omgeving te vergiftigen.
Onze lichamen waren pezig en gebruind, onze armen gespierd, onze buiken strak. We hadden al ons hoofdhaar nog. We konden alles eten, drinken en roken zoveel we wilden. Zelfs als we ons direct daarna ongelooflijk beroerd voelden, dan was uiterlijk de volgende ochtend alles vergeten. Onze lichamen konden dat allemaal nog aan en we hebben er natuurlijk geen seconde aan gedacht dat dat ooit kon veranderen. Heb jij je wel eens afgevraagd waarom zoveel mannen, als ze sentimenteel worden, vooral aan de tijd denken toen ze jong waren? Wel, dat is de reden. Mannen kunnen het niet verwerken dat hun leven eindig is, dat hun kracht vermindert, dat er aan hun mannelijkheid getwijfeld wordt, alleen al doordat de tijd voortschrijdt. Het enige waar mannen geen invloed op hebben, is de tijd en de veranderingen die die met zich meebrengt.
Carla, je moet het me niet kwalijk nemen dat ik voortdurend afdwaal van wat er gebeurd is, maar het hoort allemaal bij elkaar. Mijn enige verzoek: je moet alles weten voordat je over mij en over ons allemaal oordeelt. Je

weet helemaal niet wat mannen beangstigt en kwelt. Mannen zijn zelden bewust bang, maar als ze angstig zijn, dan betreft dat vooral het oordeel van andere mannen. Tegelijkertijd verlangen ze nergens zo hevig naar als naar de erkenning van andere mannen. Het is hard, maar waar. De erkenning van hun vrouwen en vriendinnen kan dit verlangen op geen enkele wijze bevredigen. Jij, Carla, was alles voor me. Maar jouw liefde is niet genoeg geweest. Slechts een man had me de absolutie kunnen geven voor dat wat er toen gebeurd is. Maar dat is nooit gebeurd, omdat ik nog nooit een man vertrouwd heb. Je kunt mannen niet vertrouwen, behalve misschien psychologen, en psychologen tellen niet mee. Dat zijn geen echte mannen, in elk geval niet in hun beroep. Dat zijn verkapte vrouwen, ze...

Laat maar, Carla. Ik heb je beloofd deze brief niet te censureren en niets te schrappen, maar vergeet de vorige alinea's maar; ze zijn echt niet belangrijk. Of misschien zijn ze wel belangrijk, maar vanuit jouw visie niet waar. Of... Laat maar.

Alles was voorbij toen Felicitas Gerber opdook. Ze kwam gewoon aanlopen. Ze stond op een middag voor onze grot met haar enorme rugzak, met haar slaapzak onder haar arm. We konden haar niet zomaar wegsturen. We hadden een lange nacht achter ons. Veel alcohol, een paar joints, en Konni lag te herstellen van indigestie. We lagen dus te suffen en waren niet erg vriendelijk tegen haar, maar Felicitas had daar na de eerste schok over onze afwijzende houding blijkbaar niet veel moeite mee. Misschien was ze het gewend nergens welkom te zijn, en heeft ze er gewoon niet meer op gelet. Et zijn nu eenmaal mensen die niemand echt aardig vindt en die zoiets puur uit zelfbescherming gewoon straal negeren. Volgens mij was Felicitas Gerber ook zo iemand. Maar dat is beslist geen excuus. Dat weet ik.

'Felicitas Gerber,' zegt Mona. 'Wat was ze voor een type?'
'Ze zat niet bij me in de klas,' antwoordt Danner, alsof dat een antwoord is. 'Ik heb haar nauwelijks gekend.'
'In Portugal hebt u haar beter leren kennen.'
'Niet echt. Niemand kende haar werkelijk. Ze deed altijd erg open, maar gaf eigenlijk niets van zichzelf prijs.'
'En daarom hebt u haar verkracht? Zodat er eindelijk eens iets uit haar kwam?'
Maar Danner laat zich niet provoceren, niet meer.
'Het was geen verkrachting.'
'Maar zo staat het wel precies in Amondsens brief.'

'Ik geloof u niet. Het klopt gewoon niet.'

Mona citeert: 'Het was een verkrachting, er valt niets te vergoelijken. Ook al heeft zij het erop aangelegd dat het zover kwam...'

'Dat kun je wel zeggen, ja.'

'Wat kun je wel zeggen?'

'Dat ze het erop aangelegd heeft. Ze was op seks uit.'

'Ze wilde misschien seks. Maar gegarandeerd niet met vijf mannen tegelijkertijd.'

Derde deel

18

'Je bedoelt dus dat het een vrouw geweest kan zijn,' zegt Berghammer tegen Mona, die tegenover hem zit. De voorstelling dat een vrouw deze moorden begaan kan hebben, is zo buiten alle proporties, dat Berghammers stem volkomen uitdrukkingsloos klinkt. Ze zitten voor een zogeheten interne vergadering aan de ronde tafel in Berghammers kantoor, dat wil zeggen dat alleen de top van het speciale team Konstantin aanwezig is. Kern van de OFA, Krieger, chef van de moordbrigade, Strasser uit Coburg, Berghammer en Mona zelf.

De mannen zwijgen, maar hun gedachten zijn bijna te lezen. Vrouwelijke moordenaars zijn extreem zeldzaam. Geen van de aanwezigen heeft ooit met zo iemand van doen gehad. Goed, ze hebben erover gehoord. Je had de verpleegster uit Hessen, die ernstig zieke patiënten lucht in de aderen spoot 'om ze uit hun leiden te verlossen'. Dan de zwarte weduwe uit Wenen, die vijf echtgenoten met gifcocktails onder de groene zoden wist te krijgen voordat het openbaar ministerie haar na een tip begon te verdenken. Maar deze zaak is daar niet mee te vergelijken.

'Vrouwen moorden anders,' zegt Kern afgemeten. Zijn jonge gezicht staat ernstig, zoals altijd. 'Ze gebruiken meestel geen wapen, en al helemaal geen wurgdraad.'

'Dat klopt niet,' zegt Mona, maar er schieten haar alleen de noodweeracties van vertwijfelde vrouwen te binnen die hun gewelddadige echtgenoot met een of ander huishoudelijk voorwerp aanvielen zodat hij hen niet langer kwellen kon. Doodslag in een gemoedsopwelling met het voorwerp dat ze toevallig bij de hand hadden. Zo zien delicten met vrouwelijke moordenaars er meestal uit. Seriemoorden met een ritueel karakter zijn iets heel anders.

'Twintig jaar na een verkrachting, die misschien niet eens een echte verkrachting was,' zegt Berghammer. 'Dat is toch absurd. Dat is echt geen motief. Waarom uitgerekend nu, waarom niet twintig jaar geleden? En vooral: waarom is die vrouw van die leraar het slachtoffer geworden? Die had met de hele zaak helemaal niets te maken!'

'Desondanks moet Felicitas Gerber opgespoord worden,' zegt Mona. 'We hebben namelijk niemand anders dan zij.'

'Staat ze in het telefoonboek, in een adressenlijst, in het bevolkingsregister?' vraagt Berghammer.

Mona zegt: 'In Duitsland zijn vier vrouwen gevonden die Felicitas Gerber heten, maar drie ervan zijn veel te oud of te jong. Een van hen zou in aanmerking komen. Ze woont hier in de stad in de Schwanthalerstrasse in een sociale huurwoning. Ze lijdt aan schizofrenie. Regelmatig verblijf in psychiatrische inrichtingen.'

'Heb je haar al kunnen bereiken?'

'Nee. Ze heeft geen telefoon en is nooit thuis als iemand aanbelt.'

'Weet de school iets?'

'Felicitas Gerber is in december 1979 van school verwijderd. Ze werd betrapt bij het verkopen van hasj aan jongere leerlingen. Ze zat toen in de vierde klas. Eenmaal blijven zitten.' Mona trekt haar aantekeningen naar zich toe. 'Ze is aan het eind van de herfst van 1977 naar Issing gekomen. Ze had vanaf het begin problemen zich aan te passen. Ook later had ze nauwelijks vrienden. Ze gold als moeilijke leerling en varieerde in haar gedrag tussen overdreven gereserveerdheid en een onaangenaam opdringerige houding. Ze werd er al vroeg van verdacht regelmatig drugs te gebruiken. Hasj, LSD en dergelijke, alles wat er toen maar gebruikt werd.'

'Hoe zit het met haar ouders?'

'Haar moeder woont in Starnberg en heeft sinds circa acht jaar geen contact meer met haar dochter. Dat beweert ze tenminste. Haar vader is overleden.'

Het blijft even stil. 'Wat vertellen we de media?' vraagt Krieger ten slotte.

'Dat we op zoek zijn naar Felicitas Gerber,' zegt Berghammer direct. 'We zoeken haar als getuige.'

'Ik weet niet of dat wel zo slim is. Ik bedoel, als iedereen weet dat we haar zoeken.'

Berghammer kijkt Mona aan. Uiteindelijk zegt hij: 'Daar praten we nog over. Zijn er foto's van die vrouw?'

'Ja. Haar moeder heeft ons er enkele gegeven. En we hebben er een van haar identiteitskaart, namelijk de kopie bij de burgerlijke stand. Maar zelfs de foto van de identiteitskaart is al acht jaar oud. Als je die met de foto's in de Issing-jaarboeken van toen vergelijkt, dan zou het uiterlijk kunnen kloppen.'

'Zou kunnen?' vraagt Berghammer. 'Wat betekent dat? Is ze het of niet?'

Mona pakt twee jaarboeken en legt die op tafel. Er steken twee gele

Post-it-briefjes uit. Berghammer schijnt niet te kunnen wachten tot Mona hem de boeken toeschuift. In plaats daarvan staat hij op, loopt om de tafel heen en gaat achter Mona staan, die de boeken op de gemarkeerde plek openslaat en de recentere foto's ernaast legt. Ook Krieger, Strasser en Kern staan op en gaan achter Mona staan.

Ja, ze zou het kunnen zijn, maar niet per se. De zwartwitfoto's in de jaarboeken zijn op postzegelformaat en niet echt scherp. Er valt een meisje met een ietwat mollig gezicht en kort krullend haar te herkennen. De foto op de identiteitskaart zier er als een opsporingsfoto uit. De foto's die haar moeder hun ter beschikking heeft gesteld, zijn kiekjes, maar ze zijn tenminste in kleur. Daarop draagt de vrouw wijde T-shirts of truien met spijkerbroek, ze heeft een verwarde donkere haardos, bruine ogen en een grote, ietwat krachteloos ogende mond. Ze glimlacht geen enkele keer, lijkt ongeïnteresseerd, vaak zelfs geïrriteerd en in het algemeen weinig aantrekkelijk.

Niemand zegt iets. Ten slotte richt Berghammer zich weer op en loopt naar zijn plek terug. Iedereen gaat weer zitten, alsof iemand hun dat bevolen heeft.

'Dat is wel wat,' zegt Berghammer kort voordat de stilte drukkend wordt. 'Hoe zit het met die man die nog leeft, die Simon Lemann? Heeft die politiebescherming?'

'Nog niet,' zegt Mona. 'Hij heeft die tot nu toe afgewezen. Ik ga over een uur naar hem toe.'

'Naar hem toe? Waarom komt hij niet naar het bureau?'

'Hij is bedrijfsadviseur. Waanzinnig gestrest. Hij heeft me gesmeekt elkaar in een cappuccinobar in het Arabellapark te ontmoeten omdat zijn bedrijf daar zit. Hij betreurt dat hij absoluut niets weet. Moet ik hem laten dagvaarden om naar het bureau te komen?'

'Cappuccinobars,' zegt Berghammer ironisch. 'Nee, het is al goed, bij wijze van uitzondering. Maar politiebescherming is verplicht, geen discussie over mogelijk. We willen niet dat hij ook nog de pijp uit gaat. 'Hoe gaat het eigenlijk met Fischer?'

'Beter,' zegt Mona. 'Hij zegt dat hij morgen weer fit is.'

'De hele toestand heeft hem flink aangegrepen, maar dat is begrijpelijk.'

Simon Lemann, 39, consultant bij een adviesbureau. Getrouwd, een dochter.

Mona observeert de man, die nerveus in zijn espresso zit te roeren, en probeert hem zich als achttienjarige voor te stellen. Misschien met lange wilde haren. Nu is zijn haar heel kort en vol.

Het lukt haar niet. Misschien ligt het ook aan het lawaaiige café, het sissende cappuccinoapparaat of het gelige kunstlicht waardoor niets echt goed zichtbaar is. Te zien is dat Lemann nauwelijks rimpels heeft, slank is en fit oogt, maar er is niets dat aan een puber herinnert. Het vitale en tegelijk onaffe ontbreekt. In plaats daarvan strakke gelaatstrekken, smalle lippen, slimme uitstraling, ietwat rode huid met grote poriën. Misschien een alcoholprobleem.

'Waarom zit u me zo aan te staren?'

'Doe ik dat?'

'Ja, de hele tijd. Wat dacht u ervan om nu met uw vragen te beginnen. Ik moet over twintig minuten naar kantoor terug.'

'Mooi,' zegt Mona. 'Dan beginnen we.'

Maar ze weet helemaal niet hoe ze moet beginnen. Lemann is immers geen getuige in engere zin. Hij kende alle slachtoffers behalve Saskia Danner, maar hij heeft sinds twintig jaar geen contact meer met hen. Zijn potentiële moordenares heeft hij volgens eigen zeggen ook al meer dan twintig jaar niet gezien, namelijk sinds Felicitas Gerber de school wegens herhaaldelijk drugsmisbruik en drugshandel moest verlaten.

Hij heeft aan de telefoon toegegeven dat hij seks met haar gehad heeft, evenals Steyer, Danner, Amondsen en Schacky. Dat het daarbij om een verkrachting ging, heeft hij echter al even hevig bestreden als Michael Danner tijdens zijn laatste verhoor. Ook verder leverde het gesprek weinig op. Nee, er was hem niets ongewoons opgevallen. Geen vreemde telefoontjes, geen anonieme brieven. Of hij de afgelopen tijd soms het gevoel had achtervolgd te worden?

Helemaal niet. In geen enkel opzicht. Ik had geen enkel vermoeden.

Geen vermoeden waarvan?

Van die... Dat ze dood zijn.

Leest u geen kranten?

Eerlijk gezegd kom ik daar de laatste tijd niet meer aan toe.

Wat weet u? U moet toch iets weten.

Niets, ik zweer het. Die toestand met Felicitas is al zo lang geleden dat die helemaal niet meer waar is.

Een zware kluif. Zonder advocaat zal hij niets meer verklaren als het om die verkrachting gaat.

'Vertelt u eens over uw schooltijd in Issing,' zegt Mona ten slotte. '1979. Het laatste jaar voor het eindexamen.'

'Wat? Die is goed, zeg! Waar moet ik in vredesnaam beginnen?'

'De sfeer toen. Hoe hebt u die ervaren, heel in het algemeen? Begint u daarmee.'

Simon Lemann haalt zijn hand over zijn stoppelhaar. Dan schudt hij zijn hoofd en kijkt Mona voor het eerst recht aan. Zijn ogen zijn grijsgroen, de wenkbrauwen fijn getekend, bijna zoals bij een vrouw. 'Neem me niet kwalijk, maar wat is het nut daarvan? Ik bedoel, ik offer mijn toch al krappe middagpauze voor u op, en dan wilt u met mij over vroeger praten. Dat kunt u toch niet echt menen.'

Maar vreemd genoeg schijnt het idee hem toch wel aan te staan. Hij gaat rechtop zitten, waarbij zijn gebaren en mimiek opeens een stuk levendiger worden. En opeens ziet ze hem toch voor zich als heel jonge man van een jaar of zeventien, achttien, met een smal gezicht en zachtaardige, melancholieke trekjes.

'Hoe oud bent u?' vraagt Lemann opeens, terwijl ze nog zit te peinzen. Mona krimpt geïrriteerd ineen.

'39, hoezo?'

Hij glimlacht. 'Dan weet u toch hoe het er in die tijd aan toe ging. Eind van de jaren zeventig.'

'Hoe wat eraan toe ging?' Ze buigt zich naar voren (als hij wist hoe anders haar jeugd is verlopen dan de zijne, zouden ze al heel snel helemaal geen gespreksstof meer hebben). Het is hier zo verdomd lawaaiig. Eigenlijk is dit niet de juiste plek voor bespiegelingen over het verleden.

Hij maakt een onbestemd handgebaar. 'Nou, alles. Het bewustzijn dat de jaren zestig voorgoed voorbij waren en dat wij slechts epigonen van een levensgevoel waren. In Issing nog meer dan elders.'

'Hoe bedoelt u dat? Wat was er in Issing zo bijzonder?'

'Een internaat dat een soort eiland was, begrijpt u. In zeker opzicht altijd achtergebleven. In ons geval betekende dat: terwijl de rest van de wereld wegliep met punk, new wave, David Bowie en discosound, bleven wij bij *good old* Jethro Tull en King Crimson.'

'Jethro...?'

'Popgroepen,' zegt hij ongeduldig. 'Weet u, dat bedoel ik. In dezelfde tijd dat u vermoedelijk uw haar groen verfde en Sid Vicious te gek vond, leefden wij in een tijdcapsule waarin de idealen van 1968 geconserveerd waren. Er was hasj en LSD, maar geen heroïne of coke. We klommen in warme zomernachten uit het raam en ontmoetten elkaar aan het meer om kif te roken en te zuipen. We hebben gitaren mishandeld, elkaar gedichten van Paul Celan voorgelezen, gevoetbald en gehockeyd, geneukt, liefgehad, gehaat en het socialisme opnieuw uitgevonden. Het was fantastisch. Tegenwoordig weet je dat...'

'Waarom?'

'Wat waarom?'

'Ik bedoel, in hoeverre? In hoeverre was die tijd zo fantastisch?'
Lemann glimlacht. 'Nou, in elk opzicht in feite. Als je op een bepaalde leeftijd bent, zo tussen zestien en negentien, dan ben je op de hoogte van je seksualiteit, van je creativiteit. Je kunt hele werelden scheppen en weer ineen laten storten zonder dat iemand je daarbij aan je woord houdt. Er zijn geen consequenties, en dat geeft je het gevoel dat alles wat je aanpakt, ook zal lukken. Je hoeft het niet te bewijzen, nog niet. Maar later...'
'Moet je je wel aan je woord houden?'
'Ja. In de echte wereld, na Issing, tellen je fantastische gedachten en je unieke plannen niet meer. Dan telt alleen nog wat je daarvan realiseert. En dat wordt dan een probleem. Dan vervagen al die geweldige ideeën heel langzaam, omdat ze opeens niet meer uitvoerbaar zijn. Je gelooft althans dat ze dat niet zijn. Je ziet opeens alleen nog maar hinderpalen en je vindt jezelf een naïeve idioot. Dat is de normatieve kracht van de realiteit.' Hij lacht even, waarna zijn gezicht opeens weer strak en gespannen lijkt. Het blijft even stil. Het lijkt alsof alles gezegd is wat hem betreft, maar toch is dat niet genoeg. Bij deze moordzaak gaat het niet om hoogdravende plannen die door de werkelijkheid ingehaald worden.
'U kunt goed vertellen,' zegt Mona langzaam.
'Ik heb dat eigenlijk nog tegen niemand gezegd. Niet zo duidelijk, zo... geconcentreerd op het wezenlijke.'
'Hoe lang bent u in Issing geweest?'
'Vier jaar. Tot het eindexamen.'
'Was u de hele tijd gelukkig, zoals u het daarnet beschreven hebt?'
Lemann leunt achterover en slaat zijn armen over elkaar. 'Eigenlijk moet ik allang weer terug zijn.'
'Alleen deze ene vraag nog, alstublieft. Felicitas was ongelukkig. Misschien wel zo ongelukkig als je alleen in Issing kan zijn. Ik ben niet in de positie me daarin in te leven, want ik heb nooit op een internaat gezeten. Om haar te vinden, om haar te stoppen, moet ik weten hoe het werkelijk is.'
'Soms is het vreselijk.'
'Wat?'
'Vreselijk. Soms is het vreselijk.'
'Wat is vreselijk?'
Lemann kijkt langs haar heen, opeens lijkt hij ver weg te zijn.
'Wat is vreselijk?' herhaalt Mona.
Hij komt weer terug in het heden, bij deze tafel, maar zijn stem klinkt opeens anders. Laag, zacht en rustig.
'Weet u, als je op een plek als Issing geen vrienden hebt, dan ben je even

alleen als... als in een vacuüm. Je bent volstrekt eenzaam. Er zijn geen uitwijkmogelijkheden. De dorpsjeugd is niet geïnteresseerd in arrogante rijkeluiskinderen. Je bent op toevallige menselijke contacten aangewezen. Je zou er alles voor over hebben om met wie dan ook contact te leggen.'

'Nu ja, er zijn veel eenzame jongeren. Ik geloof niet dat dat kenmerkend is voor Issing.'

Lemann schudt zijn hoofd. 'U begrijpt het niet. Veel jongeren zijn eenzaam, maar niet zo. Niet zo dat iedereen het ziet, bedoel ik. In Issing wist iedereen op welke trede van de populariteitsladder je stond. Wij gingen zo nauw met elkaar om dat er geen geheimen meer waren die je kon koesteren. Wie niemand had, kon dat niet verbloemen, zelfs niet voor zichzelf. Die had gefaald. Er is op die leeftijd gewoon niets ergers, niets krenkenders dan geen vriend te hebben. Het was een soort vicieuze cirkel. Als je er eenmaal in zat, dan werd je gemeden, zodat er niets aan de toestand veranderde.' Lemann zwijgt opeens. Op zijn voorhoofd staan inmiddels zweetdruppeltjes, en opeens lijkt hij niet meer te weten wat hij met zijn handen moet doen. De espresso is allang op en daarom begint hij met het theelepeltje de suiker uit het kopje te krabben.

Mona zwijgt eveneens. Ze is nerveus. Eén verkeerd woord en de sfeer van vertrouwdheid is voorgoed verdwenen. Lemann zou opstaan en vertrekken, en dan zouden ze de rest met zijn advocaat moeten bespreken, en misschien is dat ook wel het enige zinnige. Deze man weet waarschijnlijk echt helemaal niets. En hij heeft uiterst dringend politiebescherming nodig.

Hij heeft zojuist over zichzelf gesproken, dat was duidelijk. Maar wat heeft ze daaraan voor de zaak-Felicitas? Felicitas was ook eenzaam, zeker. Maar waarschijnlijk op een geheel andere wijze dan Lemann, die Felicitas net als de anderen blijkbaar nauwelijks gekend heeft. Felicitas, die alleen op het verkeerde moment in de verkeerde vakantieplaats opdook en zich zo gedroeg dat de trein ging rijden zonder dat iemand die nog kon stoppen. In elk geval moet Mona eerder meer weten over hoe dat meisje vroeger was dan over Lemanns vroegere puberale zielenpijn.

'En haar verging het precies zo.' Het klinkt zo zacht, dat ze het in het lawaai dat in het café heerst bijna niet gehoord heeft.

'Wat? Wie? Bedoelt u Felicitas? Hoe verging het haar?'

Lemann trekt opeens zijn blazer uit en werpt die met een achteloze beweging op de lege stoel naast zich. Uit de donkere vlekken onder de oksels in zijn blauwe buttondown-hemd blijkt dat hij hevig transpireert.

'Ach wat. Ik kan net zo goed alles vertellen.'

Mona knikt. Ze krijgt het warm en koud tegelijk.

'Graag,' zegt ze. 'Vertelt u mij wat u weet. Anders kan ik u niet beschermen.'

19

Toen Simon von Bredow voor het eerst op Issing kwam, verging het hem zoals de meeste nieuwe leerlingen. Hij was bang. Hij zat achter in de Mercedes van zijn ouders met beide armen op de voorstoel en tuurde naar de middenstreep van de A8, waar zijn vader voortdurend vlak langs raasde. Normaal gesproken was Simon er gek op als zijn vader gas gaf, maar vandaag niet. Vandaag verlangde hij vertwijfeld naar een file van minstens honderd kilometer. Of beter nog een of andere dramatische gebeurtenis waardoor alles weer omvergeworpen werd en zijn ouders gedwongen werden hem weer mee naar huis te nemen.

Wat zou hij daarvoor betalen, peinsde hij. Zou hij er een stijf been voor over hebben als de beloning luidde dat hij zich niet in Issing hoefde te melden? Ja, stelde hij vast, op voorwaarde dat het been niet voor altijd stijf bleef. Ook een zware buikgriep was goed. Het liefst zou hij nekpijn, hoestbuien en hoge koorts krijgen. Dat was voor hem het beste uit te houden, omdat zijn moeder hem dan lekker verzorgde. De afgelopen dagen had hij het nodige ondernomen om minstens een verkoudheid op te wekken. Hij had in het zwembad gezwommen en daarna urenlang zijn natte zwembroek aangehouden, hoewel het buiten nauwelijks vijftien graden was. De afgelopen vier nachten had hij naakt en zonder deken bij het open raam geslapen, wat normaal gesproken een trefzekere methode was om ziek te worden.

Maar ditmaal niet. Nog niet het geringste pijntje in zijn nek. Geen koorts, zelfs geen verhoging. Hij was kerngezond, alleen doodziek van de tegenzin.

De septemberzon wierp lange schaduwen, toen ze laat in de middag het schoolterrein opreden en daar vaststelden dat ook andere mensen een zilvergrijze Mercedes hadden. En er waren er zelfs behoorlijk wat die een veel nieuwer of groter model hadden dan dat van de Bredows. Simon moest grijnzen toen hij de blik van zijn vader in de achteruitkijkspiegel trof. Er stonden rimpels op zijn voorhoofd en de vouw tussen zijn ogen was nog scherper dan anders.

Het moment was gekomen om uit te stappen. Nooit vergat Simon het geluid van de knarsende kiezelstenen onder zijn voeten, de onbeholpenheid van zijn moeder, die probeerde op haar hoge hakken op de ongelijke ondergrond in evenwicht te blijven.

Simon keek naar het hoofdgebouw, dat een fraaie aanblik bood in de laatste stralen van de vroege avondzon. Hij zag enkele jongens van zijn leeftijd die tegen de leuning van de grijze betontrap naar het hoofdgebouw geleund stonden. Hij overwoog of hij naar hen toe moest gaan om zich voor te stellen. Maar hij deed dat toch maar niet om niet opdringerig over te komen.

Zijn kamer, die hem door de secretaresse werd getoond, moest hij met twee andere jongens delen, zo moest hij tot zijn afgrijzen vaststellen. Drie bedden met kale matrassen stonden in de verder lege kamer, en het bed onder het raam, waarvan de plek hem het best beviel, was al met koffers en een rugzak bedekt. Niemand had daarover iets verteld. Simon was enig kind en hij was gewend aan een eigen kamer.

Maar hij rechtte zijn rug en nam koeltjes en beheerst afscheid van zijn ouders, ook al strookte dat niet met zijn stemming. Zijn moeder huilde daarentegen onbedaarlijk. Nu pas leek ze te begrijpen dat ze hem ruim drie maanden niet zou zien, want de korte herfstvakantie zou Simon niet in het nieuwe appartement van zijn ouders in New York doorbrengen, maar bij een tante in Stuttgart. Zijn moeder omarmde hem, nat van de tranen, zonder dat Simon haar gebaar beantwoordde, en zijn vader pakte hem onhandig bij zijn schouder. Tevreden stelde Simon vast dat zijn vader eveneens moest slikken. Hij was dus niet de enige die het er moeilijk mee had.

Maar de volgende dagen was dat slechts een schrale troost. Simon, die zijn hele leven in Stuttgart-Degerloch had doorgebracht, wist gewoon niet hoe hij het moest aanpakken om bij volledig onbekende mensen in een volledig onbekende omgeving een goed figuur te slaan. Voor het eerst moest hij constateren dat hij voor zijn leeftijd – vijftien – tamelijk klein was. Er zaten jongens in zijn klas die tweemaal zo breed en driemaal zo sterk leken.

Maar dat was niet het enige. Ze leken hier allemaal precies te weten waar ze bij hoorden. Ze waren vrijpostig en zelfbewust, ook tegen de leraren. Niemand leek bang te zijn. Zelfs de andere nieuwelingen leken allang geïntegreerd toen Simon nog steeds zijn eerste voorzichtige pogingen ondernam zich bij iemand – wie dan ook – aan te sluiten.

Het ergst waren de maaltijden. Hier zei je niet: 'Wil je me de aardappelen aangeven' of 'mag ik nog wat boter'. In plaats daarvan heerste er zelfbediening volgens het primitiefste overlevingsprincipe. Het keukenpersoneel knalde de bladen met rundvlees, aardappels, erwten en laf aangemaakte sla op tafel en dan kreeg degene die zijn vork – desnoods over de hoofden van de anderen heen – het snelst in het vlees of de groente stak, het grootste stuk. Simon was meestal te laat, nog afgezien ervan dat hij het vette, zware eten helemaal niet lekker vond. Gelukkig was zijn zakgeld zo ruim bemeten dat hij 's middags in het dorp een voorraad fruit en chocola kon inslaan. Fruit voor de gezondheid, chocolade tegen de heimwee die hem elke nacht bijna verstikte.

En daarbij moest hij ook nog vaststellen dat de beide jongens met wie hij de kamer deelde, in de hiërarchie van de leerlingen een heel lage plaats innamen. Zo laag dat het gedwongen contact met beiden zijn imago nog meer schade toebracht.

Zo gingen de eerste zes weken voorbij. Simon had zich nog nooit in zijn leven zo alleen gevoeld. Niet dat hij bewust buiten alles gehouden werd, zoals zijn kamergenoten. Niemand was blijkbaar genoeg in hem geïnteresseerd om hem wat beter te willen leren kennen.

Simon begon te roken, hoewel dat pas voor leerlingen van zestien jaar was toegestaan, omdat de rokersplaats het belangrijkste communicatiecentrum van de school was. Hij ging op zaterdag naar de stad, in zijn eentje natuurlijk, en schafte op rommelmarkten een versleten spijkerbroek, een legerparka en ruimvallende witte overhemden met opstaande kraag aan, omdat de Issing-mode van dat moment zo'n outfit vereiste. Om dezelfde reden liet hij zijn haar tot op zijn schouders groeien. Maar ondanks al deze inspanningen stond hij meestal alleen met een sigaret tussen alle anderen die over zijn hoofd heen flirtten, discussieerden, moppen vertelden of afspraakjes maakten voor geheimzinnige bijeenkomsten 'in de Post' of 'bij Andrea', waarvoor hij vanzelfsprekend zelfs dan nooit uitgenodigd werd als hij direct naast de betrokkene stond. Het kwam hem soms voor dat hij onzichtbaar was.

Overdag vond hij zijn situatie minder ellendig dan 's avonds. Na school en de lunch was er een zogeheten rustuur van half twee tot half drie, dat alle leerlingen op hun kamer moesten doorbrengen. Daarna moest het huiswerk onder toezicht in de klas gemaakt worden, en tussen vier en zes werden er zogeheten activiteiten aangeboden. Elke leerling moest er daarvan minstens twee uitkiezen en er minstens drie middagen aan wijden. Simon had hockey en pottenbakken uitgekozen. Hij had er niet buitengewoon veel lol in om uit gerolde kleiworsten scheve bekers te vormen, maar hij was in elk geval onder de mensen en had wat te doen. Om half zeven was het avondeten. Pas daarna begon de grote leegte, want 's avonds was er geen programma. Niets officieels waarbij je je on-opvallend kon aansluiten. De kameradengroep kwam alleen op maandagavond bij elkaar en bij de groep waarbij Simon ingedeeld was, werden de bijeenkomsten vaak afgelast.

De avonden en de weekends waren extra verschrikkelijk. Simons weinig geliefde kamergenoten hadden ondertussen vriendschap gesloten met een extraneus uit het dorp, in wiens huis ze zich elke avond vol lieten lopen. Simon had de kamer dus meestal voor zich alleen. Wie echter zijn vrije tijd alleen op zijn kamer doorbracht en daarbij 'betrapt' werd, was voorgoed als sociale outcast gestigmatiseerd, althans dat beeldde Simon zich in. En daarom werd hij noodgedwongen een hartstochtelijk wandelaar.

Zelfs de herfstvakantie, die Simon bij zijn tante in Stuttgart doorbracht, was een teleurstelling. Simon had zich er enorm op verheugd oude vrienden terug te zien, eindelijk weer mensen om zich heen te hebben met wie hij lachen, onzin uitkramen en sporten kon, en in wier aanwezigheid hij zich geen freak voelde. In plaats daarvan moest hij vaststellen dat zelfs in zo'n korte tijd de omstandigheden in zijn nadeel veranderd waren.

Natuurlijk waren zijn vrienden blij hem terug te zien. Maar het leven was ook zonder hem doorgegaan en zeker niet op een slechte manier. Simon was niet onvervangbaar, niet in zijn oude handbalteam, niet in het groepje dat altijd na schooltijd een cola bij McDonald's ging drinken. Niemand had hem echt gemist. En dat leek iedereen zich nu pas te realiseren. Het werd Simon nu duidelijk waarom zijn vele brieven zo kort en afwachtend beantwoord waren. Ze waren hem gewoon vergeten.

Zo was de situatie toen Simon na half november 1977 naar Issing terugkeerde. Wat hem betrof was die zelfs zo troosteloos dat hij zich 's ochtends moest dwingen om op te staan. Alleen al het doucheritueel was onverdraaglijk voor hem. Er was slechts één nevelige doucheruimte, die elke ochtend door ongeveer veertig jongens gebruikt werd en die boerden, winden lieten en in de douchestraal piesten, kleinere jongens in hun kont knepen en joelend de grootte van hun geslacht vergeleken. Soms kwam de huisvader binnen en gaf een donderende scheldkanonnade ten beste. Dan bleef het een minuut of drie relatief rustig, tot alles weer op het oude lawaainiveau verder ging.

Simon haatte het. En hij haatte zichzelf omdat hij niet gewoon mee kon doen zonder daarover na te denken.

Op de derde of vierde dag na de herfstvakantie, toen Simons psychische toestand een absoluut dieptepunt bereikt had, veranderde er iets. Toen

Simon aan de lunchtafel ging zitten, zag hij dat er naast hem een vreemd meisje zat. Ze had donker krullend haar, een bleek, ietwat opgezet gezicht en een grote mond. Voordat de lunch begon, werd ze door de rector voorgesteld.

Felicitas Gerber is veertien jaar en komt in de tweede klas. Sta even op, Felicitas, zodat iedereen je kan zien.

Het meisje stond gedwee op, maar met neergeslagen ogen en een somber gezicht. Er viel een verlegen stilte. Op dit moment voelde Simon hoe pijnlijk deze situatie was en welke kwellingen het meisje door het gebrek aan tact van de leraar moest doorstaan. Hij vond het knap van haar dat ze zich toch een beetje kon beheersen.

Direct nadat ze weer was gaan zitten, sprak hij haar aan. Later gingen ze met elkaar naar de rokersplaats. 's Avonds na het eten liet hij haar zijn kamer zien. Ze rookten en praatten met elkaar tot het bedtijd was, om tien uur. Simon had nooit beseft hoeveel woorden er in hem gewacht hadden om eindelijk geuit te worden. Het leek wel alsof hij eindelijk weer begon te leven.

Sinds die dag waren ze onafscheidelijk, In elk geval voor een bepaalde tijd. Simon haalde haar over ook op de cursus pottenbakken te gaan, en zo konden ze ook de middagen met elkaar doorbrengen.

'U was met haar bevriend,' zei Mona.

'Ja.'

'Hoe lang? De hele tijd?'

Lemann knikt. Nog altijd is zijn blik afwezig. Het lawaai in het café is minder geworden, de meeste gasten zijn vertrokken en zijn weer op weg naar het werk. Het is bijna half drie, maar Mona past er wel voor op dat te vermelden. Ze hoopt dat er nog meer komt. Maar Lemann lijkt klaar te zijn.

'Wat was ze voor een type?'

'Heel rustig, als ze iemand niet kende. Maar als je een beetje aardig tegen haar was, dan ontdooide ze.'

'Aha.' Er valt vast en zeker nog heel wat te zeggen over deze vriendschap, maar misschien wacht Lemann op de juiste vragen.

'Hoe ging het dan verder met u en Felicitas? Was u een stel?'

'Nee!' Lemann kijkt haar bijna verontwaardigd aan.

'Hoezo niet?'

'Ze was niet mijn type. Heel simpel. Ik mocht haar graag, maar meer niet.'

Langzaam begint het Mona te dagen.

'Ze was uw type niet. Maar omgekeerd was het wel wat geworden.'
'Pardon?'
'Felicitas was verliefd op u. Zo was het toch, of niet soms?'
Lemann laat zijn hoofd zakken en verbergt het in zijn lange, smalle handen. Hij weet dat er nu geen weg terug meer is.
'Wilt u nog koffie?' vraagt hij.
'Ja, graag.' Mona houdt haar blik op hem gericht. Lemann bestelt twee espresso en het valt haar op hoe sterk hij het afgelopen half uur veranderd is. De snelle zakenmanmaniertjes zijn verdwenen, de gsm uitgeschakeld. Voor haar zit nu gewoon een man die geen moeite meer doet een façade op te houden. Lemann maakt nog steeds een gespannen indruk, maar is tegelijk helemaal zichzelf.
Alsof hij haar gedachten gelezen heeft, zegt hij: 'We waren er in de jaren zeventig heel sterk mee bezig dat je jezelf moest zijn. Geen masker dragen, altijd heel puur en echt zijn. U kent dat wel, dat psychologische gezever.'
'Hm.'
'Het was alleen erg voor de mensen die dat letterlijk namen.'
'Zoals Felicitas Gerber?'
'Ja,' zegt Lemann langzaam. 'Ze heeft al dat geneuzel serieus genomen. Zij heeft werkelijk haar zwakheden laten zien. Ze probeerde echt eerlijk te zijn. Je kon met haar over alles praten. Nooit lachte ze iemand uit, veroordeelde ze hem of wat dan ook.'
'U kon erg goed met haar opschieten.'
'Ja. Een tijdlang.' Lemann slaat zijn ogen neer. Afwezig verkruimelt hij het Amaretto-koekje op het schoteltje van zijn espresso.
'Hoe lang? Tot aan de reis naar Portugal?'
'Nee. Het hield al veel eerder op, maar ze wilde dat niet onder ogen zien.'

De kerst bracht Simon bij zijn ouders in hun nieuwe woning in Manhattan door. Felicitas moest naar haar ouders in Starnberg, die ze haatte. Simon vond dat vervelend, maar meer ook niet.
Hun verhouding was de laatste weken al bekoeld, en als hij eerlijk was, dan bezorgde hem dat toch een slecht geweten. Felicitas' gevoelens waren niet veranderd, maar die van hem beslist wel. Felicitas was lang niet meer zo belangrijk voor hem als in het begin. Inmiddels waren er anderen, die belangrijker voor hem waren. Mensen in wie hij echt geïnteresseerd was. Hij had zich tot een heel behoorlijke hockeyspeler ontwikkeld, en de jongens in zijn team toonden respect voor hem. In zijn klas werd hij steeds beter geaccepteerd en uiteindelijk zelfs aan de periferie

van de groep geduld die in zijn leeftijdsgroep toonaangevend was. Kortom, Simon had in Issing zijn plek gevonden. Hij was redelijk populair en voelde zich goed.

Voor Felicitas gold dat allemaal niet. Felicitas had op hem na geen vrienden, en het was Simon tamelijk snel duidelijk dat hij in deze eerste fase van een groeiende populariteit een besluit moest nemen. Hij moest kiezen tussen haar en de anderen. Hij mocht Felicitas graag, dat zeker, maar hij wilde zich niet opnieuw naar de zijlijn laten schuiven. Een openlijke vriendschap met haar zou zijn positie, die nog altijd zwak was, schade toebrengen; dat was nu eenmaal de waarheid, die hij uiteraard niet aan Felicitas kon vertellen. Dergelijke dingen zei je nog niet tegen je ergste vijand. Je gaf zoiets voor jezelf nog niet eens toe.

Felicitas schreef hem met Kerstmis twee brieven, die hij overgevoelig vond en niet beantwoordde. Op deze wijze zou de kwestie vanzelf opgelost worden, hoopte hij, zonder dat hij gedwongen zou worden tot pijnlijke uitspraken.

Maar hij had buiten Felicitas' hardnekkigheid gerekend. Direct op de eerste schooldag na de vakantie verscheen ze in zijn kamer. Hij was nog bezig zijn spullen uit te pakken en mompelde alleen een kort, afwijzend 'hallo'. Toch kreeg ze hem zover dat hij beloofde na het avondeten met haar te gaan wandelen. Aan die afspraak kon hij alleen daarom al niet ontkomen omdat ze naast hem in de eetzaal zat. Zijn humeur werd er niet beter op bij dat vooruitzicht. Maar ze gaf niet op.

Hoe was je vakantie?

Goed. Geweldig eigenlijk. En die van jou?

Een belangrijk, bindend ritueel in hun vriendschap zou vroeger geweest zijn dat ze zich beiden over hun reactionaire ouders zouden opwinden, die je het gevoel gaven dat je een mislukkeling was en met wie eenvoudigweg geen verstandig gesprek te voeren was. Met dit antwoord maakte hij haar dus duidelijk dat de vervreemding een vaststaand feit was. Maar ook dat negeerde ze. Misschien opzettelijk, misschien ontbrak het haar gewoon aan gevoel voor subtiele boodschappen.

Verschrikkelijk, zoals altijd, antwoordde ze dus. En weer vernederde Simon haar opzettelijk.

Ach kom. Zo erg zal het toch niet geweest zijn?

En hij voegde eraan toe, in het volle besef dat hij haar daarmee zou kwetsen: *Je ziet het soms gewoon te somber in. Je moet eens wat positiever in het leven staan.* Dat was verraad, verpakt als liefdevolle bezorgdheid, en dat wist hij. Hoe vaak had hij zichzelf niet in haar aanwezigheid beklaagd over de sociale dwang altijd zo te doen alsof alles goed met je gaat. Nu gedroeg hij zich net als alle anderen. Hij deed alsof hun gesprekken nooit hadden plaatsgevonden.

Felicitas keek hem met die gekwetste blik aan die hij nooit had kunnen uitstaan van haar. Ze leek radeloos en gekwetst, maar leek het allemaal niet te willen begrijpen.

Na het avondeten gaf ze hem een arm, wat vroeger een heel natuurlijk gebaar was geweest, maar Simon nu misplaatst en gekunsteld voorkwam. Hij verstijfde onwillekeurig. Het drong tot hem door dat de lucht koud en vochtig was en dat de bodem in het bos al hard was door de eerste nachtvorsten. Zijn vrienden zaten waarschijnlijk al in de warme, gezellige 'Post' achter hun eerste glas bier vakantie-ervaringen uit te wisselen, terwijl hij zich hier met Felicitas bezig moest houden.

Opeens kwam er een vreselijk visioen bij hem op. Felicitas zou hem ook in de toekomst niet met rust laten, hij zou ten slotte door de anderen, door degenen die er werkelijk toe deden, met haar negatief in verband gebracht worden en zo alle belangrijke maar nog altijd broze contacten weer verliezen die hij de afgelopen weken met zoveel moeite had opgebouwd. En hij zou voortaan elke avond in dodelijke verveling met deze zeurtrut moeten doorbrengen, die hij niet eens aardig vond, maar met wie hij zich – het hoge woord moest er maar eens uit – alleen uit medelijden inliet.

'We zijn in het jaar 1978, hè?' vraagt Mona.

'Ja. Zo is het begonnen met Felicitas en mij.'

'Tja, "begonnen" klopt wel, maar na enkele maanden hebt u haar weer laten vallen.'

Lemann reageert hier niet op.

'Of toch niet?' vraagt Mona.

'Nee.'

'Hoezo nee?'

'Nee, ik heb het contact met haar niet verbroken. In elk geval niet echt. Ik wilde dat wel, maar het lukte niet.'

'Waarom niet?'

Ze zijn intussen bijna de enige gasten in de zaak. Het cappuccinoapparaat sist niet meer, niemand behalve zij praat nog, en onwillekeurig beginnen ze zachter te praten. Lemanns gezicht is bleek geworden, alsof zijn bloedsomloop helemaal verstoord is.

'De vriendschap met de anderen... We waren tamelijk close met elkaar, en Felicitas paste daar niet in. Alleen de echt leuke meisjes waren erbij. Begrijpt u wel, de echt leuke meisjes over wie je 's nachts droomde. Over Felicitas droomde niemand. Die was gewoon lucht.'

'Maar?'

Weer zwijgt Lemann enige tijd. Dan zegt hij: 'Maar ze was werkelijk... ik weet het niet, dom of naïef of beide... Ik kan dat nu niet meer beoordelen. Misschien had ze ook niemand anders behalve mij. Misschien had ze voor de rest helemaal niks. In elk geval heeft ze genoegen genomen met de plek die ik haar toegewezen had.'

'En hoe zag die eruit?'

Lemann lacht kort en nerveus. Zijn bovenlip is met zweet bedekt. 'Dit lijkt wel een biecht. Dit is een biecht, en u bent mijn geestelijk raadsvrouw.'

'Dat ben ik niet,' zegt Mona.

Even staat Lemann weer met beide benen op de grond en hij kijkt Mona aan. Dit gesprek zal gevolgen hebben, realiseert hij zich opeens. Hij zal zijn verklaring moeten herhalen, maar dan officieel met een bandrecorder en een advocaat en dergelijke. Misschien zijn er geen strafrechtelijke gevolgen, maar zijn leven zal nooit meer hetzelfde zijn als de afgelopen twintig jaar. En toch kan hij niet meer terug.

'U hebt dit nog nooit aan iemand verteld,' stelt Mona vast. Deze geschiedenis rust al twintig jaar in hem en wacht erop verteld te worden.

'Zelfs mijn vrouw niet,' zegt Lemann. 'Ik heb nog nooit met iemand over Felicitas gesproken. Ik heb haar zogezegd doodgezwegen.'

'Terug naar de gebeurtenissen in die tijd. Felicitas maakte het dus niks uit. Ze bleef u aardig vinden.'

'Ik weet het niet. Misschien haatte ze me wel, maar kon ze niet van me loskomen... Ik weet het niet. Het was in elk geval zo dat we een soort stilzwijgende afspraak hadden. Als ik met de anderen samen was, dan moest zij uit de buurt blijven. Als de anderen geen tijd voor me hadden, mocht ze komen. Dan was Felicitas weer goed genoeg voor me. We maakten altijd lange wandelingen...'

'Omdat u blijkbaar niet met haar gezien wilde worden.'

'Ja, ook. Dat geef ik toe. Maar dat was niet het enige. Ik was ook echt graag bij haar, van tijd tot tijd. Ze was intelligent en creatief. Ze was een kleine filosofe. Ze had over bepaalde dingen nagedacht, waarop geen mens op zijn zestiende of zeventiende zou komen. Kosmische zaken. Ze had heel wilde ideeën over het universum en de wisselwerking tussen de sterren en de planeten. Ze legde verbanden die nog nooit iemand gelegd had. Soms dacht ik dat ze een genie was.'

'Dachten de leraren dat ook?'

'Helemaal niet. Veel leraren zagen sowieso niets in meisjes, tenzij ze aantrekkelijk waren. Nee, niemand erkende haar gaven, niemand heeft die gestimuleerd of gesteund. Ze stond er altijd alleen voor.'

'U was haar enige vriend.'
'Nee,' zegt Lemann. Hij zwijgt, naar woorden zoekend.
'Wat nee?' vraagt Mona. Ze zitten nu al zolang op deze ongemakkelijke designstoelen dat ze zo langzamerhand slapende benen krijgen.
'Ik was haar vriend niet. Ik was... Ik heb haar gebruikt, zoals iedereen.'
'Hoe bedoelt u dat?'
Lange stilte.
'Hebt u seks met haar gehad?'
'Ja. Ze was mijn eerste... vrouw. De eerste met wie ik...'
'Seks had.'
'Ja. Ik was niet haar eerste man, maar het betekende voor haar heel veel dat dat omgekeerd voor mij wel gold.'
'Wanneer is dat gebeurd?'
'Ik weet het niet precies meer. Zomer '78, geloof ik, kort voor de zomervakantie. We hadden... wat gerookt.'
'Hasj?'
'Ja. Dat deed iedereen toen.'
'Dat is duidelijk.'
'Ik was stoned en geil, en bij haar was ik niet bang voor schut te staan. Zo is het gebeurd.'
'En het bleef niet bij één keer?'
'Nee.' Lemann staart voor zich uit naar de tafel, alsof hij zijn blik nooit meer zal opheffen.
'Had u op dat moment een vaste vriendin?'
'Nee. De meisjes van wie ik wat wilde, waren altijd al bezet. We hadden tenslotte een jongensoverschot. De goede meisjes werden altijd ver boven mij verhandeld, daar had ik helemaal niets mee te maken.'
'Dus u had steeds seks met haar als er geen ander aantrekkelijker meisje beschikbaar was. En dat gedurende een lange periode.'
'Ja.'
'Tot de zomer van 1979.'
'Ja.'
'Wat gebeurde er die zomer? Waarom kwam Felicitas uitgerekend naar het strand waarop u vakantie vierde?'
'Omdat ik dat tegen haar gezegd had.'
'Wat had u tegen haar gezegd?'
'Waar we zouden zitten.'
'Dat wist u al in Issing? Al voordat u vertrok?'
'Ja. Ik was het jaar ervoor met mijn ouders daar geweest. Ik wilde er beslist weer naartoe. En de anderen vonden dat prima. We waren toch

al een bijeengeràapt zooitje. Degenen met wie ik normaal gesproken mijn vrije tijd doorbracht, hadden allemaal geen tijd. En ik wilde niet meer naar de VS, omdat het in augustus in New York gewoon niet te harden is. En de anderen – Schacky, Konni, Micha, Robert – hadden hun eigen redenen om niet naar huis te willen. En daarom zijn we samen vertrokken.'

'U hebt mijn vraag niet beantwoord,' zegt Mona. Haar handen zijn ijskoud, hoewel het bovenmatig warm is hier. Ze voelt haar benen nauwelijks nog.

'Welke vraag?'

'Hoezo wist Felicitas waar u heen wilde? Waarom hebt u dat aan haar verteld?'

Een avond in Issing. De voorlaatste schooldag, drie dagen voordat ze vertrokken. Micha had hen voor een bord spaghetti met rode wijn uitgenodigd. Hij bewoonde twee kamers die op de meerpromenade uitzagen. Met mooi weer had je hier prachtige zonsondergangen. Het was een prachtige avond, en ze waren euforisch over hun komende avontuur. Een van hen zei:

Zeg, hoe zit het met de meiden?

Een ander zei: *Die komen we onderweg wel tegen.*

En de derde: *En als dat niet zo is? Vakantie zonder wip is waardeloos.*

En de vierde: *Zeg Simon, hoe zit het eigenlijk met die Felicitas van jou?*

Hoe dat zo?

Die doet het toch met iedereen.

Gelul!

En toen lachten ze hem uit, allemaal. Omdat iedereen behalve Simon wist dat Felicitas niemand de toegang tot haar bed weigerde. Echt niemand, zelfs die lelijke Schröder niet.

Neukmachine. Dat was haar bijnaam.

20

De laatste uren voor de lunch heeft Berits klas Frans. Omdat Michael Danner geen les meer mag geven, heeft de school in allerijl een jonge stagiair aangesteld die volstrekt overbelast lijkt. De veertien jongens hebben dat meteen gemerkt en verzinnen elk uur nieuwe pesterijen. De acht meisjes doen bijna altijd mee, omdat ze niet als laf geboekstaafd willen worden.

Vandaag is de truc met het tafelschuiven aan de beurt. Het is een stokoude Issing-streek, die altijd weer effect heeft. Zodra de stagiair zich naar de overheadprojector toe draait om de sheets te verwisselen, schuiven alle leerlingen hun tafels enkele centimeters naar voren. Ongeveer een half uur later zal de man ingesloten zijn en er absoluut niets van begrijpen, omdat ze de tafels zo langzaam en ongemerkt naar voren geschoven hebben. De grap bij deze truc is dat iedereen een heel normaal gezicht trekt en zich ook voor het overige onopvallend gedraagt.

Tafels schuiven levert grote stress op voor leraren die niet stevig in hun schoenen staan. Een lerares Engels is daarbij al eens ingestort en jankend de klas uit gerend. Ze bleef daarna ziek thuis en is nooit meer in Issing gesignaleerd.

Zo erg zal het vandaag niet worden. De stagiair krijgt weliswaar een licht paniekerige blik in zijn ogen als hij hun plan doorkrijgt, maar hij besluit vervolgens hun actie volstrekt te negeren. Wel schakelt hij de projector uit en begint in plaats daarvan *face à face* met de leerlingen een discussie over *le sujet que concerne la légalisation des drogues*. Er ontspint zich een matte *conversation* met twee of drie leerlingen. Maar met het tafels schuiven is het afgelopen. Op deze manier is het maar half zo leuk.

Berit zit direct aan het raam. Ze zou graag naar buiten kijken, maar de ramen zitten vol ijsbloemen. Het is veel te warm in het klaslokaal, zoals altijd in de winter, en toch heeft ze het koud. Op haar grijze tafelblad heeft iemand met een passer 'Berit is fucked up' gekrast. Berit trekt met haar wijsvinger de letters over. Ze weet dat ze daar inmiddels boven zou moeten staan.

Nog drie weken tot Kerstmis. Sinds haar vertwijfelde telefoontje van vorige week hebben haar ouders een slecht geweten en hangen ze bijna dagelijks aan de lijn om naar Berits kerstwensen te vragen. Om hen te straffen doet Berit steeds alsof ze niets weet.

Het idee Issing te verlaten en haar eindexamen in Berlijn te doen heeft Berit inmiddels opgegeven. Wat moet ze bij ouders die er niet echt om zitten te springen om hun dochter in huis te hebben? Wat wil ze in Berlijn, waar ze bijna niemand meer kent? Wat wil ze met meisjes zoals haar beide overgebleven Berlijnse vriendinnen Kati en Anna, die elk weekend pillen slikken?

Berit werpt een minachtende blik op de stagiair, een man van eind twintig met pukkels op zijn glimmende voorhoofd. Hoe kun je over zoiets als het vrijgeven van drugs discussiëren als tegenwoordig iedere idioot aan elke drug kan komen die hij wil, zonder dat het iemand iets uit lijkt te maken? Berit vraagt desondanks niet het woord. Haar Frans is niet bijzonder goed, ze spreekt liever Engels, ook al een reden waarom ze met Michael Danner nooit zo goed kon opschieten als Peter, Strobo of Sabine.

Door de schelle bel die het eind van het uur aankondigt, wordt ze uit haar loodzware vermoeidheid losgerukt. Dat is het ellendige hier: de dagelijkse regelmaat, de sleur waaraan je je maar al te graag overgeeft omdat je dan niet zelf hoeft te denken. Het daaruit voortvloeiende gebrek aan creativiteit en individualiteit. Michael Danner heeft haar er altijd toe aangemoedigd de dagelijkse sleur te doorbreken en wild en gevaarlijk te leven. Helaas bleef dat bij hem zelf duffe theorie. Zo ziet Berit het tenminste.

Sloeg hij om die reden zijn vrouw?

Sinds Danner haar in het bijzijn van de anderen de absolutie verleend heeft voor het verbreken van het gebod 'gij zult je meester niet verraden', is Berit als bij toverslag weer populair, niet alleen in haar kameradengroep, maar ook in de rest van haar omgeving. Ze heeft zich daar niet tegen verzet, hoewel ze zich heel goed realiseert dat er iets niet aan deugde. Ze heeft Michael Danners fluweelzachte preek, waarin hij haar moed, haar betrokkenheid, intelligentie en integriteit lof toezwaaide, over zich heen laten komen.

We hebben mensen als jij nodig, Berit. Mensen die integer zijn. Die tegen de stroom in zwemmen. Die zich niets op de mouw laten spelden.

Het is waar dat ze door deze complimenten, hoe ongeloofwaardig en doorzichtig ze ook waren, wel ontdooid is, nadat ze dreigde dood te vriezen. En pas later, op de terugweg naar het internaatsgebouw, drong het tot haar door dat Danner haar voor de zoveelste keer volgens de regelen der kunst had weten te belazeren. Geen woord over het feit dat hij de groep tot leugens aangezet had. Geen verklaring over wat Berit die zomer gezien had. Sowieso niets over het onderwerp Michael en Saskia Danner. In plaats daarvan de gebruikelijke vage blabla over burgermoed en het vermogen te kunnen vergeven.

En allemaal, Berit inbegrepen, waren ze in zijn val gelopen. Met dat verschil dat de anderen dat zelfs achteraf niet eens doorhadden, maar Berit wel.

Het is ook een feit dat ze zichzelf haat vanwege dit verraad aan zichzelf, aan haar overtuigingen en idealen, maar ze is tegelijk opgelucht dat ze geen uitgestotene meer is. Om de verwarring in haar compleet te maken, koestert ze als derde element nog altijd de wens een tweede kans te krijgen. Ze wil een nieuwe vuurproef, waarbij ze kan bewijzen dat ze werkelijk alles is wat Danner over haar zegt.

Samen met de anderen verlaat Berit de klas. Uit alle lokalen stromen nu leerlingen, die elkaar in de slecht verlichte gangen ontmoeten, elkaar aanstoten, lachen, vloeken, de gladde linoleumtreden af rennen, in de koude lucht die door de open ingang van het hoofdgebouw naar binnen waait bibberen, zich verder door het smalle donkere trappenhuis naar de eetzaal in het souterrain een weg banen.

Heb jij ook zo'n hekel aan die klotewiskunde... ik geloof dat Müller helemaal maf is... Helemaal mis... wacht even.

Berit laat zich voortdrijven. Het is aangenaam. Er is niets waaraan je hoeft te denken, niets dat je moet plannen. Het is allemaal al voorbestemd, als een vorm waarin je je zonder weerstand moet laten gieten om dan langzaam te verstarren. De hoogst denkbare vorm van zekerheid. Strobo duikt naast haar op. Hij zit in de zevende klas, twee klassen boven haar. Nog altijd voelt ze een licht, aangenaam schokje als hij in haar buurt komt. Hoewel er sinds die avond in het rokerspaviljoen niets meer gebeurd is, voelt ze dat er tussen hen nog altijd van alles mogelijk is. Ze glimlacht naar Strobo, en hij pakt heel even haar hand en knijpt erin, wat de anderen in de mêlee voor de eetzaal niet kunnen zien. Dan passeren ze de openslaande deuren zodat ze opeens weer ruimte hebben, en Strobo laat haar hand los. Aan tafel zitten ze tegenover elkaar, maar ze vermijden zorgvuldig elkaar langer dan noodzakelijk aan te kijken.

Simon. De naam flitst in haar op als een neonreclame. Simon Petrus, die net als de anderen zijn handen in onschuld waste en die Jezus toch verried, evenals de anderen. Simon, die niets deed, niets verhinderde.

Simon, die toeliet dat de anderen zonder erbarmen haar dromen verwoestten, haar eer vergooiden, haar waardigheid te grabbel gooiden. Dat kleine beetje waardigheid dat ze toen nog bezat. Zelfs dat hadden ze haar niet gegund.

Simon was de eerste en de laatste. In de persoon van Simon sloot de cirkel van haar vernederingen zich. Om hem voor een beter leven te redden, moest ze naar het verleden terugkeren, zoals ze ook bij de anderen gedaan had.

Toen: dat waren de jaren vol kwellingen die de richting bepaalden, haar verdedigingslinies deden afbrokkelen tot het kwaad naar binnen kon dringen en bezit kon nemen van haar hele wezen. Toen: dat was de tijd waarin haar psychische immuunsysteem te zwak voor de eisen van het lot en de pesterijen van haar omgeving bleek te zijn. Elke honende belediging, elk opzettelijk negeren van haar wensen en behoeften was een invasie van kwaadaardige virussen, waar ze geen enkele remedie tegen had. Tot slot had de chronische ziekte bezit van haar persoonlijkheid genomen en haar tot overmaat van ramp met die vreselijke vooruitziende blik begiftigd die niets opleverde en waarmee evenmin iets verhinderd kon worden.

Dat was allemaal toentertijd begonnen bij die huichelaar Simon, zo geloofde ze nu. Bij Simon, de enige vriend die ze ooit gehad had.

Toen: de zon scheen in een staalblauwe hemel op de steile rotskust van Carvoeiro. Ze keek naar haar al licht gebruinde voeten, haar prachtige gevlochten leren sandalen, die nu al een patina vertoonden dat bij het traveller-image hoorde, hoewel ze die pas in Lissabon had gekocht. Toen: de zee strekte zich ver onder haar uit, de golven waren met schuimkoppen bedekt, door een krachtige warme wind woei het haar uit haar gezicht.

Langzaam begon ze aan de afdaling naar de mensen die nu bij haar hoorden. Het smalle, rotsige pad liep in haarspeldbochten omlaag en haar sandalen bleken te glad voor de door vele voeten gladgepolijste rotsen, maar er stond een lach op haar gezicht vanwege het vooruitzicht op het warme zand en de koele zee. Het was middagpauze. Ze kwam grote Portugese families in ganzenmars tegen die op weg waren naar boven om zich voor de siësta in hun eenvoudige vakantiehuizen aan de rand van de klifkust terug te trekken. Hun gezichten waren zo bruin verbrand dat je ze in het harde zonlicht bijna alleen als silhouetten kon waarnemen. Zij was de enige die naar beneden ging, voetje voor voetje richting strand. De zon brandde op haar voorhoofd zodat haar gezicht rood werd. Ze had een waas voor haar ogen toen ze eindelijk in de baai aankwam.

De wind was intussen gaan liggen en de lucht was zo droog en heet dat ze bijna moest hoesten. De baai had een doorsnede van zeker drie kilometer, en ze had geen idee op welke plek de grotten lagen waarover Simon haar verteld had. Ze wist niet eens of Simon en de anderen er nog wel waren. Ze had pas een week later kunnen vertrekken omdat haar moeder een geweldige scène gemaakt had en haar niet had willen laten vertrekken met haar zeventien jaar. Dus had ze op een nacht simpelweg het huis verlaten. Omdat er 's nachts om één uur geen sneltram meer van Starnberg naar de stad reed, had ze met een veel te volle rugzak te voet de kilometerslange tocht naar het centraal station gemaakt. Daar had ze lang moeten wachten tot er een trein naar Parijs ging, waar ze moest overstappen om in Lissabon te komen. Vanuit Lissabon reden er bussen naar de Algarve, maar het was niet gemakkelijk geweest in deze volstrekt chaotische stad het busstation te vinden. Maar ondanks de uitputting was ze er trots op dat het haar helemaal in haar eentje toch gelukt was.

In haar eentje, en dat betekende ook dat ze al drie dagen nauwelijks iemand gesproken had.

Het strand bood een verlaten aanblik in de middagzon. Het witte, fijne zand schitterde bijna te fel voor haar ogen. Onder de zolen van haar sandalen voelde ze de hitte van het zand. Langzaam liet ze de rugzak van zich af glijden, terwijl het huilen haar zo kort voor het doel nader stond dan het lachen. Misschien was het een volstrekt idioot idee geweest. Misschien was er hier niemand die haar verwachtte. Stel dat ze de hele weg weer terug moest omdat ze niemand vond die haar verder hielp?

Uiteindelijk liep ze naar de branding, liep met haar voeten door het heerlijk koele water en besloot welke richting ze op zou lopen. Meer dan een half uur zocht ze, terwijl haar ogen van vermoeidheid bijna dichtvielen. Toen ontdekte ze eindelijk de donkere insluitingen in de beige zandsteenrotsen. Dat moesten de holen zijn. Eindelijk was ze thuis, bij haar eigen mensen.

'Wat is er met jou aan de hand?' vraagt Anton.

'Niets,' zegt Mona. Ze kijkt rond in Antons woning. Alles ziet er hier heel verfijnd uit, de meubeltjes met de zwartleren overtrekken en de poten van glimmend chroom, de glazen tafel, maar tegelijk lijkt het... doods. Steriel. Niet te vergelijken met de woning van Danner. Die was met liefde ingericht. Anton heeft gewoon van alles gekocht dat er goed en duur uitzag.

'Je bent helemaal verkrampt,' stelt Anton vast. Voordat Mona daar iets op kan zeggen, gaat de draadloze telefoon over, die Anton altijd naast zich heeft liggen, waar hij zich ook bevindt in de woning. Ook nu pakt hij de telefoon meteen op en loopt terwijl hij al praat naar zijn kantoor naast de woonkamer. Met een luide klik valt de deur achter hem in het slot.

Het is half elf 's avonds. Voor zakelijke telefoontjes is het beslist te laat. Voor normale zakelijke telefoontjes tenminste.

Mona kan niet anders; ze moet het Anton vragen als hij weer terugkomt. 'Ben je weer iets aan het uitvreten?'

Anton gaat naast haar op de zwartleren bank zitten en legt zijn arm om haar heen. Hij zegt niets. Op zulke vragen antwoordt hij uit principe niet. Dat maakt Mona woest.

'Hoor eens, ik wil een antwoord horen. Wat is er aan de hand?'

'Hou toch op, Mona. Jij vertelt mij ook niets over je politiezaakjes.'

'Die zijn niet illegaal.'

'Hou nou toch eens op met die onzin.'

'Als je gestolen BMW's naar Polen en de Oekraïne uitvoert...'

'Dat doe ik niet! Het is allemaal keurige handel! Hou eindelijk eens op met die onzin!'

Anton wendt zich met een beledigd gezicht van haar af. Mona haalt diep adem. Lukas slaapt boven in zijn kinderkamer, die door Anton liefdevol is ingericht met een computer, een watergeweer, een Darth Father-figuur van zeker een halve meter hoogte en diverse auto's met afstandsbesturing, waarvan Mona het nut maar niet kan inzien. Als ze nu ruzie gaan maken, wordt Lukas wakker. En het is allemaal al ingewikkeld genoeg.

'De afdeling Fraude heeft je in het vizier, nietwaar?'

'Nee.'

'Geef het nu maar toe!'

'Nee!'

'Goed dan: je verkoopt de auto's niet zelf, maar je legt de contacten, brengt de deals tot stand, incasseert de provisie en komt ermee weg omdat je later van niets weet. Zo beter?'

'Hou toch eindelijk je mond.'

Voor het eerst krijgt Mona het weinig aangename idee dat ze misschien afgeluisterd worden. Weet zij veel hoe ver het onderzoek inmiddels gevorderd is? Misschien is er al een rechterlijk bevel. Misschien wordt Antons telefoon afgetapt of zijn hele woning.

Het zweet breekt haar uit. Dan houdt ze zichzelf voor dat het haar verder niets uitmaakt. Haar leven is met dat van Anton verbonden. Dat zal altijd zo zijn, wat er ook gebeurt. Het heeft volstrekt geen zin je daarom zorgen te maken. Maar ze doet het toch. Ze heeft veel problemen, en Anton is er een van.

Ze zitten al een tijd niet meer vlak naast elkaar. Anton heeft zich in de verste hoek van de bank teruggetrokken, als een koppige puber. Mona bekijkt hem van opzij. De donkere ogen die diep in de kassen liggen, de lange rechte neus, de mooie mond. Anton heeft evenveel goede als nare eigenschappen. Die houden elkaar precies in evenwicht, zodat het moeilijk is een duidelijke houding tegenover hem te bewaren. Hij is in elk geval geen engel en zal dat ook nooit zijn. Ooit, toen hij en Mona nog een paar waren, heeft Anton een vermeende rivaal zo toegetakeld dat de man met kneuzingen en een gebroken rib naar het ziekenhuis moest. Overbodig te vermelden dat er nooit iets geweest was tussen die man en Mona. Anton had zich dat van A tot Z ingebeeld.

Maar dat is allemaal lang geleden.

Tegenwoordig heeft Anton wisselende vriendinnen, meestal jonge mollige blondines, die alleraardigst zijn tegen Lukas, en is Mona echt een maatje van hem (goed dan, soms ook iets meer, maar voor wie zou Mona haar zo kostbare deugd moeten bewaren? Voor haar getrouwde collega's soms?). Ze kan met alles bij hem komen. Hij luistert altijd naar haar. Hij is er altijd voor haar, en dat is tenslotte ook wat waard.

'Ik moet het weten,' zegt Mona. 'Als je weer in de bajes komt, wat moet er dan van Lukas worden? Denk je daar nooit over na? Hij houdt van je. Hij vindt je geweldig. Wil je dat hij net zoals jij wordt?'

'Dat wordt hij niet, als jij hem blijft opvoeden tot een zacht eitje.'

'Ik? Wie stopt er bij Lukas een choco-ijsje in zijn mond zodra meneer zijn gezicht vertrekt?'

Mona merkt te laat dat Anton haar met succes afgeleid heeft. Wat kan het schelen. Ze is doodmoe, bijna te moe om nog naar huis te rijden. Ze legt haar hoofd tegen de heerlijk zachte leuning van de bank en sluit haar ogen.

'Ik maak me zorgen om je,' zegt Anton opeens. Er is iets in zijn stem waardoor ze opeens weer klaarwakker is. Zo praat hij anders nooit met haar.

'Zwets niet zo. Wat is dat nou weer voor onzin?' Ze sluit haar ogen weer. Even een tukje, dan rijdt ze meteen naar huis.

'Ik heb er geen goed gevoel bij.'

'Waarbij?' Als hij nou zijn mond eens hield... Ze is zo moe, zo waanzinnig moe, terwijl de bank zo heerlijk zacht is.

'Achter wie zitten jullie eigenlijk aan?'

'Daar kan ik niet over praten, dat weet je toch zeker.'

'Die moordenaar van die mannen en die vrouw, wie is dat?'

'Dat weten we niet, nog niet. Dat kun je allemaal in de krant nalezen.'

'Jullie weten best wel iets.'

Nu opent Mona toch haar ogen. Een moment lang recapituleert ze de twee laatste persconferenties, vandaag en gisteren. Geen woord over Felicitas Gerber, tegen wie inmiddels een opsporingsbevel loopt. Dat maakt deel uit van hun plan. Anton heeft daar geen idee van. Hij kan gewoon geen idee hebben.

'Waar heb je het eigenlijk over?'

'Over mijn gevoel. En dat is slecht.'

Wat is dat nou weer?

'Je loopt gevaar, dat voel ik.'

Hij heeft nog nooit zoiets gezegd.

En dat terwijl ze elkaar al bijna dertig jaar kennen. Sinds Mona met haar moeder in het huis naast de Lindenmeiers getrokken was, in de wijk met de bedrieglijk onschuldige naam Hasenbergl, in de buurt van de Panzerwiese. Anton was een soort grote broer voor haar geweest, voordat hij haar het hof maakte. Voordat ze drie jaar 'met elkaar gingen', voordat Lukas kwam, voordat Anton tot twee jaar onvoorwaardelijk veroordeeld werd en Mona besloot haar loopbaan bij de politie door te zetten. En dat betekende onder meer dat Anton en zij geen paar meer konden zijn. Al eerder hadden ze op eieren moeten lopen, maar nu werd het onmogelijk.

'Ik begrijp niet wat je bedoelt.' Mona staat geeuwend en licht wankelend op. Ze moet nu naar huis. Meteen. Ze heeft de afgelopen twee nachten in Antons bed doorgebracht en dat mag beslist geen gewoonte worden.

'Kan Lukas weer bij jou blijven?'

'Stomme vraag. Natuurlijk.'

'Bedankt. Er komt echt wel weer een eind aan, dat beloof ik je. In het weekend gaat hij naar Lin, die vieren Sinterklaas met hem.'

'Ik heb geen last van Lukas. Maar om jou maak ik me wel zorgen.'

'Anton, je zwamt. Met mij is alles goed.'

Ze omhelzen elkaar. Mona denkt niet graag aan de onopgeruimde woning waar ze nu naartoe moet. Misschien kan Anton haar zijn werkster eens lenen. Dat heeft hij haar al vaak aangeboden, maar ze heeft dat steeds afgewezen. Die stomme koppigheid ook.

Als ze ten slotte zonder handschoenen in de ijskoude auto zit en haar vingers bijna aan het stuur vastvriezen, vraagt ze zich niet voor het eerst af waarom ze tot nu toe altijd voor de moeilijkere weg gekozen heeft als ze

ook een veel gemakkelijker had kunnen kiezen. Is dat karma of dom-
heid? Daarover zit ze nog een tijdje te prakkiseren tot ze eindelijk een
parkeerplaats op vijf huizenblokken van haar eigen woning gevonden
heeft. En daarom merkt ze ook niet dat ze door iemand gevolgd wordt.

21

De laatste tijd voelt Berit zich als een magneet tot het meer aangetrokken, alsof in de duistere diepte ervan, die inmiddels door een dunne ijskorst bedekt wordt, het antwoord op haar vragen te vinden is. Ze gaat dagelijks naar het meer. Meestal naar de bootsteiger, waar in dit jaargetij geen schip meer aanlegt, maar de meeuwen op de planken kou zitten te lijden en onder gekrijs protesterend opvliegen zodra ze dichterbij komt, om dan achter haar rug weer doodgemoedereerd neer te strijken. De grijze houten balken kraken dof onder haar stappen, door de kou krijgt ze tranen in haar ogen, maar het weidse uitzicht over het verstilde wateroppervlak heeft iets rustgevends voor Berit, die altijd nog het liefst alleen is, 's nachts slecht in slaap komt en last heeft van angsten waarvan ze de oorsprong niet kent.

Ook vandaag spijbelt ze tijdens het rustuur om een wandeling naar de steiger te maken. Al na enkele meters merkt ze dat er iets in de lucht hangt. Het hangt met het weer samen. Het is warmer en winderiger dan in de afgelopen kille, nevelige dagen. Berit heft haar hoofd op. Tussen de wolkenflarden door komt af en toe de zon tevoorschijn. Ze verlaat het internaatsterrein door de gemetselde poort, slaat de hoofdstraat van Issing in en loopt langzaam bergafwaarts richting meer. Wat ze doet, is niet toegestaan, maar daar trekt Berit zich al een tijdje niets meer van aan. Na alles wat er gebeurd is, kan ze verboden niet meer serieus nemen. Verboden zijn alleen maar zinnig als je de handhaving ervan kunt controleren. Dat doet echter nauwelijks iemand in Issing, en nu al helemaal niet.

Iedereen, van eersteklasser tot rector, is door de gebeurtenissen van de afgelopen weken onzeker geworden. Enkele ouders hebben aangekondigd hun kinderen van school te halen, als 'die zaak' niet direct wordt opgehelderd. Uiteindelijk heeft niemand dat werkelijk gedaan, maar alleen de dreiging al was voldoende om het klimaat nog meer te verslechteren. Wantrouwen en radeloosheid heersen alom, vriendschappen zijn verbroken en dat is allemaal de schuld van Danner.

Het spijt me, denkt Berit, maar zo is het nu eenmaal. Vaak discussieert ze in gedachten met Danner. Dan schieten haar altijd de beste argumenten te binnen. Maar als die dan tegen het licht worden gehouden, blijken ze regelmatig hol en krachteloos te zijn. En niet alleen omdat Danner retorisch beter onderlegd is. Maar ook omdat Berit in haar groep geen steun vindt. Peter, Strobo, Marco en Sabine vereren Danner nog even hevig en de rest van de kameradengroep kan het allemaal niks schelen.

Ze komt bij de steiger aan. Die is leeg, afgezien van de meeuwen en een man in een dikke zwarte gewatteerde jas, die helemaal aan het eind staat en naar het meer kijkt. Berit overweegt nog om te keren – ze wil de steiger niet met anderen delen – als de man zich omdraait en op haar af loopt.

Het is Danner.

Ze blijft als verlamd staan.

Danner is de laatste die ze nu wil zien. Ze weet niet waarover ze met hem moet praten, zo helemaal alleen. Zoals zo vaak als ze Danner ontmoet, is haar hoofd leeg zodra ze de gelegenheid heeft eindelijk te zeggen wat haar op het hart ligt.

Het is alsof hij op haar gewacht heeft. Maar dat kan niet, want ze gaat op heel verschillende tijdstippen naar het meer. En tot nu toe is ze hem nog nooit tegengekomen. Het kan dus alleen toeval zijn. Maar zo verrassend is het nu ook weer niet, als je bedenkt hoe weinig mogelijkheden hier zijn om je vrije tijd door te brengen. Bij koude en slecht weer geldt dat pas echt. Er zijn twee restaurants, diverse cafés die 's winters deels gesloten zijn, en de dichtstbijzijnde bioscoop is in Miesbach.

Danner loopt met grote passen, maar begint nog sneller te lopen als hij haar als vastgenageld aan het begin van de steiger ziet staan. Berit beweegt zich niet. Dat heeft geen zin, want weglopen zou zo pijnlijk zijn dat ze die aandrang direct onderdrukt.

'Ik ben blij dat ik je hier zie,' zegt Danner. Hij lacht haar volledig ontspannen toe. Berit zegt niets, omdat haar niets te binnen schiet. Ze staan tegenover elkaar alsof ze een afspraakje hebben. Ten slotte haalt Berit haar hand door haar haar. Dat voelt koud, maar aangenaam stevig en krachtig aan. Het verleent haar in elk geval nog enige zekerheid. Misschien is het werkelijk een goede zaak dat hij toevallig hier is en zij ook. Misschien is dit de kans waarop ze altijd al gewacht heeft en die ze nu moet waarnemen.

Voordat ze iets zegt, pakt Danner haar arm beet, alsof dat heel normaal is. Eigenlijk moet hij afstand bewaren tot de leerlingen en andersom; dat behoort tot de voorwaarden van zijn schorsing. Maar hij heeft zich nog nooit aan regels gehouden.

210

'Wil je een stukje met me oplopen?' vraagt hij en leidt haar al langs de steiger de al even verlaten meerpromenade op.

'Ik weet het niet.' Maar Berit laat hem haar arm vasthouden, alsof ze ermee akkoord gaat. Als ze zich niet verzet, moet ze in elk geval voor zichzelf net doen alsof ze het ermee eens is, alsof het haar eigen besluit is met hem mee te gaan. Ze mag zich niet meer zo voelen zoals zo vaak in zijn aanwezigheid het geval is. Hulpeloos, in feite. In feite aangewezen op de kracht van zijn wil.

'De journalisten,' zegt Mona, 'melden zich waarschijnlijk vanmiddag in de loop van de dag bij u. Is uw mobiele nummer bij Inlichtingen op te vragen?'

'Ik denk het wel.' Lemann zit tegenover haar op Afdeling 11. Bij de deur staat Fischer, die weliswaar nog bleek ziet, maar naar eigen zeggen weer fit is. Berghammer en Krieger staan met hun armen over elkaar tegen de dossierkast geleund.

'Heel belangrijk is dat u verrast bent. Eerst niet al te vriendelijk. Opdringerige pers, u weet wel. Hoe bent u aan mijn nummer gekomen en zo.'

'Natuurlijk.'

'U geeft *AZ, tz, BILD* en *SZ* interviews. U laat zich ook fotograferen. Ze zullen u ook vragen of ze uw naam op mogen schrijven. Ik hoop in elk geval dat ze dat doen. Als ze dat niet vragen, moet u zelf het gesprek in die richting leiden.'

'Hoe dat zo?'

'Omdat ze uw naam anders uit mededogen afkorten. Dat is gebruikelijk. Maar dan zou alles voor niets geweest zijn.'

Alle aanwijzingen leiden naar Lemann. Naar hem en Danner, om precies te zijn, maar Danner wordt al weken bewaakt, en tot dusverre heeft niemand geprobeerd hem iets aan te doen. Daarom is Lemann haar laatste kans. Haar lokaas, voor het geval Felicitas Gerber kranten leest. Het is in elk geval een kansje. Als ze de naam van Lemann heeft, dan hoeft ze alleen nog maar in een recent telefoonboek te kijken. Daarin staat zijn adres.

'Weten de journalisten ervan?'

'Nee! Het moet zo lijken alsof het een vergissing van onze kant was dat ze aan uw naam gekomen zijn.'

'Hoe hebt u dat geregeld?'

'Aantekeningen "vergeten" na de persconferentie, toen iedereen er nog was. Op een vel papier staat in grote letters uw naam. Ik hoop dat het gewerkt heeft.'

'Wat moet ik tegen ze zeggen?'

'De waarheid. Dat u met alle slachtoffers nauw bevriend was. Dat u gisteren pas over hun gewelddadige dood gehoord hebt. Dat u daarna direct met ons contact hebt opgenomen om alles te zeggen wat u weet.'

'En wat weet ik?'

'Niets. Vertelt u een paar verhaaltjes over uw geweldige vrienden en hoe goed u toentertijd met elkaar omging en dat het contact al vele jaren geleden doodgebloed is. Geen details, blijft u vooral lekker vaag. Er mag u gerust het een en ander te binnen schieten. Alleen de naam Felicitas Gerber mag niet vallen. U kunt gerust ook zeggen dat u geen informatie mag doorgeven die van belang is voor de zaak.'

'Maar dan ben ik toch helemaal niet interessant voor hen.'

'Natuurlijk wel. U hebt alle doden gekend, op Saskia Danner na. Ze zijn al weken op zoek naar zo iemand, net als wij.'

'Is dat allemaal wel legaal?'

Berghammer, die tot nu toe alleen geluisterd heeft, komt tussenbeide. 'Natuurlijk. U hebt het recht interviews te geven aan wie u wilt.'

Lemann heeft donkere kringen onder zijn ogen. Net als Danner is hij binnen enkele dagen duidelijk ouder geworden.

'Ik kan niet geloven dat Felicitas zoiets doet,' zegt hij. 'Ik vind het erg ploerterig van mezelf.'

'Felicitas Gerber heeft hulp nodig, zo moet u dat zien,' zegt Berghammer. 'Ze is ziek.'

'Dat weet u toch helemaal niet.'

'Jawel,' zegt Mona. 'Dat ze ziek is, weten we. Wat we niet weten, is hoe ziek en hoe gevaarlijk ze is. En daarom moeten we haar vinden.'

'Waarom moet ik daarbij helpen? U hebt toch uw eigen methodes om mensen op te sporen. Waarom lukt het u niet zonder mij?'

'We kunnen u natuurlijk niet dwingen,' zegt Berghammer. 'Het is uw eigen beslissing. U kunt de journalisten afwimpelen. Het is uw eigen beslissing,' herhaalt hij, Lemann vaderlijk aankijkend. Berghammer is groot en breedgeschouderd, Lemann ziet er naast hem met zijn slanke, pezige gestalte als een teer poppetje uit. 'U hebt de gelegenheid om mee te werken. Of u het ook doet, is uw zaak.'

'Wat gebeurt er met Felicitas, als u haar... hebt?'

'Ze is voorlopig getuige, meer niet. Ze wordt door de identificatiedienst gecheckt. Haar alibi's worden gecontroleerd. Misschien heeft ze niets met de zaak van doen. We zullen zien. U hoeft nergens bang voor te zijn. U en uw familie zijn in veiligheid.'

'Dat betekent dat er agenten in ons huis komen?'

Mona zegt: 'Ja, dat hebben we inderdaad besproken. Uw telefoon wordt afgeluisterd. Er zijn altijd agenten aanwezig, dag en nacht. U wordt 24 uur per dag bewaakt.'
'Dat bevalt me niks. En mijn gezin ook niet.'
'We hebben geen keuze. U loopt gevaar, en wij moeten u beschermen.'
'Maar als ik open en bloot als kroongetuige in de krant sta, dan kan de dader toch wel bedenken dat ik bewaakt word?'
'Klopt,' zegt Berghammer. 'Maar dat risico moeten we op de koop toe nemen. Dat het een schot in eigen doel is, zogezegd.'

'Ik zal je een weg laten zien die je gegarandeerd nog niet kent,' zegt Danner. Hij heeft Berit al geruime tijd geleden bij de hand genomen en leidt haar trefzeker door het struikgewas langs het woeste deel van de oever.
'Hier is toch niets,' zegt Berit geïrriteerd. Er hangen verdroogde bladeren en takjes in haar haren, haar handen zijn ijskoud omdat ze geen handschoenen bij zich heeft en haar voeten voelt ze nauwelijks nog. Het is echt niet te begrijpen wat ze hier doet. Waarom laat ze zich door een man die ze niet eens vertrouwt door de omgeving sleuren?
'Rustig maar, we zijn er bijna.'
Maar Berit kan niet rustig blijven. Ze heeft opeens het gevoel dat ze nooit meer uit dit struikgewas vandaan komt. Maar dan staan ze opeens voor een volledig open, met zand opgehoogd oevergedeelte. Twee tafels van ruw hout met banken zijn in de grond geplaatst, daarnaast staat een primitieve stenen grill.
'Bijna niemand kent dit hier,' zegt Danner. Hier zou ooit een camping komen, maar de uitbaters kregen geen toestemming.'
'Aha.'
'En toen is alles eromheen dichtgegroeid.'
'Zo zo.'
'Ik kwam hier vroeger vaak met Saskia.'
'Hm.' Berit gaat op een van de banken zitten, met haar rug tegen de tafel aan geleund. Ze is niet bang meer. Voor het eerst sinds weken voelt ze zich zelfs relatief goed. Dat is verbazingwekkend, en ze voelt een raadselachtige dankbaarheid.
Danner gaat naast haar zitten, in dezelfde houding als zij. Zonder haar aan te kijken, zegt hij: 'Ik denk dat we ze afgeschud hebben.'
'Wie?' vraagt Berit.
'De politie,' zegt Danner. 'Ik word al weken in de gaten gehouden. Ze denken dat ik dat niet merk.'
Berit geeft geen antwoord, want Danner heeft hun dat al tweemaal ver-

teld, zogenaamd terloops op zijn eigen opschepperige manier. *Ik word in de gaten gehouden.* Er valt een korte, ongemakkelijke stilte.

'Ik wil met je over Saskia praten,' zegt Danner opeens. Het lijkt of de woorden hem moeite kosten.

Merkwaardig. Opeens wil Berit er niets meer van horen. De angst klopt weer bij haar aan, eerst als een vervelende herinnering aan een rotgevoel waar ze inmiddels overheen dacht te zijn.

'Jij bent de enige die dat kan begrijpen.'

De angst groeit en kruipt Berits buik in, die heel licht en nauwelijks merkbaar ineenkrimpt. 'En waarom zou uitgerekend ik dat begrijpen?'

'Ben je bang?'

'Nee.' Maar ze weet dat dat een leugen is.

'Jawel, je bent bang. Omdat je iets over de liefde te weten zult komen wat je in geen boek kunt nalezen en in geen film kunt zien, omdat geen schrijver en geen regisseur zich aan het onderwerp willen wagen.'

Berit zegt niets. Er zijn massa's boeken en films over mishandelde vrouwen.

'Er zijn massa's boeken en films over mishandelde vrouwen, dat weet ik ook wel. De man heeft het altijd gedaan. Maar ik heb het over liefde. Ik hield van Saskia.'

Berit schuift een stukje van hem weg. Danner lijkt opeens een imposante gedaante naast haar, alsof hij de laatste seconden op geheimzinnige wijze gegroeid is, alsof zijn gedaante de hele omgeving beheerst, inclusief haar eigen gedachten, alsof hij de kracht heeft zelfs haar gevoelens aan de zijne aan te passen.

'Wanneer hebt u haar voor het eerst geslagen?' Zelfs haar stem klinkt ieler en zwakker in zijn aanwezigheid. Maar ze is er trots op deze vraag gesteld te hebben.

Danner draait zich naar haar toe. Dat is het ogenblik waarvoor ze bang geweest is, want nu dreigt hij haar te overweldigen. Maar ze ontwijkt zijn blik niet. Haar gezicht is bleek en voelt door de kou ingevallen aan, haar oren doen pijn, haar lippen beven.

'Ik weet dat mijn liefde ontoereikend geweest is. Het was een armzalige poging, maar toch, het was een poging.'

Danners ogen boren zich letterlijk in de hare. Voor het eerst ziet ze dat hij groene ogen heeft. Zo groen als licht mos. Dan draait hij zich met een geïrriteerde handbeweging weer van haar weg, alsof hij wil zeggen dat het volstrekt geen zin heeft met iemand zoals zij om te gaan.

Ze kent deze truc. Hij doet dat vaak als iemand hem tegenstand biedt, en bereikt daarmee dat je je als een idioot gaat voelen.

'Wat hebt u geprobeerd?'

Danner staart opnieuw naar het meer. Door de wolken, die nu weer duister en laag boven het meer hangen, lijkt hij bijna zwart.

'Mij te vergeten. Alles waaruit ik besta in een ander mens te laten opgaan. Alles te geven.'

'Dus dat verstaat u onder liefde.'

'Zeker. Jij niet?'

Berit weet niet wat ze daarop moet zeggen. Eerlijk gezegd heeft ze nooit veel over liefde nagedacht. In Issing gaat het veel meer om de praktische varianten. Er zijn enkele stellen die al jarenlang samen zijn, maar die spelen nauwelijks een rol. Die trekken zich in hun eigen wereldje terug. Je ziet ze soms vrijend bij de trap van het hoofdgebouw staan, en op feestjes dansen ze altijd alleen met elkaar. En al snel interesseert niemand zich meer voor hen. Als liefde zo verveeld maakt, dan is Berit er eigenlijk niet erg begerig naar.

Aan de andere kant zijn er nachten dat ze Strobo zo mist dat ze nauwelijks in slaap kan komen.

'En? Hoe denk jij over de liefde?' vraagt Danner met een merkwaardig dwingende ondertoon.

'Ik weet het niet,' zegt Berit aarzelend. Zoals zo vaak voelt ze zich verplicht iets interessants en origineels te zeggen, waardoor Danner haar bewonderend zal bijvallen. Maar er schiet haar niets te binnen. 'Ik weet het niet,' zegt ze weer. En dan, zonder er diep over na te denken: 'Wat wilt u eigenlijk horen?'

Danner antwoordt niet. Berit heeft hem teleurgesteld. Ze is net als alle anderen, een aardige, leuke, naïeve tiener. Niets bijzonders, niets aparts. Ze is een doorsnee jongere. Al die dingen meent ze in Danners zwijgen te horen, en opeens komt de oude woede weer naar boven. Weer laat ze zich manipuleren, weer lukt het haar niet zichzelf te zijn.

'Misschien,' hoort ze zichzelf zeggen, 'maakt u te veel gedoe van de liefde. Misschien had u Saskia gewoon als mens moeten nemen en waarderen. Misschien hebt u zich er te veel van voorgesteld. Van Saskia en hoe ze moet zijn en hoe jullie allebei moeten zijn.' Ja, dat is het. Hij stelt zich er te veel van voor. Hij gelooft dat liefde iets reëels is, niet zomaar een fantasie, de interpretatie van een gevoel.

Danner draait zich naar haar toe, met zijn handen diep in zijn jaszakken, en kijkt haar opnieuw aan. Berit merkt opeens dat hij geen woord gehoord heeft van wat ze gezegd heeft. Zijn blik is veranderd. Er ligt iets onaangenaam stars in en tegelijkertijd lijkt het alsof hij haar helemaal niet ziet. De angst overweldigt haar als een vloedgolf, en ditmaal is die sterker dan eerst. De angst vertroebelt Berits gedachten, ook al houdt ze zichzelf voor dat Danner haar niets kan aandoen, niet nu, niet hier, niet midden op de dag, niet midden in haar vertrouwde omgeving, niet in zijn situatie. En toch zou Berit nu willen opspringen en weglopen, maar ze kan zich tegelijkertijd niet bewegen.

'Ware liefde is onverbiddelijk, Berit. Dat is de goddelijke vonk ervan. De liefde is er niet tevreden mee er alleen maar te zijn, alleen te genieten. Ze vraagt en eist.'

'Ik denk dat liefde moet vergeven.' Godsdienst, derde klas, dr. Schild. *Liefde is lankmoedig en hartelijk.*

'Stom christengezwets.'

'Wat?' Zoiets heeft hij nog nooit gezegd. Danner gebruikt zelden krachttermen. Berit schuift op de bank heen en weer. De verstijving was iets verminderd en ze wil nu alleen nog maar weg. Maar Danner is opgesprongen en loopt met zijn lange, krachtige passen voor haar te ijsberen. Nog nooit heeft ze hem zo meegemaakt, zo buiten zichzelf.

'Saskia was mijn vrouw, en ik was haar man. We hebben het elkaar niet makkelijk gemaakt, maar we hebben het doel nooit uit het oog verloren.' Dat klinkt even onweerlegbaar als een preek. Het is gaan waaien. De wind is milder dan de afgelopen dagen, en het begint zachtjes te druppelen. Berit huivert, maar ze zegt niets. Ze weet dat Danner haar nu niet laat gaan. Hij moet het eerst kwijt, wat het ook moge zijn.

'Ieder mens is in zijn bestaan gedetermineerd. Alle ontmoetingen zijn dus door het lot bepaald. Mensen reageren op elkaar als chemicaliën, al naar gelang hun karakter steeds op dezelfde wijze. Deze dwangmatigheid wordt liefde genoemd. Of haat. Of onverschilligheid. Al naar gelang de omstandigheden. Saskia en ik hebben samen alle denkbare chemische reacties doorlopen.'

Berit denkt aan scheikunde, een vak waarin ze slecht is, zoals de meeste andere meisjes. Ze ziet haar leraar voor zich, een kleine dikke man, die vloeistoffen in reageerbuisjes giet en daarmee de meest uiteenlopende effecten bereikt. Soms schuimvorming, soms verkleuring, soms vorming van een neerslag, soms gebeurt er ook niets. Het is onderhoudend, maar meer niet. Het lukt haar nooit het verband tussen deze verschijnselen en de formules op het bord te begrijpen. Als zij en Strobo samen zijn, wat gebeurt er dan, chemisch gezien? Een soort versmelting, een soort elektrische ontlading? Alle energieën verbinden zich met elkaar en vormen een mega-energie. Een wit licht dat naar binnen straalt. Maar dat is eerder een natuurkundig gebeuren. Ze zwijgt verward, maar Danner praat ondertussen gewoon door, alsof haar mening hem niets interesseert.

216

'We hadden de fase van de passie, de fase van de ontnuchtering, de fase van de strijd, de fase van de berusting in de situatie. Onze relatie stond op het punt alledaags en saai te worden.'
'En daar kon u niet tegen.'
'Klopt,' zegt Danner. Hij gaat weer naast Berit zitten en legt zijn hoofd met gesloten ogen in zijn nek, naar de grijze hemel toe, alsof hij zit te zonnen. 'Geen man houdt dat uit, daar kom je nog wel achter.'
'En daarom hebt u haar...' Ze krijgt het woord niet over haar lippen.
'De mensen zeggen dat geen mens alles zijn kan voor een ander. Maar ik verlang dat wel, begrijp je, Berit? Wie zich met mij inlaat, doet dat met zijn hele wezen. Ik heb me met mijn hele wezen met Saskia ingelaten. Geen enkel slippertje in al die jaren. Maar zij heeft zich daarentegen voortdurend aan mij onttrokken.'
'Maar ze was er toch altijd,' werpt Berit tegen.
'Ze was er, maar ze was in gedachten ver weg. Ze heeft me nooit laten deelnemen aan wat er in haar omging.'
'Misschien was ze bang.'
Danner schudt geïrriteerd zijn hoofd. 'Waarvoor zou ze dan bang geweest moeten zijn?'
Berit denkt het opeens te begrijpen. Het is simpel. Danner had een beeld van zichzelf: vrijheidslievend, begripvol, tolerant. Hij geloofde daar echt in. Maar Saskia kende een heel andere man. Een man die raasde en tierde als ze zich kleine vrijheden permitteerde. Een man die zichzelf ondanks al zijn fraaie theorieën niet onder controle had.
'Waarom hebt u Saskia geslagen?'
'Ik heb haar niet geslagen. Af en toe is mijn hand uitgeschoten.' Berit zegt niets. Ze weet dat het niet waar is, en Danner weet dat zij het weet. Ze heeft het immers gezien. Zijn uitdrukkingsloze gezicht, zijn holle blik, zijn woedende afranselingen. Danner draait zich naar haar toe en pakt haar bliksemsnel bij haar polsen beet. Berit wil zich losrukken, maar hij is veel sterker dan zij.
'Saskia en ik hadden een bijzondere relatie. Het was niet onze schuld dat die uiteindelijk verpietterde. We hadden alle reactiestadia met succes doorlopen. Het was gedaan.'
Er komt iets in Berit op, een vermoeden dat ze niet in woorden wil omzetten. Nu pas begint ze ongecontroleerd te beven. Hoe lang zit ze hier al? Tien minuten? Twee uur?
'We hebben dat allebei gemerkt, zonder erover te hoeven praten. Het was alleen nog een kwestie van de wijze waarop.'
Berit probeert een blik op haar horloge te werpen, maar dat zit tussen

haar pols en Danners vingers, waarvan de knokkels wit verkleurd zijn, zo stevig houdt hij haar vast. Zijn blik boort zich in haar ogen, en ze staart als gehypnotiseerd terug. Hij heeft lange wimpers, enkele zomersproeten en een kleine pukkel op zijn rechterslaap. Zijn pupillen zijn even klein als hagelkorrels.

'De scheiding kon niet uitblijven. Daarover waren we het eens.'

Het doet er niet toe hoe laat het is, want ze komt hier echt niet meer weg. Danner zal haar nu alles vertellen, en dat zal ze niet overleven. Hij heeft namelijk niets meer te verliezen. Zijn vrouw is dood, hij is zijn baan kwijt. Hij heeft geen toekomst, geen vrienden, helemaal niets en niemand. Het maakt hem niets uit wat er gebeurt, daarna. Hij is vrij, op een bepaalde manier. Een gevangene, op een bepaalde manier.

'Zo loopt het nu eenmaal in de wereld. Sterven en geboren worden, sterven en geboren worden. Dat geldt voor alles, en voor relaties al helemaal.'

Sterven. Voor het eerst in haar leven denkt Berit aan sterven als een reële mogelijkheid, zonder welke romantische ondertoon dan ook. Ze heeft eenmaal een dode gezien, na een auto-ongeluk, vanuit de auto van haar ouders, toen ze stapvoets langs de plaats van het ongeluk reden. Het was een jonge man die naast een volledig vernielde rode Golf lag, half toegedekt door een dekzeil, schijnbaar vergeten door de druk heen en weer lopende politieagenten, verplegers en brandweerlieden. Sindsdien weet ze hoe de dood er werkelijk uitziet. Namelijk niet zoals in de film, begeleid door dramatische, larmoyante muziek, maar nuchter, kil en banaal. Eerst was er een mens met herinneringen, verlangens en plannen, en opeens was er niet meer dan een anoniem lichaam met een gewiste harde schijf in de hersenen, dat nergens goed meer voor was. Weinig meer dan afval.

Berit ziet zichzelf met haar gezicht naar beneden liggend in een stuk bos, half opgegeten door de wormen. Ze wekt geen medeleven meer op, maar alleen nog afkeer en walging.

'Soms is een abrupte breuk beter dan een lang afscheid.'

Berit zal sterven zonder echt geleefd te hebben, zoveel is zeker. Zelfs liefde heeft ze nooit werkelijk mogen ondervinden.

Op dat moment hoort ze krakende voetstappen achter haar.

De opluchting is zo enorm, dat haar hart even stilstaat en ze bijna begint te huilen. Ze draait zich met een ruk om en Danners vingers glijden krachteloos van haar af.

'Laat haar met rust, smeerlap.'

Het is Strobo, met zijn gezicht verwrongen van haat. Nooit, nooit had

Berit kunnen dromen dat hij zoiets ooit tegen Danner, zijn geliefde leraar, zou zeggen.

'Vuile smeerlap...'

Danner springt op. Zijn gezicht is lijkwit. Hij maakt een verontschuldigend gebaar met zijn hand, maar Strobo let niet meer op hem. Hij pakt Berit zachtjes bij haar schouder.

'Sta op, we gaan.'

Strobo pakt Berits hand en trekt haar omhoog. Zijn zachte handschoenen voelen heerlijk warm aan. Haar benen zijn stijf en koud, en ze is een moment lang bang dat die onder haar wegglijden. Maar dan kan ze toch een stap zetten, ja zelfs lopen. Achter Strobo aan door het struikgewas, weg van hier. Alles vergeten. Dat eerst.

22

In het huis van Felicitas Gerber ruikt het naar een onopgemaakt bed, bedorven levensmiddelen, koude rook en nog iets anders, iets ondefinieerbaars. Eenzaamheid, denkt Fischer en schudt dan onwillekeurig zijn hoofd over zichzelf en zijn zonderlinge ideeën.

De woning ligt aan de achterzijde van een grijs jaren zestig-gebouw en bestaat uit een smalle gang, met rechts twee kamertjes en links keuken en badkamer. De ene kamer is voor de helft felgeel geschilderd, de emmer met de verdroogde verfrestanten staat open onder het raam. Er staan maar weinig meubels, en die wekken de indruk van het grofvuil afkomstig te zijn. Een tafel met drie plastic stoelen en een groen gelakte buffetkast in de eerste kamer, een smal oud houten Ikea-bed en een Ikea-garderobekast in de tweede. Het beddengoed ligt op de grond, het laken ziet er smoezelig uit. Het goedkope grijze tapijt zit vol vlekken en brandgaten.

Fischer opent de ramen, hoewel het buiten koud is. Het is een soort reflex, en hij begrijpt zichzelf niet helemaal. Hij is al in zoveel woningen geweest waar de toestand veel erger was, maar die vond hij niet zo deprimerend als deze. Er is veel dat hem de laatste dagen deprimeert. Het feit dat hij Schacky niet beschermen kon omdat hij bij de ondervraging niet gemerkt had dat die iets te verbergen had. Dan de naweeën van zijn buikgriep. Hij heeft nog steeds geen eetlust en is minstens vijf kilo afgevallen. Zijn spijkerbroek hangt slap om zijn heupen en hij voelt zich lusteloos.

'Hans, is er iets?'

Fischer staat tegen de vensterbank aan geleund en slaakt een geïrriteerde kreet. Hij heeft frisse lucht nodig, en wat dan nog? Uiteindelijk draait hij zich om. Seiler staat vlak achter hem.

'Gaat het goed met je?'

'Zeker.'

'Doe dan het raam alsjeblieft dicht. Het is ijskoud.'

Maar Fischer heeft geen last van de kou, eerder van het tegendeel, van een smerige muffe warmte. En dat brengt hem nog meer van slag, omdat hij de laatste dagen toch al het idee heeft overal buiten te staan. Niet meer zo te functioneren als de rest van de wereld.

Gehoorzaam sluit hij het raam, terwijl hij de vragende, kritische blik van Seiler in zijn rug voelt.

Maar als hij zich weer omdraait, is ze er opeens niet meer. Een moment lang staat hij roerloos in de kamer, niet wetend wat te doen. Dan ziet hij in de hoek van de kamer een met plastic zeil afgedekt, bijna tot de heupen reikend iets. Hij trekt het zeil voorzichtig naar beneden en ziet een leemkleurig, half afgemaakt vat.

'Mona,' roept hij, zonder precies te weten waarom.

'Ja?'

'Kom eens.'

'Zo meteen.'

Fischer bekijkt de pottenbakkersschijf en de schaal erop en begint het opeens te begrijpen. Hij gooit het zeil dat hij nog steeds in zijn hand heeft achteloos achter zich neer en knielt op de grond. Achter de schijf, tussen twee in plastic folie gewikkelde blokken met verse vochtige klei bevindt zich een draad met daaraan twee primitieve houten grepen.

'Wat is er,' vraagt Seiler achter hem. 'Heb je iets interessants gevonden?'

Nog altijd op zijn knieën zittend kijkt hij glimlachend naar haar op.

'Ken je die film met die pottenbakker die zijn gezin met een draad van kant maakt?'

'Wat?'

'Een horrorfilm. Die heb ik gezien toen ik twintig was of zo.'

'Ja, en?'

Fischer houdt de draad met de beide grepen voor haar op. Seiler neemt die verbijsterd in haar hand. 'Verdomme nog aan toe, Hans. Daar hebben we ons moordwapen.'

'Tja,' zegt Fischer. De ellende van de afgelopen dagen is vergeten. Hij had gelijk met het moordwapen.

'Dat ding zit vol...'

'Kleikruimels,' onderbreekt Fischer haar tevreden. 'Zie je die schaal? Die kleeft als lijm op de schijf, en dat moet ook, anders kun je er niet mee werken. Die krijg je zonder deze draad niet los. Je legt die op de ondergrond en trekt hem naar achteren.'

Seiler lacht. 'En dat heb je allemaal uit die horrorfilm?'

'Het ging over een pottenbakker, een heel vredelievende man, die met zijn gezin een spookhuis bezocht. Toen kwamen er klopgeesten die hem helemaal krankzinnig maakte, zoals in *The Shining*. Dan verschijnt zijn overgrootvader voor hem, die geëxecuteerd werd...'

'Met een garrot,' zegt Seiler.

Fischer lacht. 'Ja, precies. En op een dag draait die pottenbakker helemaal door. Hij vermoordt eerst zijn vrouw en dan zijn beide kinderen. Hij moordt op dezelfde manier als zijn overgrootvader vermoord werd.'

'Met zo'n draad.'

'Ja, als een soort surrogaat voor de garrot. Maar het wordt een verschrikkelijk smerige troep. De hoofden zijn helemaal tot de halswervelkolom doorgesneden.'

'En daar keek jij op je twintigste naar... Geen wonder dat je altijd zo warrig doet.'

Fischer hoort het grootmoedig aan. 'Dus dan hebben we Gerber.'

'Dat zou mooi zijn,' zegt Mona. 'Alleen is ze nog voortvluchtig. En we hebben slechts vermoedens.'

Berit heeft een stoel onder de deurklink gezet en er twintig boeken op gestapeld. Niemand kan de deur nog van buiten openen.

Ze draait zich naar Strobo toe, die op haar bed ligt en haar aankijkt. Zijn blik is zo puur en oprecht, zo nieuwsgierig en zonder angst, dat ze een moment lang bijna schuchter is. Dan neemt ze opeens het besluit dat alles wat er vanaf nu gebeurt, in orde is. En dat ze, om van dat besef te genieten, alle tijd van de wereld moet nemen.

Berit doet waar ze bang voor is. Ze stelt zich aan Strobo's blik bloot, aan zijn oordeel. Omdat ze vanavond moet weten wat hij echt van haar vindt. Ze is nu zo geconcentreerd dat ze alles zal registreren, elke verkeerde toon, elke kritische expressie. Hij zal haar niets op de mouw kunnen spelden. Langzaam trekt ze haar trui uit. Het is een zwarte trui van kasjmier, zo zacht als een tweede huid. Daaronder draagt ze niets.

'Kom hier,' zegt Strobo. Hij probeert te glimlachen, maar zijn blik blijft ernstig en gefascineerd. Berit glimlacht en trekt haar rok, haar panty en schoenen uit. In de hele kamer branden kaarsen, op tafel tussen de twee bedden, op de vensterbanken, op de kast, op de boekenplank boven het bed, op het bureau. Het zorgt voor een magisch licht, dat haar mooier en tegelijk onzeker maakt, omdat alle grenzen dreigen te vervagen in het flakkerende licht en de wisselende schaduwen.

'Kom,' zegt Strobo weer, met een hesere, verstikt klinkende stem. En dan laat ze zich vallen.

'Kleed je uit,' zegt Berit zachtjes en moet bijna lachen om de haast waarmee Strobo haar opdracht uitvoert. Maar ze houdt zich in, omdat ze voelt dat seks met Strobo niet grappig mag zijn. Nog niet. Buiten lopen leerlingen langs haar deur, iemand schreeuwt: 'Stommeling, pas toch op,' maar Berit hoort niets, behalve haar hartslag.

Ze knielen naakt voor elkaar en heffen langzaam hun armen op. Ze weten hoe extatisch het moment zal zijn waarop ze elkaar voor het eerst aanraken. Ze willen dat nog wat uitstellen. Uiteindelijk strekt Berit haar armen naar Strobo uit, en het volgende moment drukken ze zich tegen elkaar aan alsof ze uitgehongerd zijn.

'O god, Berit,' zegt Strobo zacht, en dan, als in een droom: 'Ik ben in je.' Er ontsnapt hem een woordenvloed, terwijl hij en Berit een gemeenschappelijk ritme vinden. 'Schatje, liefje, lieverd, ik wil urenlang met je neuken, je bent zo geil, zo zacht, zo mooi, alles is mooi aan jou, alles...' Ze willen de tijd nemen, maar het lukt niet. In de laatste seconden drijft Berit op een zwarte stroom naar het niets, en ze slaakt een angstige zucht omdat er gevoelens in haar opkomen die sterker zijn dan zij en waarvan ze het bestaan nooit vermoedde.

Later stoppen ze zich allebei vol met dik beboterde boterhammen met Nutella. Dan roken ze. Dan doen ze het opnieuw met elkaar, op het laken vol kruimels, giechelend en geil.

Dan praten ze. De ene na de andere kaars dooft, het is bijna bedtijd, Strobo moet allang weg, maar ze kunnen geen afscheid van elkaar nemen.

'Ben je gelukkig?'

'Stomme vraag.'

Er staat niets meer tussen hen in, niemand kan ze meer uit elkaar halen.

Anderhalf uur later parkeert Mona haar auto minstens een halve kilometer van haar woning vandaan. Buiten motregent het, de sneeuw smelt op de straten en drupt van de daken. Mona pakt haar aktetas die vandaag tweemaal zo zwaar is als anders, omdat er meer dan twintig zwarte schriften in zitten. Het zijn de dagboeken van Felicitas Gerber, die Mona en Fischer helemaal onder in het dressoir gevonden hebben, goed verborgen onder kopjes met afgebroken oortjes, oude Tipp-Ex-flesjes, tubetjes secondelijm en uitgedroogde viltstiften. De aantekeningen zijn ongedateerd, dat hebben ze al gezien, maar in een keurig, goed leesbaar schoolmeisjeshandschrift opgesteld.

Het is half twaalf en misschien heeft Mona nog een lange nacht voor zich. Dat hangt ervan af hoe interessant de notities zijn. Misschien verliest Felicitas Gerber zich uitsluitend in waanideeën, en dan was alle moeite voor niets; misschien beschrijft ze de voortgang van de misdrijven waarvan ze verdacht wordt, en dan kunnen de dagboeken het belangrijkste bewijs worden waarover Moordbrigade 1 voorlopig beschikt. Mona neemt de aktetas in haar rechterhand en de paraplu in haar linker,

223

en terwijl ze dat doet, valt haar sleutelbos uit haar hand op de natte straat. Vloekend legt ze de aktetas op het ook al natte autodak en bukt naar de sleutelbos. Haar handen beven enigszins als ze die uit de goot oppakt. Opeens meent ze een geluid te horen, alsof iemand heel dicht bij haar is. Maar het zijn vast en zeker de zenuwen die haar voor de gek houden. Ze is doodmoe, wat in deze fase van het onderzoek normaal is. Dergelijke perioden vol stress gaan niet ongemerkt aan je voorbij. Je denkt er plotseling niet meer over na of je genoeg slaapt krijgt of goed eet. Dat is allemaal bijzaak, als de eerste successen zichtbaar worden en het eind in zicht is.

'Je bent gewoon te naïef, je merkt het helemaal niet als die kerels je gebruiken.' Ze stond zwijgend voor haar moeder, die het weer eens voor elkaar gekregen had haar het gevoel te bezorgen dat ze lelijk en dom was. Ze was een nul, een nietswaardige nul. Iedereen was gelukkiger als zij er niet zou zijn. In elk geval niet zoals ze nu was. Mollig, met een slechte huid en een karakter dat mensen schrik aanjoeg.

Die 'zij', dat moest Felicitas Gerber zijn. Of toch niet? Wie is er zo gek over zichzelf in de derde persoon te schrijven, alsof het om heel iemand anders ging? Een moment lang is Mona bang dat ze met een slechte grap opgescheept zit. Stel dat de naam Felicitas nergens opduikt? Stel dat het inderdaad niet over haar gaat? Stel dat Gerber alleen haar literaire probeersels aan het papier toevertrouwd heeft? Stel dat ze de geschriften op de rommelmarkt heeft gekocht?

Ze kende de liefde uit boeken en films. Ze was gelukkig toen Rhett Butler en Scarlett O'Hara bijna bij elkaar gekomen waren in die wilde nacht waarin Rhett Butler zich niet meer kon inhouden en Scarlett zo nam zoals hij haar allang begeerde: hartstochtelijk, bruut en meedogenloos. Ze huilde toen Rhett tijdens Scarletts zware ziekte aan haar bed waakte. En ze kon het nauwelijks aanzien dat Rhett Scarlett vanwege die verschrikkelijke misverstanden toch verliet. Omdat hij er genoeg van had te lijden. Omdat Scarlett te laat erkende dat hij de enig juiste voor haar was.
Zij zocht een dergelijke liefde in haar eigen leven, maar die was er niet. Liefde zag er in haar leven zo uit: zij zette zich in voor mensen, en de mensen lieten zich haar aanwezigheid in het beste geval welgevallen. Niemand zocht ooit haar vriendschap, haar genegenheid. Hoe kwam dat? Ze wist het niet. Ze bekeek zichzelf in de grote spiegel in de slaapkamer van haar ouders en zag een meisje dat in niets van andere meisjes van haar leeftijd verschilde.

Dat wat haar anders en vreemd maakte, was dus onzichtbaar. Misschien moest ze leren deze eigenschap als kwaliteit en niet langer als gebrek te beschouwen. Maar terwijl ze daarover nadacht, wist ze al dat ze zich iets inbeeldde. Liefde ervoer ze alleen in bed, op de achterbank van auto's, op afgelegen plekjes in het bos, stoned of dronken. Op de momenten dat jongens zich in haar verloren, zichzelf vergaten, als hun gezichten enkele minuten lang een tedere, intense uitdrukking bezaten.

Haar herinneringen aan haar jeugd vertoonden tal van lacunes. Ze herinnerde zich een meisje uit haar buurt dat een paar jaar ouder was dan zij en dat ze bewonderde. Ze liepen dezelfde weg naar school en steeds als ze elkaar tegenkwamen, had ze het meisje vol hoop toegelachen. Nooit was haar lach beantwoord.

Toen ze acht jaar was, had ze twee vriendinnen, die bij onenigheid altijd samen tegen haar partij kozen, en dat met een gemeen gezicht, omdat ze wisten hoe kwetsbaar ze was. Omdat ze ervan genoten haar pijn te doen. In twijfelgevallen was ze altijd alleen.

Zo gaat het bladzij na bladzij, een eindeloze stroom gefrustreerde ervaringen met andere mensen. De ordening wordt bemoeilijkt doordat niet te bepalen is wanneer iets geschreven is. Tot nu toe heeft Mona geen woord over Issing, Portugal, Simon, Schacky of Danner gevonden. Het is ondertussen drie uur 's nachts. Mona zit op de grond met de dagboeken om zich heen, en haar ogen vallen bijna dicht. Ze moet morgenvroeg verder gaan.

Morgen? Vandaag!

Geeuwend pakt ze weer een van de schriften – het laatste voor vandaag, zo neemt ze zich voor – en werkt zich door de vergeelde, in keurig vulpenschrift volgepende bladzijden heen. Aan het identiek blijvende schrift valt in elk geval vast te stellen dat de schrijver steeds een en dezelfde persoon is.

Zwarte holen in witte rotsen. Het zand was zo heet dat het zelfs door de leren zolen van haar sandalen heen leek te branden. Ze wist nu dat ze bij het doel was, en op hetzelfde moment nam de angst, haar vertrouwde begeleider, weer bezit van haar. Misschien was ze helemaal niet welkom. Misschien had Simon de uitnodiging niet werkelijk serieus bedoeld. Maar waarom had hij haar dan zo precies de weg gewezen, waarom had hij haar diverse keren laten beloven dat ze werkelijk zou komen?

Ze glimlachte bij de herinnering daaraan en begon sneller te lopen. Ze voelde dat haar hele leven de komende weken zou veranderen. Ze was klaar voor dit avontuur. Het begon met een kleine teleurstelling, toen ze de grot vond waarin Simon, Schacky en de anderen woonden. Ze leken allemaal diep in slaap. Met een gevoel van overweldigende tederheid bekeek ze hun vredige, al donker gebruinde gezichten, hun slanke, pezige, ontspannen lichamen. Ze liet opgelucht haar rugzak op de grond glijden. De zee zag er verlokkend uit in de verte en daarom trok ze haar badpak aan, wierp nog eenmaal een blik op de vrienden en liep met een handdoek naar de zee. Het koele water leek net een omarming waaraan ze zich maar al te graag overgaf. Ze dook in de golven, merkte hoe haar door zweet kleverige haren van elkaar losraakten en hoe het water het vuil van de laatste dagen van haar waste. Ze zwom een paar slagen de zee in, liet zich dan weer naar het strand drijven en ging ten slotte met haar drijfnatte lichaam op haar handdoek liggen.

Een minuut of tien later schrok ze op. Ze was in de felle zon ingeslapen en mocht van geluk spreken dat ze nog geen zonnebrand had opgelopen. Ze zocht nog eenmaal verkoeling en ging daarna terug naar de grot. Naar de anderen. Die waren inmiddels wakker. Ze verwelkomden haar vriendelijk, zij het niet overdreven enthousiast. Maar dat kon ze goed begrijpen, omdat ze onaangekondigd verscheen, en misschien hadden ze helemaal niet meer op haar gerekend. Ze moesten allemaal aan de nieuwe situatie wennen. Ze boden haar iets te drinken en te roken aan, en later gingen ze met zijn allen in de strandbar iets eten. De uitbaatster serveerde rode wijn van het huis, speciaal voor haar, en uiteindelijk werd het toch nog echt gezellig. Toen ze 's avonds in haar slaapzak kroop, wist ze dat ze het juiste gedaan had, ook al gedroeg uitgerekend Simon zich tegenover haar merkwaardig afwijzend, alsof hij er opeens spijt van had haar uitgenodigd te hebben.

De tweede dag begon laat, tegen half elf. Ze had last van een kater, en de anderen leek het niet veel beter te vergaan. De hitte buiten voor de grot was onvoorstelbaar. De wind was helemaal gaan liggen, de spiegelgladde zee glinsterde fel, de zon brandde in een wazige blauwe hemel. Ze wurmden zich kreunend uit hun slaapzakken en staken de eerste sigaretten op. Micha kookte water op de campingbrander, Simon vulde vijf bruin verkleurde mokken met Nescafé en melkpoeder. Dat was hun ontbijt. Ze moest glimlachen, hoewel Simon haar met een verbijsterende vanzelfsprekendheid vergeten had. Maar ze had uit deze mokken toch niets naar binnen kunnen krijgen. Ze besloot stilletjes later voor iets meer orde en netheid te zorgen. Het leek nu wel een zwervershol. Overal lagen smerige kledingstukken op een hoop, een plastic zak vol afval lag te stinken, het zand was met brood- en tabakskruimels vermengd. Daar zou ze zich later wel mee bezighouden. 'Ga je mee zwemmen?' vroeg Simon, die zijn zwembroek al aan had. 'Ja, graag,' antwoordde ze. 'Ik kleed me snel om.' 'Goed, wij gaan vast.'

Opeens was de holte leeg. Ze trok langzaam haar zwempak aan, dat erg nauw zat, te nauw. Mismoedig bekeek ze haar benen, die er wit en dik uitzagen, vergeleken bij de gebruinde ledematen van de anderen. Ze moest alles doen om heel snel bruin te worden, en slanker.

Ten slotte vermande ze zich en liep naar de anderen toe, die zich al zonder haar in het water vermaakten. Maar toen zag Micha haar op het strand staan, lachte haar vriendelijk toe, wierp haar de frisbee toe (die ze op wonderbaarlijke wijze opving), en opeens was alles heel gemakkelijk geworden, van de ene op de andere seconde. Ze wierp Simon de frisbee toe en stortte zich met een kreet van plezier in het water. De anderen lachten. Nu hoorde ze erbij. 's Avonds aten ze brood, kaas, salami en olijven bij het kampvuur. De fles rode wijn ging rond en als dessert was er een pijp, vol met de allerbeste Thaise wiet. De aanvankelijke uitgelatenheid maakte plaats voor een beschouwende stemming. Er ontspon zich een discussie rond het thema 'authentiek zijn'. Simon: 'Het absurde is dat de maatschappij van je eist je masker op te zetten. en daarna doet die er alles aan om dat van je af te rukken en je weerloos te maken.' Schacky: 'Het masker opzetten betekent dat je in staat bent in de wereld te functioneren. Maar er zijn altijd mensen die er helemaal geen belang bij hebben dat je functioneert.' Micha: 'Daar heb je alleen maar last van als je de wereld per se wilt bewijzen dat je volgens haar maatstaven functioneert. Maar wie zegt dat je dat moet?' Robert: 'Dat zegt iedereen. Of ze dat nou met woorden of daden doen, maakt niet uit.'

Micha: 'En ook al is dat zo, Robert, je hoeft niet elk bevel op te volgen, ongeacht van wie het afkomstig is. Je kunt jezelf zijn, in elke situatie. Je moet alleen de stap durven zetten. De stap om te zeggen: hier ben ik, authentiek, kwetsbaar en agressief. Ik. Neem me zoals ik ben of laat me gaan.'

Simon: 'En dan krijg je een klap voor je smoel. We weten toch hoe dat gaat.'

Micha: 'Dat is de vraag. Heb je het wel eens geprobeerd, Simon? Heb je welbewust wel eens gezegd: of jullie accepteren degene die jullie zien en voelen, of jullie kunnen verder dromen over een waanvoorstelling? Heb je dat wel eens gedaan of in elk geval geprobeerd?'

Simon: 'Nee. Ik heb het al vaak willen doen, maar dan komt altijd mijn hoofd tussenbeide...'

Micha: 'Je hoofd! Schakel dat toch eens uit, dat kostbare hoofd. Luister eens naar je buik. Je buik weet wat goed voor je is. Je hoofd weet alleen maar wat anderen geloven dat goed voor je is. Voor mij is het bijvoorbeeld nu goed om mijn hoofd in deze zachte schoot te leggen. Dat weet mijn buik heel precies.'

Micha legde zijn hoofd in haar schoot en glimlachte, naar haar opkijkend. Ze voelde zich heel erg goed. Iedereen leek nu dichter bij haar te schuiven, als koude magere vogels die een schuilplaats zochten. De stilte verspreidde zich, slechts onderbroken door het zachte geruis van de branding in de verte. Opeens hoorde ze de schorre, slaperige stem van Simon. 'Laten we naar zee gaan.'

Ze stonden langzaam op, met stijve ledematen. Ze voelden zich ietwat duizelig. Haar hoofd voelde heel licht, alsof het weg wilde zweven. Micha pakte haar hand, terwijl ze blootsvoets door het aangenaam koele zand naar het water liepen. Hij liep langzamer dan de anderen, en even later legde hij zijn arm om haar heen en fluisterde: 'Kom, ik weet een prachtig plekje voor ons alleen. Daar kunnen we in het maanlicht baden.'

Ze was blij over zijn aanbod, hoewel het haar op dit moment helemaal niet zo goed leek om van de groep gescheiden te worden. Ze had zich heel goed gevoeld, met de anderen samen. Maar Micha beet heel zachtjes in haar oorlelletje, waardoor een rilling van genot en begeerte door haar lichaam trok, en daarom volgde ze hem naar een rots die door kniehoog water omspoeld werd. Micha hield haar hand vast en ondersteunde haar als ze dreigde te struikelen. Uiteindelijk kwamen ze op een plateautje aan, dat inderdaad in het maanlicht ondergedompeld leek, zoals Micha beloofd had.

Toen ze terugkwamen, lagen de anderen al in hun slaapzak gewikkeld. Micha kuste haar zacht op haar mond en streek haar over haar wangen. 'Het was mooi,' fluisterde hij. Ze kon niets zeggen. Ze was gelukkig en tegelijk... Ze wist het niet. Ze schreef nog lang door in haar schrift bij het schijnsel van een zaklantaarn, terwijl de anderen sliepen. Sinds haar twaalfde of dertiende had ze de drang haar belevenissen en ervaringen te documenteren, alsof ze daaruit iets kon leren. En misschien was dat ook zo.

Op de derde dag was ze eerst geïrriteerd, omdat Micha weliswaar aardig tegen haar was, maar verder nauwelijks op haar lette. In plaats daarvan schonk Schacky haar opeens alle aandacht; hij bracht haar 's ochtends koffie in een bijna schone mok terwijl ze nog in haar slaapzak lag, zocht steeds haar nabijheid en legde voortdurend een arm om haar heen... 's Avonds reden ze naar Faro, waar ze in een groot, lawaaiig restaurant met neonverlichting mosselen in knoflooksaus aten... 's Nachts kroop Schacky in haar slaapzak, en deden ze het zachtjes, opdat de anderen niets hoorden... Micha's kussen waren ruw en hartstochtelijk geweest, die van Schacky waren vochtig en teder. Ze wist niet wat ze liever had, misschien was het allemaal even... goed. 's Avonds hadden ze erover gesproken hoe belangrijk het was ervaringen op te doen. Micha had gezegd dat ontevredenheid en pijn een kwestie van beoordeling waren. Zodra je ophield ervaringen te beoordelen, kon je niet meer ongelukkig zijn. Maar ook niet meer gelukkig, had ze daar tegenin gebracht. 'Hoezo niet? Je kunt je gelukkig voelen over alles wat je overkomt. Het is een *beslissing om het leven met open armen tegemoet te treden, zoals het is, met al zijn spannende facetten.'*

'Zeker, maar sommige ervaringen zijn mooi, andere minder mooi. Dat is nu eenmaal zo.'

'Juist niet! Dat is de fundamentele fout in de door het christendom geregeerde westerse maatschappij. We beoordelen en geven waardeoordelen omdat we in een religie geboren werden die dat tot principe verheven heeft. Beoordelen en waardeoordelen geven, in plaats van leven en accepteren wat jou overkomt.' En als ze daarover nadacht, dan moest ze toegeven dat hij gelijk had, zeker ook wat haar betrof. Waar kwam dan al die zielenpijn vandaan? Die werd erdoor veroorzaakt dat ze oordelen en waarderingen van anderen op zichzelf betrok. Anderen keken haar op een bepaalde manier aan, waaruit ze moest opmaken dat haar wezen, zoals Micha het uitdrukte, niet in orde was. Dan begon ze zichzelf door de ogen van de anderen te zien. Maar de ogen van de anderen deden er feitelijk helemaal niet toe zolang het om haar eigen leven ging. Zij was de enige die ertoe deed. En ze kon zelf vaststellen dat zij in orde was, ook al vond niemand anders dat. Dat was een enorm bevrijdend idee. Op de vierde dag was Robert aan de beurt. Ze was aan de snelle wisseling gewend geraakt; ze was, zoals Micha die dag schertsend vaststelde, de vrouw met de vijfmansharem. Micha kon bepaalde dingen zo geniaal verwoorden, dat hij daarmee deuren tot onbekende domeinen van de eigen gedachten opende. Ze lette er nu zorgvuldig op geen waardeoordelen meer te vellen, dan wel in twijfelgevallen alles positief te boordelen, en ze stelde vast dat het inderdaad werkte. Alles, echt alles was een kwestie van de beschouwings-wijze! Het leven was een lange rivier, en zij liet zich daarin voortdrijven, in plaats van voortdurend tegen stroomversnellingen te vechten, zoals vroeger. Wat werd alles opeens gemakkelijk als je ophield met prakkiseren en ermee begon uitsluitend te zijn. Liefde bijvoorbeeld. Als je je de stelling eigen maakte dat niemand een ander kon bezitten, dan openden zich grenzeloze mogelijk-heden om elkaar te ontmoeten, om liefde in pure energie om te zetten.

Robert was schuchter en duidelijk minder ervaren dan de anderen. Hij was de eerste die zij zelf naar een plekje bracht dat ze de eerste dag al ontdekt had, een comfortabel, zanderig plekje tussen twee rotsen dat net genoeg plaats bood voor twee mensen. Robert was onhandig en deed haar pijn, maar toch was het in orde zo. Toen hij klaarkwam, vertrok hij zijn gezicht, en hij kreunde zo luid dat het bijna een schreeuw was.

Zesde dag. Ze moest vandaag heel hard aan zichzelf werken, maar het was een goede oefening. Niet waarderen, niet beoordelen. Ze was alleen in het water geweest en kennelijk vroeger dan verwacht teruggekomen, want de anderen in de grot hadden haar niet opgemerkt, en zij had hen horen lachen. Ze ving flarden van woorden op, zonder dat te kunnen voorkomen. Ze lachten, en het klonk op een of andere manier anders dan wanneer zij erbij was. 'Hoe was ze bij jou?' 'Nou, vochtig en vet...' 'Hitsig...' 'Smeerlap...'

Alles leek weer twijfelachtig te zijn, maar de nadruk lag op 'leek'. Ze voelde zich goed, ze had zich de hele dag goed gevoeld, en het lag uitsluitend aan haar of dat zo bleef, of dat ze zich beledigd en gekwetst weer in zichzelf terugtrok zoals ze vroeger altijd gedaan had. Zo had ze zich altijd beschermd tegen alles wat haar kon irriteren.

Die fout zou ze in de toekomst niet meer maken. Deze vakantie, zo had ze vanaf het begin al gemerkt, zou haar leven veranderen, en ze kon niet serieus verwachten dat dat haar gemakkelijk zou afgaan. De pijn, had Micha gezegd, hoort erbij. Zeg ja tegen de pijn.

Ze zei ja tegen de pijn, en het deed haar goed, want de pijn was een vriend.

Simon was de enige die haar verder bleef negeren. Hij kwam niet naar haar toe, zoals de anderen. Ze wist niet waarom dat zo was en wilde het ook helemaal niet weten.

Ze waren altijd in haar buurt, vaak met zijn tweeën of drieën. Ze vochten erom wie naast haar mocht zitten, wie haar als eerste mocht kussen, wie daarna en wie als derde. Ze goten haar vol met rode wijn en gaven haar volop dope, streelden haar, pakten haar teder bij haar borsten, masseerden haar nek... De vrouw met de mannenharem... Soms werd het haar bijna te veel, maar anderzijds was er nog altijd dat grote tekort aan tederheid dat ze nu eindelijk kon opvullen. 'We houden van je,' zeiden ze tegen haar, en ze antwoordde: 'Ik houd ook van jullie.'

Dertiende dag. Ze had een fout gemaakt. Ze had gefaald, het was haar niet gelukt.

Alles was voorbij.

Gefrustreerde trut.

Dikke teef.

Ze laat iedereen tot zich toe, en nu doet ze opeens preuts. Grappig.

Ze had een fout gemaakt. Te veel, alles was haar te veel geworden. Vrouwen kunnen er geen harem op na houden, dat wordt hen te veel. Maar wat hebben ze haar zwaar gestraft, heel zwaar. Waarom hebben ze dat gedaan?

23

'Ik denk niet dat het een verkrachting was,' zegt Mona. Bedreiging met geweld, ja, maar geen verkrachting.'
'Hoe dan ook,' zegt Fischer, 'het is toch verjaard.'
Ze zitten in de ochtendvergadering, de meesten geeuwen heimelijk. Er valt koud, grijzig daglicht de zaal binnen, en omdat de tl-verlichting aan het plafond eveneens aan is, zien ze eruit als een verzameling oververmoeide maagpatiënten.
Er valt niet veel nieuws te melden. Ten eerste: Felicitas Gerber is nog altijd spoorloos. De artsen van haar psychiatrische kliniek vermoeden dat ze momenteel op straat leeft omdat ze vroeger al diverse keren weggelopen is en dan weer binnengebracht werd. Onderzoek in het zwervers- en junkenmilieu heeft tot nu toe niets opgeleverd.
Ten tweede: De kranten hebben Simon Lemanns verhaal op acceptabel formaat gebracht, zelfs met foto, maar ze hebben allemaal zoals gebruikelijk om juridische redenen ook zijn achternaam afgekort. Simon L. Daarmee kan Felicitas Gerber niets beginnen, en daarom is Simon Lemann als lokaas waarschijnlijk ongeschikt. Toch mag zijn beveiliging niet beëindigd worden, heeft Berghammer verordonneerd, omdat je nooit kunt weten.
Ten derde: 'Wat staat er verder in die schriften?' vraagt hoofdinspecteur Krieger, terwijl hij Mona geeuwend aankijkt. 'Sorry.' Hij begint te blozen. Niemand lacht, want het is nog te vroeg om te lachen.
Als antwoord haalt Mona het pakket met de schriften uit een plastic zak en legt dat voor zich op tafel. Het bovenste schrift geeft ze aan Krieger.
'Het schrift met hun belevenissen in Portugal toentertijd heb ik gevonden. Zuiver inhoudelijk kloppen ze met de afscheidsbrief van Amondsen en de verklaringen van Lemann. Gerber was naar een Portugees gat aan zee gegaan, waar ze eerst niet echt gewenst was, maar toen herinnerden ze zich dat ze toch heel nuttig kon zijn, namelijk om zich seksueel op af te reageren. Vanaf dat moment verliep alles volgens plan.'
'Wat betekent dat?' vraagt Krieger.
'Zoals ze zich voor de reis voorgesteld hadden.'

'Hoe dan?'

Mona aarzelt. Opeens voelt ze de vermoeidheid, die als lood in haar ledematen zakt. Het liefst zou ze haar hoofd op tafel leggen, of luid beginnen te huilen. Of een warm bad nemen en dan 48 uur lang doorslapen. Of de volgende vlucht naar de Seychellen of Malediven nemen.

Maar het is niet alleen de vermoeidheid. De verhalen van Gerber grijpen haar aan, veel meer dan de rest van de zaak, en dat terwijl ze haar niet eens persoonlijk kent. Alleen al door haar aantekeningen heeft Mona van vier uur tot half zeven klaarwakker in bed liggen woelen. Totdat de wekker een nieuwe werkdag van twaalf uur aankondigde.

Het liefst zou ze nu opstaan en vertrekken. In plaats daarvan zegt ze: 'Ze hadden zich voorgesteld Gerber eens flink te grazen te nemen.'

'Te grazen te nemen?'

Godsamme, Krieger kent Lemanns verklaring toch. 'Geslachtsgemeenschap met haar te hebben. Op het internaat had ze de reputatie van een soort snolletje dat met iedereen de koffer in dook. Daarom heeft Lemann haar tevoren het reisdoel verraden. En het is precies zo uitgepakt als de jongens zich dat voorgesteld hadden. Felicitas Gerber kwam een week later, en ze hebben seks met haar gehad. Eerst de een na de ander, dan blijkbaar om en om, en ten slotte allemaal met elkaar.'

'Hoe dan? Gelijktijdig?'

'Hoe zou dat dan moeten?'

'Allemaal na elkaar, neem ik aan. De aantekeningen zijn wat dat aangaat tamelijk vaag. Er staan alleen losse trefwoorden en toespelingen. Kijk zelf maar, ik heb het met een gele marker aangestreept. Ik vermoed dat het haar te veel werd. Opeens merkte ze dat ze niet bemind werd, maar slechts gebruikt. Dat was waarschijnlijk een schok voor haar.'

'Maar dat moet haar tevoren toch al duidelijk geweest zijn?'

Mona kijkt Krieger aan en denkt: Zoiets kan alleen een man verzinnen. Ze zegt: 'Uit de aantekeningen blijkt dat ze dat niet geweten heeft. Ik zou zeggen dat ze zich sterk ingebeeld heeft dat de anderen haar echt aardig vonden. Als persoon dan, bedoel ik. Misschien wilde ze de waarheid ook niet onder ogen zien. Geen idee.'

'En toen?'

'Daarna is ze mogelijk nogal overhaast vertrokken. In elk geval eindigen de aantekeningen bij deze passage, de overige bladzijden in dit schrift zijn blanco. Ook in de andere schriften staat niets meer over Danner, Schacky, Amondsen, Lemann of Portugal. En vreemd genoeg ook niets meer over Issing.'

'Misschien ontbreken er schriften,' zegt Fischer.

'Mogelijk.'

'Hoe staat het met het heden?'

'Ik ben ervan overtuigd dat de laatste jaren ontbreken. Ze heeft nog iets geschreven over haar... waanvoorstellingen. Over haar verblijf in psychiatrische inrichtingen. Over haar leven, dat blijkbaar nogal eenzaam is. Over affaires met mannen die nooit ergens toe leidden. Soms ook over politieke gebeurtenissen.'

'Niets over het heden? Over de moorden?'

'Geen woord. Het meest recente schrift is geschreven in de maanden van de val van de Muur.'

'Daar verwijst ze naar?'

'Ja. Maar heel... nu ja, heel literair of zo. Ze vergelijkt de muur met haar situatie, met de muur in haar hoofd, die ze niet neerhalen kan, en als dat dan toch lukt, dan stort alles gelijk ineen in haar... Ik kan het wel voorlezen.'

'Dat hoeft niet,' zegt Krieger droog. Zijn ronde gezicht staat opeens ernstig. Het was een veelbelovend spoor, maar het is niets meer.

'Die verkrachting of seksuele intimidatie voor mijn part, wanneer vond die ook al weer plaats?' vraagt hij.

'Zomer '79.'

'Dat is wel heel lang geleden.'

'Tja.'

'Dus na meer dan twintig jaar trekt een vrouw er opeens op uit om zich bloedig te wreken. Waarom uitgerekend nu, als ik vragen mag?'

Krieger kijkt hen een voor een aan.

'Ze is in elk geval voortvluchtig,' zegt iemand schuchter.

'Voortvluchtig! Zo zien wij dat. Ze dwaalt ergens rond, heeft geen idee dat ze gezocht wordt en hoort eigenlijk in het dichtstbijzijnde ziekenhuis. Het is tenslotte niet voor het eerst dat ze op straat leeft.'

'Ja,' zegt Mona, 'maar de overeenkomst in de tijd is wel erg toevallig, nietwaar?'

'Mogelijk,' zegt Fischer, 'weten we gewoon niet precies wat er allemaal gebeurd is. Tussen haar en de jongens, bedoel ik. Misschien had die geschiedenis toch nog een staartje.'

'Mogelijk.' Uit Kriegers mond klinkt dat ironisch en tamelijk bitter. Berghammer komt vanmiddag naar de afdeling. Hij wil dan graag een bericht horen. Een positief, bemoedigend bericht. Iets dat ze voor de dagelijkse persconferentie kunnen gebruiken.

Wakker worden was altijd het ergst. Ze had telkens dagen nodig totdat haar gedachten weer zo helder waren dat ze in de echte wereld bruikbaar waren. De stemmen werden zachter, tot ze alleen nog maar als gefluister hoorbaar waren en lieten haar als strandgoed achter. Vreemd, als de stemmen kwamen, waren ze even onwelkom als ongenode gasten, maar als ze dan eindelijk weer verdwenen, voelde ze zich krachtelozer en eenzamer dan ooit tevoren.

Ze was niet alles vergeten. Er waren nog losse herinneringen: hoe ze Konni de ogen toedrukte, hoe ze Schacky voor de laatste keer over zijn wangen streek, hoe ze Robert op zijn rug legde, zodat hij er in de genadeloze koude regen niet als menselijk afval uitzag, weggeworpen en vergeten. Dat waren de laatste liefdesdiensten die ze voor hen kon verrichten. In elk geval leefde zij nog en de anderen niet. Ze had hen allemaal overleefd. Een goed gevoel, ook als wist ze niet precies waarom. Wat veranderde de dood van haar gehate en tegelijk geliefde vrienden voor haar?

Het antwoord was merkwaardig: alles, en wel ten goede.

Op de momenten dat ze dit inzag, was ze helder in haar hoofd geweest. Voor de rest heerste er rode, zwarte, gele duisternis.

Ze was smerig en stonk waarschijnlijk naar vele (hoeveel?) dagen zonder douche. Ze was magerder geworden omdat ze nauwelijks tijd had gehad om te eten. Nu leed ze kou in de mistige vrieskou. Het was tijd om naar huis te gaan. Ze had gedaan wat ze kon.

Ze keek om zich heen. Ze bevond zich naast de Mariazuil tussen de kraampjes van de kerstmarkt. Mensen dromden samen voor de ingangen van Kaufhof, Beck en Hugendubel. Met reusachtige zakken en tassen slepend passeerden ze elkaar. Mensen in loden jassen, gewatteerde jassen, anoraks en leren jacks dronken staand aan tafels bisschopswijn en kauwden broodjes vis weg waaruit bleke uienringen hingen. Op een neonbord hoog aan het raadhuis zag ze de datum van vandaag: 8 december, 17.03 uur. Het was bijna Kerstmis, een dag die ze weer alleen zou doorbrengen, zoals al vele jaren het geval was.

Maar op dit moment kon zelfs die gedachte haar niet van haar stuk brengen. Ze was uitgeput, maar voor haar doen in opperbeste stemming. Enkele seconden later realiseerde ze zich waaraan dat lag. Voor het eerst sinds lange tijd was ze op eigen kracht uit een fase ontwaakt. Zonder medicijnen, zonder hulp van artsen. Ze had nooit gedacht dat dat bij haar nog mogelijk was. Het was geweldig.

Met hernieuwde energie baande ze zich een weg door de menigte. Ze had nog enkele losse munten in haar broekzak. Ze zou nu iets eten en daarna naar huis gaan. En daar, zo wist ze heel zeker, zou ze haar leven weer zo oppakken dat het weer zinvol werd. Ze zou bijvoorbeeld werk gaan zoeken. Niets bijzonders. Het was alleen belangrijk dat ze betaald werd voor iets dat alleen zij en niemand anders verrichtte.

Maar eerst moest ze het verleden voor de laatste keer verwerken, dat was haar wel duidelijk. Het verleden, dat haar al enkele tientallen jaren in een wurggreep hield. Het verleden, dat alles in haar had laten afsterven wat moedig, vrolijk en optimistisch was. Omdat het ontwaken, de teleurstelling zo onvoorstelbaar gruwelijk en pijnlijk geweest was. En omdat de liefde in haar ondanks alles toch niet geheel wilde verdwijnen. De liefde in haar wilde niet geloven wat iedereen moest zien. De liefde in haar had vals geld voor echte munten aangezien. Sindsdien raasde de liefde in haar als een ziekte. En daarom moest ze zich afvragen waarin de waarde van dat gevoel, dat toch als edel werd beschouwd, nog bestond. Wat was liefde waard als die zo gemakkelijk kon misleiden?

Liefde maakte blind en dom. Liefde zei niets over de waarde van een mens, maar deed slechts alsof. Liefde verwarde in plaats van op te helderen. Liefde was nooit eerlijk en meestal onrechtvaardig. Daarom kon, nee moest je er geen aandacht aan besteden. Liefde had haar geen geluk gebracht, alleen maar heilloze verwarring. Liefde was niet goed voor haar. Vriendelijke toenaderingen zonder hartstocht, die wel, maar liefde niet. Liefde was het tegendeel van inzicht, en daarom schadelijk voor iemand zoals zij.

In de hal van de metro begaf ze zich naar Bakkerij Rischardts. Op de roltrap, ingesloten tussen een groep onbehouwen tieners in spijkerbroek en kunstleren jacks, dacht ze over zichzelf na. Zou ze met deze situatie overweg kunnen? Had ze last van claustrofobie? Eigenlijk niet. Het viel wel mee. Ook kon ze best in de rij staan voor de bakker. Ze kocht een stuk chocoladetaart dat ze haastig uit de hand opat en liep weer naar de roltrap. Ze zou de weg naar huis te voet afleggen; het was een enorm genoegen eindelijk weer te weten waar ze was en werkelijk alleen datgene te zien en te horen wat iedereen zag en hoorde.

Toen: alles stevende op het uiteindelijke hoogtepunt af, de laatste confrontatie. Zij, te weten Konni, Schacky, Micha, Simon, Robert, dreven haar steeds verder in het nauw, alsof ze een reactie wilden forceren die simpelweg niet kwam. Ze lieten haar niet meer rustig roken, eten en relaxen. Ze waren steeds bij haar. Als ze ging zwemmen of eten of naar het toilet ging. Overal, zelfs in het openbaar, werd ze door hen gekust, bevoeld, opgegeild. Als ze zich (zwakjes) verweerde, klonk er als echo een klagend, schor 'Hé, kom nou, we houden toch van je.' Dat was hun wachtwoord, de deuropener. Alsof ze op deze wijze te programmeren was, en dat was ook werkelijk zo. Iemand sprak met haar over liefde, en gelijk werd ze een marionet.

Maar waarschijnlijk wachtten ze er uitsluitend op dat ze eindelijk explodeerde. Misschien was dat het geheime doel, om haar zover te krijgen dat ze eindelijk aan alles een eind maakte.

Veel te veel tijd verging met haar pogingen alles goed te praten. De vrouw met de mannenharem; helemaal fout, ze had geen harem. Ze was slechts een figuur in een spel dat anderen bedacht hadden. En dat hun allemaal mogelijk boven het hoofd gegroeid was.

De dertiende dag:

Ze werd eerder dan de anderen wakker. De zon was al op, maar het strand was nog leeg. Ze wurmde zich voorzichtig uit haar slaapzak om niemand te wekken. Slechts een of twee uur wilde ze voor zich alleen hebben, een twee uur zonder aangeraakt en lastiggevallen te worden. Het paradijs. Ze pakte haar handdoek en sloop gebukt de grot uit, langs de lege plastic flessen, bedervende etensresten, vuile sokken en stinkende tennisschoenen vol zand.

Het was het mooiste moment van de laatste paar dagen, als ze eindelijk moederziel alleen in de koele zee dreef, die op dit tijdstip zo vlak als een meer was. Ze zwom een eind weg, tot ze het strand in de ochtendnevel alleen nog vaag kon zien.

Maar het probleem was dat op een gegeven moment haar krachten afnamen en ze toch weer terug moest naar haar geliefde kwelgeesten (zo noemde ze hen stilletjes, waarmee ze de situatie zoals altijd bagatelliseerde). Ze zwom terug en voelde zich somberder worden.

Zo kun je niet doorgaan.

Maar ze deed helemaal niets.

Je laat met je rotzooien. Dat is niet beter, dat is nog erger.

Ja. Ze moest er een stokje voor steken. Ze wilde geen ruwe tongzoenen meer en geen gefriemel en geen seks met steeds wisselende lichamen die ze nauwelijks meer uit elkaar kon houden. Ze walgde ervan telkens weer lust te moeten veinzen die ze allang niet meer voelde. Ze wist wat ze niet wilde. Maar wat wilde ze dan?

Ze liep het water uit, nog altijd radeloos. Konni kwam haar tegemoet. Hij glimlachte zo stralend en warm dat ze alles in een oogwenk weer vergat: haar onbehagen, haar gevoel van beklemming, haar halfhartig genomen besluit zich niet meer alles te laten welgevallen. Konni hield haar handdoek voor haar op.

We hebben je gemist.

236

Zijn gezicht was vriendelijk, zijn toon ietwat geïrriteerd. En weer negeerde ze dat lichte gevoel van ongenoegen.

Sorry. Maar jullie sliepen nog.

Je hoeft je niet te verontschuldigen. Dat doe je overigens voortdurend.

Wat?

Je verontschuldigen. Het is prima dat je op de wereld bent en je eigen wil hebt.

Ze keek Konni peinzend van opzij aan, terwijl ze langzaam naar de grot liepen. De zon brandde al op hun gezichten. Aan zijn gezicht was niets te zien. Wat bedoelde hij? Wat wilde hij zeggen? Ze had het sterke gevoel dat hij haar iets wilde meedelen dat haar als enige aanging.

Wat bedoel je? waagde ze te vragen.

Konni draaide zich naar haar toe en opende zijn mond, maar voordat hij iets kon zeggen, hoorde ze het geroep van anderen.

Opschieten, jongens! We willen ontbijten.

Konni zei niets meer, perste zijn lippen op elkaar en versnelde zijn pas. Er resteerde haar niets dan achter hem aan te hobbelen.

Toen ze bij de anderen aankwamen, stonden die allemaal voor de grot, gereed voor de aftocht naar hun ontbijtcafé aan de andere kant van het strand.

Gaan jullie maar vast, ik trek mijn natte badpak even uit.

Dat waren weer een paar minuutjes zonder lastiggevallen te worden. En ergens achter in haar hoofd kwam het idee in haar op van deze minuten te profiteren voor haar vlucht uit een gevangenschap die ze eindelijk als zodanig durfde te benoemen.

Maar toen zei Micha, alsof hij vermoedde wat ze van plan was: *We wachten wel even op je.*

En Konni, die in elk geval gedurende hun tocht van het strand naar de grot een soort bondgenoot leek te zijn geweest, sloot zich bij de anderen aan en verbrak de schuchter aangeknoopte band weer. Ze vormden een haag waar ze met een berustend lachje en hangend hoofd tussendoor liep. Ze vormden een muur van lichamen en brutaal grijnzende blikken, terwijl zij zich omkleedde. Zonder handdoek, die haar naaktheid bedekte, want ze wisten inmiddels precies wat ze te bieden had. Niets behoorde haar meer toe, zelfs haar intiemste domein niet. Elke centimeter van haar lichaam was onderzocht en in bezit genomen en haar ziel hadden ze tegelijk meegenomen, zo kwam het haar voor.

Maar ze zei niets. Ze trok gedwee een spijkerbroek en haar laatste nog enigszins schone T-shirt aan. Glimlachend. Alsof alles in orde was. Alsof ze mee moest spelen. Alsof niemand mocht merken wat ze er werkelijk van vond. Niemand, zelfs zij zelf niet.

Wat zou er gebeurd zijn, zo vroeg ze zich vele jaren later af, terwijl ze de ijskoude voetgangerszone door liep, met een brokkelig stuk chocoladetaart in haar hand, als ze hun op dat moment de bons gegeven had? Als ze gezegd had: jullie kunnen me wat, ik wil niet meer, en direct vertrokken was? Nu was ze er zeker van dat ze haar hadden laten gaan, zonder enige voorwaarde. Ze hadden zelf immers geen lol meer in hun spel. Ze wachtten slechts op iemand die zei dat het genoeg was.

Waarom had ze die kans niet gegrepen voordat het te laat was?

Omdat ze dan tegenover zichzelf had moeten toegeven dat ze zich twee weken lang had laten misbruiken, en nog vrijwillig ook. Dat ze zich door charmante holle frasen had laten inkapselen. Dat ze zich onvergeeflijk goedgelovig en naïef gedragen had en zo het gedrag van de anderen bijna uitgelokt had.

Nu er buiten Simon en Micha niemand meer leefde die getuige was geweest van haar smadelijke afgang, was het tijd duidelijk te maken dat ze iets waard was. Ze liep sneller door, met haar gedachten nog altijd bij de laatste dag waarop alles begonnen of geëindigd was, al naar gelang je het bekeek.

Na het ontbijt met *galao* en zoete broodjes met boter gingen ze weer terug naar de grot. Het strand was inmiddels vol met mensen en het zand was gloeiend heet geworden, en als ze haar ogen sloot, leek alles in een vuurgloed te staan. Alles leek opeens onverdraaglijk, alles wat ze een paar dagen geleden nog 'paradijselijk' had gevonden. Paradijselijk. Precies die uitdrukking had ze gebruikt, die haar nu, achteraf gezien, volkomen verkeerd en leugenachtig voorkwam.

Maar op dat moment stokten haar gedachten. Weer voelde ze een arm links en een arm rechts om haar schouder, ditmaal van Schacky en Robert. Ze spraken over haar hoofd heen met elkaar; het ging om een synthesizer die Schacky wilde kopen. Ze wisselden de gegevens van de verschillende merken uit. Ze luisterde niet. Voor hen liepen Konni, Micha en Simon. Simon gedroeg zich tegenover haar ondertussen net zoals alle anderen. Er was niets meer over van hun heel speciale vriendschap, hun gemeenschappelijke gevoel voor dingen en mensen, die Simon intussen als een oude schoen van zich afgeworpen leek te hebben. Tegen elf uur kwamen ze bij de grot aan en wierpen zich meteen op hun slaapzakken. Ze slaakte een zucht van verlichting. Misschien zouden ze in slaap vallen en haar met rust laten. Maar Schacky begon alweer door op te staan en zijn slaapzak vlak naast de hare neer te gooien.

Na het eten moet je kakken of een vrouw pakken.

Konni kwam erbij, daarna Micha, dan Simon en tot slot Robert. Ze gingen om haar heen zitten en begonnen haar langzaam uit te kleden. Iedereen pakte een kledingstuk, tot ze volkomen naakt was. Ze verzette zich nauwelijks, hoewel ze weg wilde, alleen maar weg. De eerste hand belandde op haar borst, de tweede op haar buik, die ze te dik en lelijk vond (ze had de laatste dagen te veel gegeten, hoewel ze zich voorgenomen had in de vakantie af te vallen).

Nu niet.

Ach kom. Je wilt het toch zo graag.

Ja, maar de mensen buiten. Als er iemand naar binnen kijkt...

De mensen. Wat kunnen mij die mensen verrotten, Bella.

Maar ik wil nu niet.

Hoezo niet?

Weet ik niet. Ik heb gewoon geen zin.

Waarin niet?

Nou, daarin niet.

Waarin? Schor, vleiend gelach. Ze leken net een veelkoppige hyena. Als je er een de kop afsloeg, groeiden er twee weer aan.

Ontspan je toch gewoon. We doen niets wat je niet wilt. Laat ons je verwennen.

En hadden ze geen gelijk? Was het niet geweldig door zoveel handen gestreeld te worden? Waren hun handen niet teder? Ze sloot haar ogen en deed haar best te genieten. Ze ademde regelmatig, in het ritme van de strelende handen, die zich nu overal naartoe begaven, naar de geheimste plekjes van haar lichaam.

Al die handen lieten haar niet onberoerd, constateerde ze glimlachend.

Wat is er?

Ze zei het tegen hen. Ze lachten en gingen door. Een bijna geconcentreerde stilte maakte zich van hen meester. Ze hield haar ogen weer gesloten, maar hoorde hoe de anderen hun broek en T-shirt uittrokken, tot ze net als zij naakt waren. Ze probeerde het mooi te vinden, zoals ze zich tegen haar aan drukten. Ze probeerde hun gloeiende, bezwete lichamen welkom te heten.

Maar het lukte haar niet. Ze bleef droog en verkrampt. Ze walgde van zichzelf omdat ze het zo ver had laten komen en nu moest toegeven dat ze het niet kon.

Hé, wat is er aan de hand?

Vingers aan haar vagina, die onhandig probeerden haar op te winden, haar vochtig en gewillig te maken.

Kom nou. Wat krijgen we nou.

Vruchteloze, pijnlijke pogingen in haar te komen. Ze lag daar als een plank, als een zak aardappelen, in elk geval niet als een begerenswaardige vrouw. Ze hield haar ogen nog steeds dicht, terwijl ze haar best probeerde te doen.

Hé, het lukt helemaal niet.

Op dat moment drong een van hen – Konni of Schacky? – bij haar naar binnen. Het voelde aan als schuurpapier. Ze was meteen pijnlijk verwond en beet haar tanden op elkaar. Ooit zou het voorbij zijn.

Het gaat niet.

Laat mij het proberen.

De volgende kwam en deed een poging. Het werd steeds pijnlijker, maar nu kon niemand meer terug. Nu moest dit tot een eind gebracht worden.

Heen en weer, gehijg, pijn. De tranen kwamen in haar ogen.

Eindelijk was ze vrij. Niemand raakte haar meer aan.

Dat wordt niks met haar.

Heel plotseling lag ze in haar eentje op een eiland van slaapzakken, naakt. Terwijl de anderen razendsnel hun zwembroek aantrokken, zich halfdood lachten over een grap van Konni of Schacky en daarna verdwenen. Ze lieten haar gewoon liggen als een kapot stuk speelgoed. Naakt! Spiernaakt!

Meer dan twintig jaar later zag ze zichzelf daar weer liggen, drijfnat van het zweet, smerig, lelijk en waardeloos. Na enkele minuten was ze moeizaam opgestaan, alsof ze een oude vrouw was. Ze kromp ineen door een brandende pijn in haar onderlijf. Ze zocht haar spullen bij elkaar, stopte die op een hoop in haar rugzak en rolde haar slaapzak op. Ze wist dat ze geen haast hoefde te maken. De anderen zouden net zo lang in zee blijven tot ze weg was. Het was voorbij. Ze had gefaald, werkelijk in alle opzichten.

Meer dan twintig jaar later kwam het mededogen met haarzelf. Ze had fouten gemaakt, zeker. Maar deze behandeling had ze niet verdiend, beslist niet.

De anderen hadden er schuld aan, niet zij. Ze hoefde niet meer te lijden.

Ze stak de Sonnenstrasse over, dwars door het verkeer, zonder het getoeter en de vloeken en het gescheld van boze automobilisten te horen. Ze zag niets meer door de tranen heen, maar was opgelucht. Nu kon ze beginnen te leven, dacht ze.

24

Vannacht droomt Mona over haar moeder. Het is zoals altijd een droevige, angstige droom, omdat die herinneringen oproept waar Mona zich normaal gesproken voor afsluit.

Ze is weer in de Dülferstrasse, op de terugweg van school. Ze loopt langs de witte laagbouw van Dülferheim, dat eigenlijk een jeugdhonk is, maar waar in werkelijkheid rockers zich vol laten lopen voordat ze op hun motoren klimmen en met veel lawaai wegstuiven. Ergens heen. Waar dan ook. Het is zomer en heel erg warm. Het asfalt voelt zacht aan onder de dunne rubberzolen van haar gymschoenen, ze wordt duizelig van de teerlucht.

Ze moet nog naar Meindl om bier te kopen. De hitte maakt haar moeder gek. Ze loopt op dergelijke dagen in huis te ijsberen, rukt aan de gordijnen, begint de keuken schoon te maken, laat opeens emmer en dweil staan, loopt naar de badkamer en maakt het toilet schoon, en dat alles met wilde, agressieve bewegingen die Mona angst inboezemen.

Als het beter gaat met haar moeder, probeert ze Mona uit te leggen hoe ze zich op dergelijke momenten voelt. Ze is dan radeloos, zegt ze, als een gekooid dier. Als een panter of tijger in de dierentuin, die per se naar buiten wil en de tralies voor zich niet begrijpt. Hij loopt erachter heen en weer en begrijpt gewoon niet wat die dingen daar moeten en waarom ze niet verdwijnen. Zo voelt Mona's moeder zich, alleen nog veel erger. Want de tralies zitten in haar zelf verankerd. Ze wil aan zichzelf ontkomen, maar dat gaat niet. En dat maakt haar buitengewoon nerveus en vertwijfeld.

Een koud biertje maakt haar in dergelijke gevallen weer rustig. Meestal blijft het niet bij één biertje, maar worden het er vijf of zes. Dan valt haar moeder soms in slaap, en Mona krijgt dan even rust na al die merkwaardige gedragingen.

Daarom besluit Mona bier te kopen voordat ze naar huis gaat. Eigenlijk mag de winkelier haar dat niet geven, want ze is pas acht. Maar als ze zegt dat het voor haar moeder is, knijpt hij een oogje toe. In deze buurt kopen veel kinderen voor hun ouders alcohol, en de redenen dat de ouders het zelf niet komen halen, interesseert de winkelier waarschijnlijk geen donder. Hij doet weliswaar altijd erg vriendelijk en geeft Mona elke keer een Dubble Bubble kauwgom, omdat ze die erg lekker vindt, maar zijn ogen zijn kil, ondanks zijn brede lach en joviale tik op haar wang.

'Wat wil de kleine dame vandaag hebben?' Dat vraagt hij altijd als ze komt.

'Zes bier, Augustiner Edelstoff.' Ze heeft vandaag extra geld meegenomen, omdat het er vanochtend al op leek dat het een hete dag zou worden. Later doet ze nog een keer boodschappen, en dan koopt ze de belangrijke spullen zoals toast, boter, kaas, worst en wat blikken. Op dergelijke dagen vergeet haar moeder dat.

'Zes Augustiner voor de dame.' Glimlach, klopje op de wang, een Dubble Bubble. Het hoort er allemaal bij. Mona pakt de kauwgum uit en steekt die in haar mond, waar die een kleine smaakexplosie veroorzaakt, die haar enkele momenten lang verzoent met de wereld zoals die is. Ze pakt de twee plastic zakken en zegt dankbaar 'Tot ziens'.

'Tot ziens, kleine dame.'

Ze is altijd blij als ze de winkel weer uit loopt. Het ruikt er naar oud, vochtig papier en niet al te verse vleeswaren die achter een glazen toonbank weg liggen te kwijnen.

Buiten valt de hitte als een deken om haar heen. De Dülferstrasse is leeg. Alleen Mona loopt er met haar twee tassen te zeulen. Het is eind juli. Volgende week begint de schoolvakantie. Dan zal Mona zes weken lang aan huis gebonden zijn. Daar denkt ze liever niet aan. Ze hoopt dat het mooi weer blijft zodat ze buiten kan spelen Maar het weer blijft nooit zes weken achter elkaar mooi, dat komt eigenlijk nooit voor. Twee, drie weken zal het zeker regenen, en dan werkt ze haar moeder op de zenuwen, want die kan het niet uitstaan als ze Mona voortdurend om zich heen heeft. Vroeger kon Mona dan naar haar oma gaan, maar oma is twee maanden geleden overleden.

Mona loopt het schemerige trapportaal binnen, waar nog een beetje koelte van de grijswit gevlekte tegels afstraalt. Ook hier is niemand. Mona begint onwillekeurig langzamer te lopen. Ze neemt niet de lift maar de trap, ook al wonen ze op de vierde verdieping. Ze weet niet hoe ze haar moeder vandaag zal aantreffen. Dat is natuurlijk elke dag de vraag, maar vooral als het heet, zwoel of föhnachtig is, zoals vandaag. Toen Mona vanochtend van huis ging, sliep haar moeder nog.

Het zou mooi zijn als ze er niet was. Soms gaat haar moeder bij haar vriendin Berta op bezoek, waar ze dan de hele middag zit te kletsen en te roken. Maar de laatste tijd heeft ze dat nauwelijks nog gedaan. In plaats daarvan uitte ze enkele misnoegde opmerkingen waaruit op te maken viel dat ze weer eens ruzie had gekregen met Berta.

Op de tweede verdieping hoort Mona een behoorlijk lawaai. Op de derde verdieping hoopt ze dat het lawaai niet uit haar huis komt. Op de vierde verdieping weet ze het al. Iemand schreeuwt voortdurend en smijt dingen in het rond.

In haar huis, waar anders?

Mona gaat op de bovenste traptrede zitten om uit te rusten. Misschien zou alles nog goed gekomen zijn als ze het bier eerder gebracht had. Ze is te laat. Ze heeft na school nog met haar beste vriendinnen Sabine en Maria gekletst die allebei een paar bushaltes verderop wonen en die Mona daarom maar zelden mag bezoeken.

Niet dat haar moeder haar zo graag thuis heeft, maar ze is er waanzinnig bang voor dat Mona iets overkomt en dat ze haar de schuld geven. Want dan zou iedereen weten dat ze niet helemaal spoort.

Ze spoort namelijk inderdaad niet helemaal. En iedereen vermoedt dat, en iedereen die het vermoedt, heeft medelijden met Mona. Maar daar heeft ze niets aan zolang niemand iets onderneemt en andere ouders voor haar zoekt of er in elk geval voor zorgt dat ze bij haar vader komt.

Haar vader heeft haar zus Lin al bij zich genomen en de drie kinderen van zijn nieuwe vrouw. Hij woont nu in een andere stad. Hij kan niet ook nog eens voor Mona zorgen, want er is gewoonweg niet genoeg plek in hun driekamerwoning. Hij stuurt haar moeder elke dag geld. Meer kan hij niet doen. Dat moet Mona begrijpen. En zo ziek is haar moeder nu ook weer niet. Wel raar, maar niet echt ziek.

Haar pa wil niet eens geloven dat de toestand de afgelopen jaren verergerd is. Hij belt eenmaal per maand op, en bij die gelegenheden gedraagt haar moeder zich heel normaal. Ze lacht en maakt grapjes, net als vroeger toen ze nog getrouwd waren. Als Mona dan aan de telefoon geroepen wordt, kan ze nooit vrijuit spreken en moet altijd zeggen dat het goed met haar gaat en dat alles goed loopt. Haar moeder blijft namelijk steeds bij haar staan luisteren en let daarbij precies op elk woord, elk lachje en elke aarzeling.

Het lijkt wel alsof alle bewoners van het portiek weg zijn. Haar moeder loopt tierend rond in de woning en niemand komt klagen vanwege de verstoring van de rust of informeren naar de reden voor het geschreeuw. De buren willen blijkbaar niet precies weten wat er aan de hand is. Want dan moeten ze iets doen en Mona nieuwe ouders geven. Mona staat op en sleept de zakken met bier naar de ingang, waar een bruine mat in de vorm van een teckel ligt. Alle andere huurders hebben normale rechthoekige matten, alleen bij hen ligt zo'n stomme teckel omdat haar moeder dat zo 'dolkomisch' vond.

'Mama, ik ben het. Hallo?'

Getier achter de huisdeur. Mona steekt de sleutel in het slot.

'Ik kom nu naar binnen.'

De sleutel draait rond in het slot en Mona drukt de deur naar binnen open, maar ze krijgt die slechts op een kier open. Het tapijt op de overloop is verschoven en blokkeert de toegang.

'Mama! Doe open!'

Ze hoort voetstappen naderen. Iemand snuift achter de deur. 'Laat me los!'

'Er is daar niemand. Doe nou open, ik heb bier bij me.'

'Bier?'

Iemand trekt het tapijt met een ruk bij de ingang weg. Het volgende moment steekt haar moeder haar hoofd door de deur. Haar gezicht is vlekkerig van de tranen en haar oogschaduw doorgelopen. Haar zwarte haar heeft ze zo kort bijgeknipt dat het rechtop staat op haar hoofd.

'Ze laten me niet met rust, die smeerlappen.' Haar stem klinkt verstikt door de tranen en zo hoog dat die elk moment lijkt te kunnen overslaan. 'Laat me nou binnen.'

Haar moeder kijkt op haar neer. Langzaam, heel langzaam begrijpt ze wie daar staat. Ze begint te snikken en veegt haar loopneus met haar vingers af.

'Ze laten me gewoon niet met rust.'

'Ik heb bier meegebracht,' herhaalt Mona op dringende toon. Ze haalt een fles Augustiner Edelstoff uit een van de zakken en houdt die onder de neus van haar moeder, alsof die een dier in de dierentuin is. Dan wordt de deur geopend en wordt Mona naar binnen getrokken.

Ze verweert zich niet, omdat ze nergens anders heen kan sinds haar oma dood is.

Ze heeft alleen haar moeder nog, en haar moeder heeft alleen haar nog, en daar kan niemand iets aan veranderen.

Maar misschien helpt het bier ditmaal wel.

Mona opent haar ogen. Rondom haar heerst een ondoordringbare duisternis. Al vele jaren brengt haar moeder nu door in een psychiatrische inrichting, voor altijd tot rust gebracht, en toch heeft ze nog altijd de macht in Mona's dromen te verschijnen.

In haar somberste momenten gelooft Mona soms dat haar moeder krachten had die door alles heen kunnen dringen, of het nu dwangbuizen, muren of afstanden zijn. Soms gelooft ze dat haar moeder precies weet waar ze is, wat ze doet en – dat is het ergste – wat ze denkt en voelt. Ik zie te veel, heeft haar moeder gezegd na haar zoveelste zelfmoordpoging. Ze lag doodsbleek in een ziekenhuisbed met spierwitte lakens, uitgeput en met een versufte, holle blik, die haar woorden logenstrafte. En toch wist ze altijd wanneer Mona niet de waarheid sprak. Ze heeft Mona op heldere momenten dingen over haar karakter verteld waar Mona zelf geen flauw vermoeden van had. Maar het klopte altijd.

Haar moeder heeft haar nog altijd in de smiezen. Mona voelt dat precies, ook als ze het zelfs niet aan haar zus Lin vertelt. Die zou haar voor gek verslijten, om van andere mensen nog maar te zwijgen.

Midden in de nacht werd Felicitas gewekt door driftig gebel en geklop aan de deur.

'Politie. Maak de deur open.'

Nou ja, dat was te verwachten geweest. Toch had haar vrijheid enkele uren geduurd. Enkele uren waarin ze zich geweldig gevoeld had, waarin ze gedoucht, gegeten en geschreven had. Dat was nu ook weer voorbij.

Het vreemde was dat ze niet bang meer was. Alles wat er zou gebeuren, was voorbestemd. Ze had niets verhinderd en was in zoverre schuldig. En daarom kreeg ze nu haar verdiende loon.

Ze stond op en deed het licht aan. Aan het voeteneind van haar bed lagen alle verfomfaaide kranten op een hoop waaruit ze op haar laatste vrije avond de artikelen over Konni, Schacky en Robert uitgeknipt en vervolgens in een ordner geborgen had. De politie zou die artikelen vinden en daar haar conclusies uit trekken. Het was wel best zo. Ze was schuldig en zou daarvoor bestraft worden.

Ze opende de deur nadat ze haar haren gekamd had en een spijkerbroek en een wollen trui had aangetrokken. Ze wilde geen slechte indruk maken voor mensen die ze niet kende.

Voor haar deur stonden twee agenten, een man en een vrouw. Ze nodigde hen met een gebaar binnen.

'Wilt u koffie?'

De twee keken elkaar aan en schudden gelijktijdig hun hoofd.

'Is dat uw woning hier?' vroeg de man met een zwaar Beiers accent.

Ze knikte. Vanwaar deze inleiding?

'Bent u mevrouw Felicitas Gerber?'

'Ja.'

'We moeten u arresteren. U wordt verdacht van moord.'

Misschien verging het vele misdadigers net zoals zij als ze eindelijk gepakt werden. Ze waren niet woedend en wanhopig, maar juist enorm opgelucht. Vanaf dit moment hoefden ze zich niet meer in te spannen. Alles werd verder voor hen gedaan. Het was net als in het ziekenhuis: Je hoefde alleen maar te liggen en te genezen. De rest regelden de artsen en verpleegsters.

Ze haalde haar jas en trok stevige schoenen aan. Of ze een tandenborstel en wasgerei mee moest nemen? Ach, dat zouden ze daar toch wel hebben. 'We kunnen gaan,' zei ze. Ze voelde zich heel licht, heel zorgeloos en aanwezig. Haar kon niets meer gebeuren.

Michael Danner voelt de vrijheid tot in zijn botten. De nacht is al ver gevorderd, maar hij slaapt niet. Al sinds enige tijd slaapt hij nauwelijks meer. Slapen is overbodig, tijdverspilling. Dat denkt hij werkelijk, hoewel hij nu toch alle tijd van de wereld heeft. Niets wat hij doet maakt nog verschil. Hij is hoe dan ook klaar. Hij heeft zich jarenlang met een enorme illusie gered en is daarmee zeker niet de enige ter wereld. Met dat verschil dat de andere huichelaars meestal niet herkend worden. Hij had pech. Helaas, helaas, helaas pech.

Hij zit voor zich uit te knikken. Niet alle wegen zijn nu voor hem afgesloten. Hij kan bijvoorbeeld een boek schrijven. Veel leraren dromen ervan ooit zoveel tijd te hebben dat ze een boek kunnen schrijven. Een roman bijvoorbeeld, die een sensatie in de moderne literatuur zou betekenen. Of een pamflet over het Duitse onderwijssysteem.

Maar dat interesseert Michael Danner allemaal niet. Zijn thema is de liefde en haar wonderbaarlijke, traumatische en kwaadaardige facetten. Hij heeft van Saskia gehouden en haar verwond, hij heeft van Felicitas gehouden en haar verwond. Dat is normaal. De ware liefde is een ontembare macht, wild, vitaal en onberekenbaar. Die komt en gaat wanneer het haar past, en niemand is daaraan schuldig. Misdrijven uit hartstocht kan iedereen begaan, want liefde laat zich niet in een korset dwingen. Die brengt mensen ertoe dingen te doen waarover ze juichen of waarvoor ze zich schamen. Daar zou Michael Danner graag over schrijven, met de benodigde *Schwung* en enthousiasme, als er tenminste iemand was die zich daarvoor interesseerde.

Hij zit in het donker achter zijn bureau en kijkt naar de tuin. Buiten is het weer gaan regenen. De sneeuw, die nog dik op daken en bomen ligt, zal snel in natte klompen op de grond vallen, en het zal een groene kerst worden, zoals elk jaar.

Kerstmis. Het maakt toch helemaal niets uit of Kerstmis groen of wit is? Maar zo functioneert de menselijke geest niet, de zijne in elk geval niet.

Feit is dat Michael Danner met een welhaast verbluffende snelheid herstelt. Zijn toestand is objectief gezien nog altijd hopeloos, maar toch is hij lang niet meer zo gedeprimeerd en moedeloos als na het zo wreed onderbroken gesprek met Berit Schneider. In plaats daarvan voelt hij een onrust die met het uur toeneemt. Hij is er de man niet naar om stil te blijven zitten en toe te kijken hoe anderen over zijn leven beslissen. Hij moet zelf actief worden.

Hij vraagt zich alleen af in welke richting.

Hij staat op en rekt zich uit. Voor het eerst sinds Saskia's dood kan hij bewust genieten van het alleen zijn, zonder vervelende schuldgevoelens. Saskia heeft hem daarvan weerhouden, niet alleen door haar aanwezigheid, maar vooral doordat ze er was. Zo is de waarheid nu eenmaal. Hij mist Saskia meer dan hij ooit gedacht had, maar het is goed voor hem dat ze er niet meer is. Hij kan nu doen waarnaar hij de afgelopen jaren meer dan eens verlangd heeft. Opnieuw beginnen, dat wil hij. Ergens ter wereld, in een warm land, met een ander beroep en een andere vrouw. Iedere man droomt daarover in een bepaalde fase van zijn leven. Dat is een natuurwet.

Hij lacht zachtjes voor zich uit, en tegelijk voelt hij de tranen van verdriet en opluchting in zijn ogen branden. Wat is de wereld toch krankzinnig. Een vrouw moet sterven opdat een man eindelijk kan leven.

Felicitas Gerber. Ze kijkt Mona strak aan, zoals haar moeder altijd deed (en 's nachts nog altijd doet). Haar ogen zijn bruin, niet blauw, maar het is dezelfde akelige blik, alsof ze bij Mona naar binnen kan kijken.

Mona kijkt van haar weg. Wat verbeeldt ze zich nu weer? Het is half vijf 's ochtends, ze is uitgeput, iedereen is uitgeput en prikkelbaar. Meer steekt er niet achter. Ze kijkt nog eens naar Gerber. Nu lijkt ze haar even normaal te zijn als de anderen.

Ze hebben zo druk naar haar gespeurd, zo vaak over haar gepraat en zoveel over haar zitten prakkiseren dat ze nu bijna teleurgesteld zijn. Felicitas Gerber is van gemiddelde lengte en slanker dan op alle opsporingsfoto's. Ze draagt een spijkerbroek en een vale grijze wollen trui. In haar korte donkere haren zijn al grijze strengen te zien. Haar gezicht is bleek, ze heeft kringen onder haar ogen en lijkt alleen daardoor al ouder dan ze is, namelijk 38. Haar vingernagels moeten geknipt worden en wat make-up zou haar ook goed doen. Verder maakt ze geen opvallend verwaarloosde indruk, en ze lijkt ook niet in de war. Het lijkt erop dat ze precies weet waarom ze hier is en alleen op de juiste vragen wacht. Om haar geen schrik aan te jagen gaan ze behoedzaam te werk.

Buiten is het nog donker. Mona steekt als enige een sigaret op. Het is idioot om zo vroeg te roken en slecht voor haar maag. Maar dat vreemde gevoel wil maar niet weg.

Het valt voorlopig niet mee redelijk exacte informatie van Felicitas Gerber te verkrijgen. Ze verklaart dat ze de afgelopen weken met haar treinabonnement in verscheidene Zuid-Duitse steden onderweg is geweest en meestal op straat of in stations geslapen heeft. Ze beweert echter niet meer te weten wanneer ze waar precies geweest is.

'Uw artsen hebben ons verteld dat u aan schizofrenie lijdt,' zegt Berghammer, ter zake komend.

Felicitas Gerber glimlacht en zegt niets.

'Klopt dat?' vraagt Mona, hoestend rook uitblazend.

'Wat?'

'Nou, dat u... dus...'

'Ja, soms ben ik behoorlijk gek. Doorgedraaid, als je het zo wilt noemen. Daarvoor heb je geen moeilijke woorden nodig. Dokters gebruiken die alleen om slimmer te lijken dan ze zijn.'

Mona's moeder heeft vroeger precies hetzelfde gezegd. *Ze kunnen me niet helpen, en daarom geven ze me maar rare namen.* Een tijdlang had ze zichzelf Miss Catatonie genoemd, wat ze heel grappig vond.

Krieger probeert het op een andere manier. 'Kent u de namen Saskia Danner, Konstantin Steyer, Robert Amondsen, Christian Schacky?'

'Ja,' zegt Felicitas Gerber, en weer rust haar duistere blik op Mona en op niemand anders. Mona kijkt weg, terwijl Felicitas Gerber diep ademhaalt en de bom laat ontploffen.

'Ik ben verantwoordelijk voor hun dood.'

Dat is een bekentenis. Een zuivere bekentenis, althans zo goed als. Of toch niet? Mona, Krieger, Fischer en Berghammer kijken ingespannen langs elkaar heen. Secondenlang kun je een speld horen vallen. Het wekenlange geploeter, de niet geregistreerde overuren, de lange nachten, en nu dit. Een eenvoudige bekentenis, die bevestigt dat ze op het goede spoor zaten en alles goed gedaan hebben. Alle inspanningen zijn niet voor niets geweest. Het is hen gelukt.

Natuurlijk moeten ze er nu op doorgaan, zo nodig urenlang. Het gaat tenslotte om moord.

Vier moorden. Ze kijken elkaar niet aan, maar ze voelen precies wat de anderen denken. Zo'n onschuldig ogende vrouw, en dan vier moorden. Maar ze hebben al moordenaars gehad aan wie je nog minder kon afzien waartoe ze in staat waren. In hun metier is niets onmogelijk.

En Mona acht deze vrouw werkelijk tot alles in staat.

25

Aan het eind van de dag heeft Mona tien of twaalf sigaretten gerookt. In geen jaren heeft ze zoveel gerookt. Haar keel voelt als schuurpapier en gegeten heeft ze bijna niet. Ze verkeert in een crisis. Niemand mag dat merken, maar ze weet dat het zo is.

De ogen van deze vrouw zijn zo scherp als naalden en zo diep als bronnen, en zo gevaarlijk als... er schiet haar geen vergelijking te binnen. Haar ogen zijn stokoud en tegelijk kwetsbaar en kwaadaardig.

'Het is allemaal flauwekul, als jullie het mij vragen,' zegt Fischer. Ze zitten in Berghammers lievelingspizzeria in de Goethestrasse. Berghammer heeft hen uitgenodigd, maar niet om iets te vieren.

'Ze heeft het niet gedaan,' zegt Krieger. Zijn dikke gezicht staat bezorgd.

'Ze zegt dat ze het gedaan heeft,' zegt Mona. 'Ze bezit daderkennis.'

'Daderkennis! Ze zegt dat ze de ogen van Steyer en Schacky dichtgedrukt heeft. Prachtig. Maar iedereen kan dat beweren,' zegt Fischer. Zijn stem klinkt hol.

'Ze wist alles, elk detail.'

'Dat klopt niet. Ze wist wat er in de kranten stond, en daarna heeft ze wat bij elkaar geflanst dat toevallig klopt. Maar de toedracht van de moorden klopt niet.'

'Waarom zou ze dan een bekentenis afleggen als ze het niet geweest is?'

'Dat mag Joost weten. Er zijn zoveel grootdoeners...'

'Vrouwen doen dat niet. Vrouwen scheppen niet op over zoiets.'

'O jee, nou krijgen we die grammofoonplaat weer.'

'Ophouden,' zegt Berghammer. Hij zit in zijn *piccata lombarda* te prikken. 'Niets klopt,' zegt hij uiteindelijk en kijkt de anderen een voor een aan. 'Ze heeft het niet gedaan. Ze is niet in staat zoiets te doen. Ik bedoel, als je eens goed naar haar kijkt... Daderkennis, nou ja, dat zegt je gezonde verstand je toch. Er klopt gewoon helemaal niets van. De grootte niet, de kracht niet... Niets.'

Maar Mona weet wel beter. Ze heeft haar moeder in haar *fasen* meegemaakt. Hoe ze ooit een massieve houten zespersoonstafel optilde en daarmee op Mona af ging, alsof het ding van karton was. Haar moeder, die slechts 1,64 meter mat en nog geen 50 kilo woog.

Maar ze zegt alleen: 'Zo klein is ze helemaal niet.'

Berghammer schudt zijn hoofd en neemt een grote slok bier.

'Niets klopt,' herhaalt hij.

'Maar ze heeft het gezegd! Ze heeft een bekentenis afgelegd, woord voor woord!'

'Hoor eens, Mona,' zegt Berghammer. 'Misschien wilde ze het doen. Misschien heeft ze in de loop der jaren een enorme haat opgebouwd. En dan doet een ander het. Die neemt haar zogezegd het werk af. Natuurlijk denkt ze dat het haar schuld is. Daar speelt ook haar grootheidswaanzin een rol bij. Ze denkt dat ze almachtig is omdat geheime wensen in vervulling zijn gegaan. Zoiets in elk geval,' besluit hij. 'We zullen haar nog door psychologen laten ondervragen.'

'Maar...'

'We zullen alles nog eens nagaan, zoals het verloop van de moorden enzovoort. Tweemaal, driemaal, zo vaak je wilt. Maar ik kan je nu al zeggen dat zij het niet geweest is.'

'En wie dan wel?'

Stilte. Fischer buigt zich over zijn pizza capricciosa, en Krieger staart naar zijn spiegelbeeld in de vensterruit, met een onaangeraakte tomatensalade voor zich.

'Als zij het niet geweest is,' zegt Mona onverstoorbaar, 'dan kunnen we helemaal opnieuw beginnen.'

'Niet als ze iemand dekt,' zegt Fischer.

'Op die vraag heeft ze helemaal niet gereageerd.'

'Natuurlijk niet. Als ze iemand dekt, wil ze niet dat iemand daar achter komt. Daarom reageert ze niet, dat is logisch.'

Op dat moment haat Mona Fischer, om zijn arrogante gedrag, zijn vrouwvijandelijke gedoe en zijn minachtende houding tegenover iedereen en alles.

'Jij gaat er echt prat op een klootzak te zijn, hè?'

De mannen staren haar aan, Fischers vork blijft in de lucht steken.

'Nou, nou,' zegt Berghammer. 'Daar heb je het al, Hans. Goed gedaan, Mona.' Hij probeert er een grapje van te maken, maar Mona en Fischer letten niet op hem.

'Incompetentie,' zegt Fischer zacht, 'maakt mij soms agressief.'

'Tja, Hans, dan zou ik beter mijn best doen in de toekomst als ik jou was. Competentie is namelijk een kwestie van ervaring.'

Krieger begint opeens van zijn tomatensalade te eten alsof hij ervoor betaald wordt. Zo is het altijd al geweest. Gebakkelei onder collega's negeert hij systematisch omdat hij niet weet hoe hij met dat mysterieuze verschijnsel moet omgaan dat hij vol respect 'de intermenselijke factor' noemt.

Fischer snijdt ondertussen met opeen geperste lippen aan zijn pizza. Hij zegt niets meer, omdat hij weet dat hij op het punt staat iedereen eens flink de waarheid te zeggen.

'Wat dachten jullie ervan als we allemaal naar huis gingen,' zegt Berghammer opeens. Het is half tien 's avonds. Zo vroeg zijn ze de afgelopen weken nog nooit naar huis gegaan.

'Maar het is nog helemaal niet laat,' zegt Fischer. 'We kunnen alles nog eens doornemen, de verklaring...'

'We gaan nu naar huis,' zegt Berghammer. 'We zien elkaar morgen om zeven uur bij mij op kantoor. We zijn allemaal niet fit meer.'

Mona luistert nog maar met een half oor. Het bier, dat ze te snel naar binnen gegoten heeft, borrelt in haar maag. Tegelijk heeft ze het gevoel ver van alles af te staan.

Felicitas Gerber. Ze hebben iets over het hoofd gezien wat haar als dader kwalificeert. Want ze heeft het gedaan.

Mona zit alleen in Afdeling 11. De deur naar de gang staat open, en telkens als ze van haar bureau opkijkt, ziet ze door de deuropening de lichtgroen geschilderde muur. Een afschuwelijke kleur, maar heel praktisch omdat die afwasbaar is. 'Signalen zien, hulpgeroep horen.' Een poster tegen kindermishandeling hangt sinds jaar en dag op het zwarte bord in haar kantoor. Mona staart naar de poster. Niemand heeft toentertijd bij haar signalen willen zien of hulpgeroep willen horen. Tegenwoordig is dat anders, tegenwoordig zijn kinderen niet meer zo alleen met hun narigheid. Er is meer hulp, een betere opvang.

De ordners liggen voor Mona opgestapeld. Het zijn er elf in totaal, met eindeloos lange getuigenverklaringen, met foto's van de lijken, de beoordelingen van de obducties. Ze zal alles nog eens doorkijken, inclusief de verklaring van Felicitas Gerber. Ze weet dat ze in de overvloed aan materiaal iets over het hoofd hebben gezien. Dat gebeurt vaak, wat dat betreft koestert ze geen illusies. Ze pakt een willekeurige map uit de stapel. Hierin zit onder meer het verslag dat ze uit haar geheugen heeft opgeschreven na haar bezoek bij de voormalige Issing-leraar Alfons Kornmüller, die de leerlingen Nietzsche noemen.

Hij weet iets wat misschien niemand weet. Maar het valt niet mee meer uit hem te krijgen. Het geheim zit in zijn zieke hoofd opgesloten als in een kluis waarvan de sleutel zoek is. Toch verdiept Mona zich nog eens in haar aantekeningen.

Robert Amondsen vertrouwt Nietzsche iets toe dat zo afschuwelijk is dat de oude man zijn lievelingsleerling verstoot en daarna zelfs ontslag neemt. Robert Amondsen zal hem dus over de seksuele uitspattingen in Portugal verteld hebben; goed, daar zijn ze al uitvoerig van op de hoogte.

De vraag is of dat alles is wat er toen gebeurd is. Of dat alles is wat Nietzsche gehoord heeft.

Berit ligt op Strobo's bed en wacht op hem. Ze is in verwarring, want het is al elf uur geweest en hij is niet in zijn kamer. Ze is expres voor hem uit haar kamer ontsnapt om hem te verrassen, omdat ze weet dat Strobo momenteel een kamer heeft waar hij vrijelijk bezoek kan ontvangen.

Na vijf minuten staat ze rusteloos op. Ze draait aan het lampje op het nachtkastje tot het niet meer alleen het bed maar de hele kamer verlicht. Ze durft het licht niet feller te laten branden, want het is tenslotte bedtijd, en soms patrouilleert er iemand voor de huizen om te controleren of in alle kamers het licht uit is. Berit loopt op kousenvoeten naar Strobo's bureau, dat op de gewone spulletjes na leeg is. Een powerbook, twee pennen in een zwart bakje dat van marmer lijkt te zijn, een plakband-afroller van hetzelfde materiaal, een zakrekenmachine van chroom en plexiglas. Alles staat heel precies opgesteld. Berit gaat aan het bureau zitten en laat haar wijsvinger over het gevlamde oppervlak glijden,

Geen stof. Strobo is echt heel netjes, wat haar nog niet eerder opgevallen is. Ze opent de bureaulade. Bijna per vergissing. Waarom ook niet? Strobo en zij houden toch van elkaar? Ze hebben geen geheimen voor elkaar.

In de linker lade liggen enkele volgeschreven schoolschriften en een oud diploma. Berit kijkt naar Strobo's geboortedatum: 13 mei 1980. Dat betekent dat Strobo minstens eenmaal is blijven zitten voordat hij naar Issing kwam. Maar zo heeft ieder zijn geheim. Dan opent Berit de rechterlade. Links achterin staat een afsluitbaar kistje. Ze trekt het voorzichtig naar voren, alsof ze erdoor gehypnotiseerd wordt. Tegelijkertijd luistert ze of er iemand aankomt. Maar nee, in het hele huis is het doodstil. De sleutel zit erin. Misschien heeft Strobo alleen vergeten die eruit te halen, misschien doet hij het kistje nooit op slot omdat er niets bijzonders in zit. Maar het kistje zit wel op slot. Berit draait de sleutel om. Ze denkt niet meer, maar gaat nu mechanisch te werk. Het lijkt alsof iemand anders haar hand leidt, iemand die wil dat ze... tja, wat eigenlijk? Ze zal er niet achter komen als ze de deksel nu niet optilt.

Ze opent het kistje.

Op het eerste gezicht is het een teleurstelling. Handgeschreven brieven, vast en zeker moeilijk te lezen. Wie schrijft er tegenwoordig nog zo? Misschien Strobo's ouders. Berit weet helemaal niets van hen. Ze maakt een van de brieven open.

Ondervraagde persoon: Elfriede Kornmüller
Geslacht: vr.
Burgerlijke staat: geh.
Geboortedatum: 30.08. 1925
Geboorteplaats: Bergisch Gladbach
Betrokkene maakt melding van persoonlijkheidsveranderingen bij haar man, volgend op een ontmoeting met de toenmalige leerling Robert Amondsen. Na deze ontmoeting is het tot op dat moment goede contact tussen beiden door Alfons Kornmüller beëindigd.

Feit nummer een: gekweld door zijn slechte geweten nam Robert Amondsen zijn lievelingsleraar in vertrouwen, in de hoop op absolutie. Die hem niet verleend werd, integendeel zelfs.

Feit nummer twee: Dik twintig jaar later, vlak voordat hij vermoord werd, schrijft Robert Amondsen een brief aan zijn vrouw Carla, waarin hij de verkrachting (seksuele intimidatie) van Felicitas Gerber bekent. Maar waarom uitgerekend nu? Een vraag waarover ze steeds weer hebben zitten dubben, zonder een antwoord te vinden. De reden kan alleen zijn dat de dader tevoren contact met hem opgenomen heeft en Amondsen door angst bevangen raakte. Felicitas Gerber heeft echter ontkend voor de moord contact te hebben opgenomen met Robert Amondsen.

Feit nummer drie: Konstantin Steyer had enkele weken voor zijn dood een recept voor valium laten uitschrijven, en dat terwijl vrienden, collega's en familieleden eensgezind verklaard hebben dat Steyer een ongecompliceerde, vrolijke en optimistische man was. Er dringt zich een verklaring op: Ook Steyer kende zijn moordenaar of moordenares. Misschien heeft hij of zij geprobeerd Steyer af te persen.

Wanneer hebt u Robert Amondsen voor het laatst gezien?
Toen hij dood was. Ik heb hem op zijn rug gelegd. Hij zag er zo... eenzaam uit.
We komen zo meteen bij het verloop van de moord. Toen Robert Amondsen nog leefde, wanneer hebt u hem toen voor het laatst gezien?
Dat is zo lang geleden. Ik weet het niet meer.

Op school? In Issing?
Ja.
Later niet meer?
Nee.
Weet u dat zeker?
Ja.
Robert Amondsen heeft een brief geschreven waarin hij over de gebeurtenissen in Portugal bericht, waarover we al gesproken hebben. Kort voor zijn dood. U beweert schuldig te zijn aan zijn dood.
Ja. Ik ben daar schuldig aan.
Hebt u Robert Amondsen gedood?
Ja, dat heb ik gedaan.
Dan hebt u hem in elk geval voor zijn dood gezien.
Nee.
Hoe kan dat nou?
(De getuige antwoordt niet. Glimlacht.)
Dan proberen we het nog eens op een andere manier. Omdat Robert Amondsen niet helderziend was, kon hij niet weten dat u hem wilde doden. Klopt dat?
Ik weet het niet.
U moet dus contact met hem hebben opgenomen voordat hij die brief schreef. Waarom?
Omdat hij die brief anders natuurlijk niet geschreven zou hebben. Niet uitgerekend nu, op dit moment. Dat zou een ongelooflijk toeval zijn. Begrijpt u wat ik bedoel?
Ik weet het niet. Meer kan ik er niet over zeggen. Ik weet het niet.

Mona wrijft in haar pijnlijke ogen. De asbak voor haar walmt door de laatste sigaret, die ze niet goed uitgedrukt heeft. Het stinkt naar verbrand filter. Haar blik valt weer op de opengeslagen ordner met het verhoor van Elfriede Kornmüller.

De ondervraagde maakt melding van diverse voorvallen die zich in de zomer van 1979 in Issing afspeelden en die voorafgingen aan het ontslag van Alfons Kornmüller. Maar die vonden niet in de directe omgeving van Alfons Kornmüller dan wel Robert Amondsen plaats. In zoverre lijken ze me voor het onderzoek weinig relevant.
Volgens het verslag van de ondervraagde was er sprake van vier leerlingen die van school gestuurd werden, een alcoholvergiftiging en een zwangerschap.

Een zwangerschap.
Wat was er met het meisje gebeurd dat zwanger geworden was? Daar heeft Mona niet naar gevraagd.
Welk kind zou geen reden hebben over zijn ouders te wenen?
Heeft Nietzsche dat niet gezegd? Tussen al dat geklets over kuisheid en zinnelijke begeerte?
Het staat niet in haar verslag omdat het haar niet belangrijk leek. Mona ondersteunt haar hoofd met haar handen. Ze steekt de volgende sigaret op en kijkt op de klok. Het is half twaalf.
Welk kind zou geen reden hebben over zijn ouders te wenen?
Ze moet aan Lukas denken. Hij slaapt nu rustig, alweer bij zijn vader, omdat hij na het Sinterklaasfeest bij Mona's zus Lin naar Anton terug wilde. Mona prevelt een schietgebedje richting hemel. Zorg dat Anton niet in iets illegaals verwikkeld is. En zo ja, zorg dan dat niemand hem betrapt. Als deze zaak voorbij is, moet ze zich meer met Lukas bezighouden. Als moeder aanwezig zijn, zoals dat zo mooi heet. Maar het werk dat zij doet, doe je met volle inzet of helemaal niet. En dat gaat niet. Ze moet financieel onafhankelijk blijven, wat Anton haar ook moge vertellen. Ze kan Lukas niet helemaal aan Antons invloed overlaten. Anton is een goede vader, maar hij is ook...
Wat eigenlijk? Daar denkt ze liever niet aan.
Elfriede Kornmüller.
Een meisje werd zwanger, zoveel is zeker. In de zomer van 1979, oftewel: voor de zomervakantie. Of toch niet?
Misschien was het ook later. Misschien pas in de herfst.

Allerliefste zoon,
Ik ben zo blij dat we elkaar gevonden hebben. Jij bent de beste van hen allemaal. Daarom vraag ik je: dood hen niet. Als zij er niet geweest waren, was jij er ook niet geweest. Als ze dood zijn, dan zal je eenzaamheid totaal zijn. Ik weet zeker dat je dat niet wilt...

Berit stoot de lucht uit haar longen; het klinkt als een piepend gekuch. Als ze in de bergen aan het mountainbiken is, klinkt haar adem zo. Na een zware helling. Nu voelt ze zich alsof iemand haar borst insnoert.
Ze sleept zich naar Strobo's bed, maar het wordt niet beter. Haar longen worden samengeperst door de paniek die haar als een ijzeren band beklemt.

Mona kiest het nummer van de Kornmüllers. Ze laat de telefoon zo lang overgaan tot de bezettoon klinkt. Ze kiest opnieuw. Er komt niemand aan de lijn. Waarschijnlijk zijn beiden hardhorend. Ze zal het morgen – vandaag – nog eens proberen.

Ze pakt Robert Amondsens brief uit een van de ordners. Voor het eerst valt het haar op dat de brief niet ondertekend is. Omdat Robert Amondsen nog niet klaar was? Omdat hij nog niet alles verteld had? Omdat hij door de dood overvallen werd?

Het is vijf over twaalf. Mona gaat naar huis en misschien eindelijk eens langer dan vier uur slapen. Dat neemt ze zich voor tenminste. Het liefst zou ze op de bank in Berghammers kantoor gaan liggen, zo moe is ze. In plaats daarvan neemt ze geeuwend de lift naar de parkeergarage in het souterrain.

Haar auto staat op nummer 122, achter de bocht gelijk links. Mona loopt met slepende passen, en even overweegt ze of ze niet beter een taxi kan nemen. De dichtstbijzijnde taxistandplaats bevindt zich schuin tegenover Afdeling 11, direct bij het centraal station. Het is maar een klein stukje lopen, en dan hoeft ze geen parkeerplaats bij haar huis te zoeken. Maar dan zoekt ze al in haar handtas naar haar autosleutel.

Het gebeurt in een fractie van een seconde. Ze weet niet hoe het ooit mogelijk was dat iemand ongemerkt op haar af kon sluipen. Ze weet alleen dat ze een por in haar rug kreeg, haar evenwicht verloor en steun zocht tegen het autodak. Nu voelt ze dat ijzige ding tegen haar nek. Dan kan ze bijna geen adem meer halen. En dan de felle pijn.

Je loopt gevaar, Mona. Ik voel het.
Zwets niet zo.

26

Fischer schrikt wakker uit een duistere, kille droom. Hij gaat rechtop zitten en schakelt het lampje op het nachtkastje aan.

Het volgende moment, zo lijkt het, staat hij al in de badkamer en sprenkelt water in zijn gezicht. Hij bekijkt zichzelf in de spiegel en ziet zijn roodomrande ogen en baard van vier dagen. Hij ziet er vreselijk uit. Hij zou weer eens goed moeten uitslapen. Het is zinloos je door je werk helemaal te laten afmatten, niemand heeft wat aan een opgebrande hoofdinspecteur.

Hoofdinspecteur Fischer. Zijn gedachten gaan in kringetjes rond, en bijna dommelt hij boven de wasbak in, terwijl hij daar op zijn handen steunend staat.

Hij gaat naar de slaapkamer terug en schiet in zijn spijkerbroek, de dikke sokken en stevige schoenen. In de kast vindt hij zijn laatste schone T-shirt. De grijze wollen trui die hij al dagen draagt, is pas twee maanden oud en zit vol pluizen en bobbeltjes.

Nou ja, er zijn ergere dingen.

Hij grist de autosleutel van de keukentafel. De sleutel van het huis van Felicitas Gerber zit in zijn broekzak.

Hij wil daar nog eens gaan kijken. De woning is nog niet officieel verzegeld, althans dat denkt hij. De woning is door de technische recherche helemaal uitgekamd, maar Fischer fantaseert over losse vloerplanken of geheime vakken in de kast. Je kunt nooit weten. Het kan in elk geval geen kwaad nog eens rond te kijken.

Hij vraagt zich niet af waarom dat per se nu moet.

'Wat...'

'Kop dicht!' De hese, fluisterende stem is van een jonge man. Hij staat vlak achter haar, ze voelt zijn krachtige gespannen lichaam. Met zijn hele gewicht drukt hij haar tegen het gesloten autoportier. De strik om haar hals komt wat losser te zitten, voor haar ogen verschijnt een knipmes. 'Draai je niet om.'

'Nee.'
'Zie je dat?'
'Ja.'
Het mes verdwijnt uit haar gezichtsveld, en dan voelt ze een prikje boven haar rechternier. Wat zit daar voor orgaan? In geval van twijfel de long.
'Ik steek toe als je niet doet wat ik zeg.'
'Ja. Geen probleem. Wat moet ik doen?'
'Open de portieren. Die van de chauffeur en die daarachter.'
Er is geen collega in de parkeergarage; ze ziet tenminste niemand. Ze is helemaal alleen. Ze opent beide portieren.
'Instappen. Draai je hoofd naar rechts.'
Mona gehoorzaamt. Hij heeft haar bij haar haren gepakt en ze voelt het mes nu tegen haar nek. Hij volgt haar bewegingen. Ze is weer klaarwakker. Al haar reflexen functioneren, maar daar heeft ze niets aan zolang hij het mes heeft.
'Doe je riem om. Kijk weer naar rechts. Wee je gebeente als je je hoofd naar links draait.'
'Goed.' Mona tast met haar linkerhand naar de gordel.
Uiteindelijk voelt ze het metaal van het slot. Ze trekt de gordel naar onderen.
'Geef me je hand. Je linker. Kijk naar rechts! Kijk weer naar rechts!'
Het volgende moment wordt er iets om haar linkerpols heen dichtgemaakt, dan om het stuur. Een plastic handboei. Ze kan nu rijden maar niet meer uitstappen. Haar actieradius is tot nul gereduceerd. Het portier valt naast haar in het slot en ze hoort hoe hij achter instapt.
'Rijd weg.' De draad om haar keel wordt weer aangetrokken. 'De achteruitkijkspiegel. Zet die omhoog.'
'Ik moet achteruit de parkeerplaats uit rijden. Zonder spiegel zie ik niets.'
'Kijk maar in je zijspiegel, dan lukt het ook wel.'
Mona klapt de binnenspiegel omhoog. Ze heeft niets gezien, zelfs niet of de man gemaskerd is. De parkeergarage heeft videobewaking, maar vermoedelijk heeft geen van de bewakers de afgelopen minuut gekeken.
Langer heeft het beslist niet geduurd. Slechts één minuut. Zo snel ben je uitgeschakeld.
Ze voelt zijn adem in haar nek als ze achteruit richting uitgang rijdt. De draad zit nu stevig om haar nek en ze voelt de hand van haar belager in haar nek. Ze kan sturen en schakelen, verder niets. Van buiten zie je waarschijnlijk alleen een rijdende vrouw met een mannelijke passagier, die niet naast haar maar achter haar zit. Maar dat is nog geen reden om het verdacht te vinden.

'Ik moet aan de ketting trekken die aan het dak hangt. Dan gaat het hek open. Met mijn rechterarm kan ik daar niet bij.'
'Blijf onder de ketting staan. Ik doe dat.'
Dan ziet ze hem bij het uitstappen opeens vluchtig in de zijspiegel. Hij heeft geen masker op. Maar hij passeert haar blikveld te snel. Ze herkent hem niet.

Berit rookt een sigaret en kalmeert langzaam weer. Liefde, zegt ze tegen zichzelf, betekent vertrouwen. Toch wil ze nog enkele andere brieven lezen. Ter geruststelling. Alleen daarom. Ze heeft iets gelezen dat waarschijnlijk uit zijn verband gerukt was. Doden. Misschien ging het om... dieren. Het kan niet gaan om wat zij denkt.

'Waar moet ik heen rijden?
'Naar de snelweg.'
'Welke snelweg?'
'Vliegveld.'
Angst. Angst kent vele gezichten. Op dit moment vermomt die zich als maagpijn en koud zweet.
'Wie ben je?'
'Doet er niet toe.'
'Wat wil je?'
Een hol lachje vanaf de achterbank. Het klinkt ontspannen en zelfbewust, alsof haar belager al duizenden malen mensen in gijzeling heeft genomen. 'Goede vraag. Eindelijk de juiste.'
'Maar toch wil je er niet op antwoorden.'
'Jawel. Zeker wel. Zodra we op de snelweg zijn.'
Het regent, en de lichtjes van de stad vervagen voor Mona's oververmoeide ogen.
'Is dit je dienstauto?'
'Ja. Niet goed?'
De belager lacht opnieuw. Hij moet nog jong zijn, misschien 18 of 19.
'Een Opel Astra, tjonge jonge. En daar durft u de weg mee op.'
'Ik had ook liever een Audi-TT gehad.'
Gesnuif. 'Daar rijdt elke kluns tegenwoordig in. Hoe ver is het nog?'
'Naar de snelweg?'
'Ja.'
Haar belager komt hier niet uit de buurt. Iedereen kent hier de weg naar de snelweg naar Nürnberg, waar de weg naar het vliegveld een afslag van is.
'Een paar minuten. We zijn zo meteen op de Middenring.' Er is iets

merkwaardigs aan zijn stem. Nee, meer in zijn manier van praten, in de beklemtoning van de woorden.

Het doet haar aan Issing denken.

Mona rijdt de Middenring op. Haar handen lijken stijf bevroren, hoewel de verwarming aan staat.

Berit pakt de met de hand geadresseerde enveloppen in haar hand. Als afzender staat er de naam Felicitas Gerber.

Wie is Felicitas Gerber?

Ze raakt bevangen door jaloezie, alsof dat er nu nog toe doet. Er klopt iets niet met Strobo, iets essentieels, dat voelt ze even duidelijk als een aanraking. En zij maakt zich er zorgen over of er een ander meisje in zijn leven is!

Ze opent de volgende brief.

'Jullie hebben Felicitas Gerber. Ik wil dat jullie haar vrijlaten.'

'Hoe kom je daarbij? Wat weet je van Felicitas Gerber?' Maar het is Mona al duidelijk zodra ze de vraag gesteld heeft. Alles past ineens in elkaar.

Toen: 1979, het zwangere meisje.

'Zij heeft het niet gedaan.'

'Wat heeft ze niet gedaan?'

'Ik heb het gedaan. Geef me je cassetterecorder, dan vertel ik daarop alles wat je wilt weten. En dan kun je haar vrijlaten. Omdat je dan weet dat ik het geweest ben.'

'Daar heb ik niets aan, aan een bandopname,' zegt Mona. 'Die wordt door de rechtbank niet geaccepteerd.'

Ze zijn ondertussen de snelweg op gereden en daar bijna alleen onderweg. Mona rijdt niet harder dan 100, een bijna ontspannen gangetje. Haar belager leunt nu naar voren. Hij praat rechtstreeks in haar oor.

'Ik heb het gedaan, basta. Meer krijg je niet van mij.' *Ik heb het gedaan.* Het klinkt erg zacht en zwak, bijna sexy. Alsof deze bekentenis hem genot bezorgt.

'Ben je de zoon van Felicitas Gerber?' De vraag is gewaagd, omdat die hem van zijn à propos kan brengen. Veel gijzelnemers worden daar agressief van.

'Heiko, mijn lieve Heiko, ik ben zo blij dat we elkaar na zoveel jaar gevonden hebben, en dat je me vergeven hebt wat er gebeurd is. Ik zie je als baby met je grote donkere ogen, die me beschuldigen omdat ik je verliet. Maar ik

260

kon niet anders, en ik wist niet hoe ik het later tegen je moest zeggen, dat je niet één vader hebt, maar...'

'Lieve Heiko, ik zou willen dat je er nooit meer aan denkt. Je plan is afschuwelijk en ik schaam me ervoor de kiem voor zo'n verwoestend gevoel in je gelegd te hebben. Ik had je nooit over het verleden mogen vertellen. Nu weet ik weer wat voor een slechte moeder ik geweest zou zijn, en hoe goed het was dat ik jou toen voor adoptie heb aangemeld en dat je in zo'n gezonde familie mocht opgroeien.
Hoewel ik heel gelukkig was dat jij me opgezocht en gevonden hebt, moet ik de dag vervloeken waarop je voor het eerst voor mijn deur stond, even groot, jong en mooi als je vader toentertijd... Ik voel dat ik het onheil, waarvoor ik je wilde behoeden, nu toch over je uitgestort heb, en daar schaam ik me heel erg voor... Alsjeblieft, alsjeblieft, Heiko, doe het jezelf niet aan. Leef je eigen leven, denk aan je ouders die alles voor je gedaan hebben waartoe ik niet in staat was, en vergeet mij...'

'Ze denkt dat ze overal de schuld van is, maar dat is ze niet.'
'Goed dan. Vanaf het begin.'
'Ik wil niet dat zij gestraft wordt voor wat ik gedaan heb.'
'Je houdt van haar.'
'Ze is mijn moeder. Ik houd van haar. Ze is de meest fantastische persoon die ik ooit ontmoet heb. Ze is ontzettend verstandig, en tegelijk zo zwak en toch keihard. Begrijp je?'
'Ja.'
Ook Mona's moeder was zwak. En zo hard als staal. Mona voelt hoe langzaam maar zeker de tranen in haar ogen opkomen. Het lijkt alsof er iets in haar smelt. Iets heel zwaars en kouds. Ze heeft van haar moeder gehouden. Dat is de waarheid. Ze heeft van haar moeder gehouden, niet alleen omdat er niemand anders was van wie ze had kunnen houden. Ze heeft van haar gehouden als persoon, omdat ze was wie ze was. Gek, onberekenbaar en fascinerend. Een fee, een boze heks, een angstig klein meisje dat zich voor de spiegel verkleedt. Geen vriendin had zo'n moeder als Mona. Geen normale moeder kon tegen Mona's moeder op.
'Niemand begrijpt dat.'
'Jawel, ik begrijp dat. Je wilde je moeder wreken.'
'Nee, zo was het niet. Eerst niet. Eerst wilde ik alleen een vader.'

Fischer zit in de keuken van Felicitas Gerber. Een kaal 100-wattpeertje verspreidt een verblindend wit licht. Hij heeft niets van belang gevonden

261

en toch heeft hij nog altijd dat vreemde gevoel iets over het hoofd gezien te hebben, iets essentieels.

'Michael was de eerste.'
'Michael Danner?'
'Ja.'
'Felicitas Gerber heeft je zijn naam gegeven.'
'En die van de anderen. Ik heb net zo lang zitten zeuren tot ze het gedaan heeft. Michael was de eerste. Duidelijk, want hij was te pakken.'
'Dus je bent naar hem toe gegaan en hebt tegen hem gezegd dat hij je vader was. Of hoe moet ik me dat voorstellen?'
Een hand achter haar pakt haar cassetterecorder af. Mona voelt zijn adem in haar hals. 'Ik heb hem in het rustuur bezocht en hem verteld wat ik weet.'
'En dat was?'
'Dat ik hem als mijn vader beschouw. Ik wilde gewoon eens zien hoe hij reageerde. Ik bedoel, hij had mijn vader kunnen zijn, maar de anderen ook.'
'Met een DNA-test hadden ze dat kunnen uitzoeken.'
'Daar gaat het niet om. Daar is het me nooit om gegaan.' De draad om haar hals wordt strakker getrokken. Mona probeert langzaam en voorzichtig te ademen. Als ze te haastig ademt, raakt ze verlamd door de paniek en is het gedaan met haar.
'Waarom dan? Wat wilde je bereiken?'
'Dat hij aan mijn zijde staat. Dat een van hen aan mijn zijde staat.'
'Maar geen van hen heeft dat gedaan.'
'Michael heeft gezegd dat als ik hem wil afpersen, ik op graniet zou stoten.'

Michael Danner slaat zijn ogen open.
Heiko is er weer, die zal er altijd zijn. Heiko Markward, de verloren zoon. Heiko, die het verleden weer terugbracht, hier in zijn werkkamer, zijn bedreigde idylle.
Saskia was boodschappen aan het doen toen het gesprek plaatsvond en Danner herinnert zich voor de honderdste keer hoe verschrikkelijk kwaad hij werd, hoe de woede hem als een bovenmenselijk sterke tegenstander in zijn greep kreeg. Het was dezelfde woede die hem overviel als Saskia er weer een onvoorstelbare puinhoop van gemaakt had. Hij had geprobeerd (toegegeven, met geweld geprobeerd) de chaos uit haar hoofd te verdrijven, maar het was hem niet gelukt. Bij Heiko hield hij zich in, hoewel hij het liefst toegeslagen had.

Wat wilde dat figuur, na achttien jaar? Danner had niets te vergeven. Geen liefde en geen geld.

Als je me wilt afpersen, ga dan je gang maar. Je krijgt van mij een proces wegens laster aan je broek zodat je hele leven vergald is.

Er zijn DNA-tests. Die kunnen bewijzen...

Ja. Probeer dat eerst maar eens voor de rechtbank te bewijzen. Dat duurt jaren, beste man.

Waarom heeft hij de politie niets over Heiko verteld?

Omdat het hem niets kon schelen. Na alles wat er gebeurd was, kon het hem niet meer schelen. Of liever gezegd, iets in hem genoot ervan alle anderen ook bij de neus te nemen. Iets in hem wilde dat de anderen ook bestraft werden. Schacky, Robert, Konni.

Hij is een smeerlap. Hij heeft gezien hoe Heiko een moord pleegde. Althans zo goed als. Geen straf kan zwaar genoeg voor hem zijn.

Maar toch kan het hem allemaal niets schelen. Zijn leven is voorbij. Het is niet meer van belang wat er verder nog met hem gebeurt. Hij zal nooit ergens anders meer zijn dan hier. Hij zal geen nieuw leven in een zuidelijk land beginnen, want hij heeft geen kracht en elan meer. Hij is zo goed als dood.

'Waarom wilde je Michael Danner vermoorden?'

'Ik haatte hem. Hem en de anderen. Ze hadden het verdiend.'

'Waarom heb je Saskia Danner vermoord?'

'Een verwisseling. Ze had Michaels parka aan. En ze was tamelijk groot voor een vrouw. Ze had hem kunnen zijn.'

'Je hebt gezien hoe ze de berghut verliet?'

'Ik was met de anderen buiten. Die waren allemaal hartstikke stoned.'

'Zoals je gepland had?'

'Uiteraard.'

'Dus dat spul kwam van jou vandaan?'

'We hadden allemaal wat bij ons, de Thaise wiet was van mij. Ik had het in hasjolie gedoopt. Die is waanzinnig sterk. Daarom werkte het zo krankzinnig goed.'

'Goed. Iedereen was stoned. En dan?' Het gelijkmatige gebrom van de motor zou slaapverwekkend zijn als de voortdurende adrenalinescheuten er niet voor zorgden dat Mona zeldzaam alert was. Voor hen duikt het bord met de afslag naar het vliegveld op. Wil hij werkelijk naar het vliegveld of heeft hij zomaar wat gezegd? En zo ja, wat wil hij daar dan? Met de noorderzon verdwijnen?

'Ik ben naar Danner toe gegaan.'

'Je wilde Danner doden? Of wilde je nog eens met hem praten?'
'Ik wilde dat hij naar beneden kwam. En toen wilde ik hem doden. Ergens tussen de rotsen. Ik had me er echt op verheugd hem te doden. Hij was een nul, echt een smeerlap.'
Op dat moment weet Mona definitief dat ze deze rit niet zal overleven. Waren het werkelijk zuiver acties uit wraak? Of moordt hij graag? Heeft hij er plezier in? Iets in hem heeft in elk geval alleen op deze gelegenheid gewacht.

Berit legt de brieven weer in het kistje terug dat ze vervolgens in de hoek van de schuiflade schuift.
Strobo is een moordenaar. En misschien is hij nu weer bezig iemand te vermoorden. Ze doet het licht uit en klimt zachtjes uit het raam. Morgenochtend zal ze die inspecteur opbellen. Ze zal Strobo verraden, terwijl ze van hem houdt. Maar dat is niet het ergste. Het ergste is dat er iets in haar geknakt is, en wel onherstelbaar. Enkele weken geleden nog was haar leven zonder belang, maar aangenaam en zorgeloos. Nu is het duister en verward, en haar principiële vertrouwen in dingen en mensen is voor altijd verdwenen.
Hoe kon Strobo zo teder met haar zijn en toch al die dingen doen? Als dat mogelijk is, zijn er nooit en nergens zekerheden meer.

'Dus je bent via de ladder naar de eerste verdieping geklommen om Danner te halen. Wat gebeurde er toen?' Haar stem mag niet trillen. Als hij merkt dat ze bang is, maakt ze geen kans meer.
'Halverwege hoorde ik dat er boven iemand rondliep. De planken kraakten. Ik wist niet zeker wie dat was, en daarom ben ik de ladder weer afgedaald en ben aan tafel gaan zitten.'
'Aan de eettafel.'
'Ja, er was geen andere. Het is maar een kleine, heel primitieve hut.'
'Zat er nog iemand aan de eettafel?'
'Ja, Sabine en Peter. Die waren helemaal van de wereld. Peter zat de hele tijd tegen Sabine te zwetsen, terwijl die steeds aan een kaars zat te frummelen.'
'En toen?'
'Ging boven het luik van de eerste verdieping open.'
'Iemand wilde naar beneden.'
'Ja. Ik ging naar buiten, naar de anderen, en heb de huisdeur in de gaten gehouden. Danner kwam naar buiten, althans ik dacht dat hij het was. Hij droeg zijn parka en had een capuchon op. Zijn gezicht was niet te zien.'

'Waaraan heb je zijn parka herkend?'

'Die had aan de voorkant een groot, wit driehoekig embleem. Dat lichtte in het maanlicht verschrikkelijk fel op.'

'Toen ben je die persoon achterna gegaan.'

'Ja. Ik had geen idee waar die heen wilde. Maar dat kwam me goed van pas.'

'Je hebt haar achtervolgd met het doel Danner te vermoorden.'

'Ja.'

'Zo had je dat gepland.'

'Ja. Ik wist niet zeker of er zich in die paar dagen een gelegenheid zou voordoen, maar zo ja, dan zou ik daarvan gebruikmaken.'

'En toen je merkte dat je de verkeerde...'

'Toen was het al te laat. Maar het gaf de zaak een extra bekoring.'

'Omdat Danner automatisch ervan verdacht werd.'

'Inderdaad. Een man die regelmatig zijn vrouw mishandelt... De situatie waarin hij zich momenteel bevindt, is erger dan de dood. Beter had het niet kunnen lopen.'

'Dus je had er plezier in om te moorden?'

'Nee.' Maar Mona gelooft dat dat een leugen is.

De lichtjes van het vliegveld duiken voor hen op. Mona weet dat haar leven hier aan zijn eind komt, tenzij er een wonder gebeurt. Hij zal zijn vijfde moord vieren, en wel in een van die enorme, eindeloze luchthavenparkeergarages, waar ze waarschijnlijk uiteindelijk pas na lange tijd zal worden gevonden. Pas wanneer de stank van ontbinding zo sterk wordt dat die door de rubberen isolatie van de kofferbak heen dringt, zal iemand die in de buurt parkeert de recherche waarschuwen.

Ze zal Lukas nooit meer zien, net als Lin en Anton. Ze zal de zon nooit meer zien.

Alleen haar stem zal op de cassette met zijn bekentenis overblijven.

Hij heeft alles minutieus gepland. Waarschijnlijk heeft hij al een vliegticket op zak. Het kan maanden duren voordat hij gepakt wordt. Dan zal haar lichaam al een waterige, stinkende massa zijn.

Ze zit met een handboei aan het stuur vast. Ze is volkomen weerloos.

Fischer had gelijk. Gerber heeft iemand gedekt. Haar zoon. Moeders dekken hun zoons altijd, wat die ook uitvoeren.

27

'Waar is Mona?' vraagt Berghammer. Het is precies zeven uur 's ochtends en Krieger en Fischer zitten volgens afspraak voor zijn bureau, alleen Mona ontbreekt. Berghammers gezicht staat somber, wat zelden voorkomt. Eigenlijk is hij een opgewekt man. Maar deze zaak is een bezoeking. Zo heeft hij die vanmorgen vroeg tegen zijn vrouw genoemd, toen ze om zes uur koffie voor hem bracht: een bezoeking. En zijn vrouw heeft daarbij een bezorgd gezicht getrokken, omdat hij normaal gesproken nooit over zijn werk praat.

'Geen idee,' zegt Fischer. Hij is oververmoeid, maar nerveus. Na in Felicitas' woning te zijn geweest, wat een zinloze actie zonder enig succes was, heeft hij nog twee uur geslapen, haastig een douche genomen en is zonder ontbijt naar het bureau gereden.

'Haar wagen staat niet in de garage,' zegt hij.

Berghammer kiest Mona's privé-nummer en ten slotte ook dat van haar gsm.

'Ze neemt niet op,' zegt hij verbaasd.

'Heeft ze hem uitgeschakeld?' vraagt Krieger.

'Nee. Hij gaat gewoon over.'

Berghammers secretaresse steekt haar hoofd door de deur. 'Er is een zekere Bärbel Schneider of zo aan de telefoon. Ze wil Mona spreken. Het is heel belangrijk. Moet ik haar doorverbinden?'

'Berit Schneider, die neem ik wel,' zegt Fischer. 'Een meisje uit Issing, uit de Danner-kameradengroep.'

'Verbind haar door,' zegt Berghammer.

De secretaresse verdwijnt en twee seconden later rinkelt Berghammers telefoon.

'Mijn toestel gaat om negen uur. Ik moet je doden.'

Dat is logisch. Hij is klaar. Hij heeft drie bandjes volgesproken, met alle bijzonderheden. Saskia Danner, Konstantin Steyer, Robert Amondsen, Christian Schacky. Alleen Simon Lemann ontbreekt in zijn verzameling, omdat die de naam van zijn vrouw aangenomen heeft en daarom voor hem niet te traceren was.

'Hoe kon je Issing zo vaak verlaten zonder dat het iemand opviel?'

'Ik kreeg heel officieel vrij, namelijk om mijn ouders te bezoeken. In werkelijkheid ging ik op bezoek bij Felicitas Gerber. En toen heb ik...'

'Steyer, Amondsen en Schacky vermoord. Maar waarom heb je het bij Danner geen tweede keer geprobeerd?' Mona moet doorvragen, met alle geweld. Zolang ze praten, laat hij haar leven.

'Ik ben toch niet achterlijk? Die werd toch beveiligd.'

'Hoe zat het met Danners alibi? Heb je hem naar de stad laten komen voordat je Steyer...?'

'Uiteraard. Ik heb gezegd: tienduizend mark en de kwestie is vergeten. Tienduizend mark en dan zou ik zijn alibi niet verraden dat we hem in de hut verschaft hadden. Niemand komt te weten dat hij zijn vrouw regelmatig mishandeld heeft. En dat hij een zoon heeft van een leerlinge die hij verkracht heeft. Enzovoort. We hebben afgesproken in het Johannescafé.'

'Maar je bent niet gekomen.'

'Ik heb gezegd dat hij het geld onder de stoel in een plastic zak moest laten liggen. Dat heeft hij gedaan. Ik ben gekomen en heb het gepakt.'

'En daarna ging je naar Steyer, die vlak in de buurt woonde. En omdat een kelnerin van het Johannescafé Danner herkende, was hij niet alleen verdachte van de moord op zijn vrouw, maar ook op die van Steyer.'

'Ja. Slim, hè?'

'Waarom heeft Steyer je niet gewoon binnengelaten?'

Pauze. Ze hoort hem ademen. Ze staan in een van de enorme parkeergarages op het vliegveld. Mona hoort auto's achter de hare voorbijrijden. Langzaam maar gestaag. Geen ervan remt, geen ervan let op hen. Mona's linkerhand rust op het stuur en voelt verdoofd en verkrampt aan. De handboei heeft al drukplekken achtergelaten.

'We hadden om die tijd afgesproken.'

Mona snapt het opeens. 'Hij heeft je ook geld gegeven.'

'Precies.'

'Hij dacht daarmee voorgoed van je af te komen.'

'Hij was net als Michael, die sukkel. Hij zei: tienduizend, meer niet. Als je nog eens komt opdagen, bel ik de politie, en het kan me geen donder schelen of dan uitkomt dat je mijn zoon bent. Tienduizend voor de enorme fout die ik toentertijd gemaakt heb.'

'Schacky en Amondsen. Hebben die ook betaald?'

'Schacky wel, Amondsen niet. Die bazelde iets over schuld en boete en

heeft me niet eens binnengelaten. Maar dat gaf niet, want ik heb hem toch te grazen genomen.'
'Je hebt het geld nu bij je.'
'Zeker.' Weer dat lachje, zonder een spoor van inspanning of vermoeidheid. 'Mijn nieuwe leven is al begonnen.'
Op dat moment gaat haar gsm over. Haar handtas ligt op de achterbank naast haar belager, buiten haar bereik. Het is vijf over zeven. Dat zal Berghammer zijn. Hij zal verbaasd zijn dat ze niet op haar werk komt. Ze hoort een korte piep. Haar belager heeft haar gsm uitgeschakeld, wat betekent dat die niet meer getraceerd kan worden. Dat was haar laatste futiele hoop. De zender in de auto is eveneens uitgeschakeld. Zij zou die kunnen inschakelen, theoretisch. Maar in de praktijk zit er een vastgesnoerde draad rond haar nek, die elke beweging verhindert.
Er schieten haar geen vragen meer te binnen, op de laatste na.
'Wie ben je?'
Lachen is ook een antwoord.

'Haar wagen staat niet in de garage,' zegt hij. 'Is ze gisterochtend met de auto gekomen?'
'Ja,' zegt Fischer.
'Weet je dat zeker?'
'Ja, mijn parkeerplaats is naast de hare. 123.'
Berghammer zegt: 'We zijn gisteravond allemaal met de taxi naar huis gereden, behalve jij, Hans. Op rekening. Dus moet haar wagen hier zijn.'
'Misschien is ze daarna nog naar het bureau gereden en heeft haar auto gehaald.'
'Waarom zou ze dat doen? Dat slaat toch nergens op,' zegt Berghammer.
Krieger bemoeit zich ermee. 'Misschien wilde ze nog wat nakijken. Iets over de zaak. Of ze had wat vergeten hier.'
Berghammer staart hem aan. 'Bingo,' zegt hij, en uit zijn mond klinkt deze moderne kreet aandoenlijk misplaatst. De secretaresse staat plotseling op en loopt naar buiten. Een minuut later komt ze terug.
'Mona's bureau ligt vol ordners. Maar gisteravond, toen ik naar huis ging, was alles opgeruimd.'
'Hans, bel eens op naar Issing. Ze moeten nakijken of die Heiko wel op zijn kamer is. De jongen over wie die Bärbel Schneider gesproken heeft.'

Er valt niets meer te zeggen. Mona's mond is droog, haar nek doet pijn.
'Ik heb dorst,' zegt ze.

'Dat gaat wel over. Neem dit,' zegt hij en drukt haar een brief in haar rechterhand. Die is aan Berit Schneider geadresseerd.

'Wat moet ik daarmee?' Een spoor van hoop.

'Hou die gewoon in je hand. Ze zullen die wel vinden als ze jou vinden.' Alles wat ze kan doen, is verkeerd. Maar erger dan het verkeerde te doen is helemaal niets te doen en zich gewoon van kant te laten maken door een gestoorde jonge idioot. Mona begint met hese stem te schreeuwen. Ze werpt haar rechterarm naar achteren en pakt het hoofd van haar belager bij de haren. Ze grijpt in zijn volle haardos, trekt zijn hoofd naar voren en schreeuwt zo hard mogelijk, alsof ze gek geworden is. En ze denkt niets meer. Alleen: ik wil niet zo sterven. Ik wil niet zo sterven!!! Ze voelt iets warms tegen haar rechterschouder, dicht bij haar nek. Het is het mes. Bij de volgende steek zal hij haar keel raken, en dan is alles voorbij.

Alles is dan voorbij.

Lukas. Anton. Lin. God, alsjeblieft.

Haar oren dreigen te knappen. Een lawaai zoals ze nog nooit gehoord heeft. Glas versplintert achter haar. Een schreeuw. Een klap waardoor ze naar voren tegen het stuur aan stoot en er vervolgens met haar voorhoofd tegen aan slaat.

Opeens is het stil.

Een gapende wond aan haar schouder. Maar ze merkt niets. Kuchend haalt ze adem.

Het portier aan haar kant gaat open, en ze bespeurt een haar vertrouwde geur.

'Anton,' zegt Mona. Ze heft voorzichtig haar hoofd op. Alles doet pijn, haar hoofd, haar nek, haar schouders, alles. 'Wat doe jij hier?'

Anton. Hij kletst aan één stuk door. Dat doet hij altijd als hij opgewonden is.

'Ik was toevallig in het centraal station. Ik zag licht in jouw kantoor. Ik dacht: ik haal je af. Ik wil dus net bij je aanbellen en dan gaat opeens het licht uit. Ik denk dus: ik haal je in de garage wel op. En dan zie ik opeens je wagen naar buiten stuiven, en achter je zit een jongen. Ik denk: daar klopt iets niet, en rijd achter je aan.'

'Je bent het hele stuk achter me aan gereden.'

'Precies.'

'Je staat drie uur in de parkeergarage naar ons te kijken en doet niets.'

'Ik kon jullie toch alleen van achteren zien. Ik dacht: die heeft een wapen. En ik had alleen mijn honkbalknuppel in de kofferbak. Ik heb toch die knuppel maar gepakt en een gunstig ogenblik afgewacht. Een moment dat die vent wellicht even afgeleid werd. En toen jij zo hard begon te schreeuwen, wist ik dat ik geen tijd meer over had. Ik ben op je kofferbak gesprongen en heb als een gek op de achterruit staan slaan. Goed dat je geen gepantserde dienstauto hebt...'

'Maar je komt natuurlijk helemaal niet op het idee om de politie eens te bellen. In geen honderd jaar.'

'De politie bellen? Ben je nou helemaal gek!' Hij drukt haar tegen zich aan. Haar haren zitten vol glassplinters.

De jongen achter haar ziet er niet goed uit. Hij is in elk geval voor langere tijd buiten gevecht gesteld.

Anton weet dat het beter is de rest aan de politie over te laten. Zonder zijn gewaardeerde aanwezigheid, vanzelfsprekend. Mona zal dat varkentje wel wassen.

Hij kust haar op haar voorhoofd, daar waar het niet bloedt.

'Red je het verder?'

'Geef me m'n gsm. Die zit in de tas op de achterbank. Kun je die inschakelen? Goed, en kies dan het volgende nummer...'

'Gaat het goed met je? We kunnen dat straks ook wel checken.' Fischer, aardiger dan ooit.

'Met mij gaat het best. Ik hoef niet naar het ziekenhuis. Mij mankeert niets.'

'Ze heeft een shock,' zegt een van de verplegers tegen Fischer. 'Kijk eens naar die schouder.'

'Ik heb helemaal geen pijn.'

'Zeker, mevrouw. Dat is de shock.' Twee verplegers tillen de brancard op en schuiven haar in de ambulance.

'Kan ik meerijden?' vraagt Fischer.

'Ja. Maar alleen als u zich niet opwindt.'

Mona houdt haar ogen gesloten. Dat is beter, want op deze wijze heeft ze nog enig respijt.

Iemand heeft haar in een kamikazeactie gered in plaats van de politie te bellen. Iemand die ze moet kennen. Iemand tegen wie een gerechtelijk onderzoek loopt.

Alles zal uitkomen. Haar jarenlange verhouding met een semi-crimineel. Dat Anton Lukas' vader is. Alles.

Maar is dat eigenlijk wel zo erg?

'Kun je me iets over de toedracht vertellen?' vraagt Fischers stem boven haar. Zacht en tactvol, maar toch indringend.

'Laat u die vrouw toch met rust!'

Mona voelt een prikje in haar rechteronderarm en doet een oog een stukje open. De verpleger lacht haar toe. 'U krijgt nu een spuitje, dan gaat het meteen beter met u.'
Slapen. Dat is werkelijk een welkom alternatief.

Epiloog

'U wist wat uw zoon Heiko van plan was.'

'Ja.'

'Waarom hebt u niets ondernomen? 'Waarom hebt u hem niet tegengehouden?'

'Misschien wilde ik wel dat hij het deed. In mijn plaats.'

'U bent na elke moord bij de slachtoffers Steyer, Amondsen en Schacky geweest?'

'Ja. Ik heb hun ogen dichtgedrukt. Robert heb ik op zijn rug gedraaid zodat hij de hemel nog een keer kon zien.'

'Hoe wist u wanneer hij wie vermoordde?'

'Dat hebben de stemmen me verteld.'

'Welke stemmen?'

'Die zitten in mijn hoofd als ik ziek ben. Die hebben het me verteld.'

'Pardon?'

'Die hebben het me verteld, en ik ben hen gevolgd. De stemmen kunnen door alles heen dringen. Ruimtes, muren, afstanden. Ze weten alles.'

'Die stemmen hebben u dus de plaats van de moord en het tijdstip meegedeeld? Is het niet eerder zo dat uw zoon u voor zijn misdaden opzocht en u precies daarover inlichtte?' Er verschijnt een lachje op het gezicht van Felicitas Gerber.

'Hebt u me gehoord?'

'Ja.'

'Ach, laat u ook maar. Het is volstrekt zinloos. U weet dat u verdacht wordt van medeplichtigheid?'

'Ja, dat hebt u me al verteld. Het is in orde zo.'

'Mooi, dan... Goed, ik heb geen vragen meer.'

'Ik heb nog een vraag.'

'Zo.'

'Ik zou Heiko graag willen zien. Is dat mogelijk?'

'Dat zal helaas niet mogelijk zijn, mevrouw Gerber. Die zit in de gevangenis, hopelijk voor altijd. De jongste seriemoordenaar die we ooit gehad hebben.'

'Berit, liefste, als je deze brief krijg, ben ik hetzij ver weg, hetzij dood. Ik weet dat je me nu haat, maar ik zweer je dat onze liefde geen vergissing is. Die is het enige echte en waarachtige dat me ooit overkomen is. Ik heb je gebruikt, dat is waar. Ik wist dat je Danner zou verraden. Je bent recht voor zijn raap en eerlijk. Daarom houd ik van je. Omdat je eerlijk bent. Mijn hele leven berustte op één enkele leugen. Ik ben de man met de vijf vaders, van wie niemand wist dat ik bestond. Wat een grap, hè? Ik ben de man wiens enige echte zielsverwant een moeder is die regelmatig in het krankzinnigengesticht belandt. Ik ben kapot, een genetisch wrak, van binnen vermolmd en vergaan als een zieke boom. Ik trek zieke mensen aan. Ik ga op zoek naar hen. Ik vind ze altijd. Ik communiceer met hen, ze delen mij hun vreselijke geheimen mee en dan word ik er begerig naar. Ik word er begerig naar soortgelijke dingen te beleven. Zo is alles begonnen, lang voordat Felicitas in mijn leven kwam.

Toen ik Felicitas voor het eerst zag, wist ik dat mijn lot bezegeld was. Mijn moeder heeft me gezien en herkend en toch van me gehouden. Ik wist dat ze me alles zou vergeven, en daardoor is de dam in mij gebroken. Ik wist dat er iemand was die nooit de staf over mij zou breken. Dat gaf me de kracht te doen wat ik moest doen.

Ik weet, Berit, wat je nu denkt. Je gelooft dat ik het niet had moeten doen. Je gelooft dat iedereen zijn leven in eigen hand heeft, dat iedereen zijn lot in zijn voordeel kan beïnvloeden. Maar dat, liefste, is een vergissing. Je wil is niets waard, je verstand een illusie. Jij, ik, wij allemaal worden door gevoelens voortgedreven waarvan we de herkomst niet kennen en waarvan we de geheimen niet doorzien... We hebben geen macht. We zijn marionetten, en alleen op aarde om ons speciale levensscenario te vervullen. Een voorbeeld: ik zie de pottenbakkersschijf van mijn moeder, en daarnaast ligt het wapen. Mijn dodelijke wapen. En alles past opeens in elkaar, zodat vergelding mogelijk wordt. Kun je je die film met die pottenbakker nog herinneren, die in opdracht van zijn overgrootvader met een garrot zijn familie ombrengt? Pas nu besefte ik wat deze film mij wilde vertellen. Dat die een opdracht voor me had. Namelijk om mijn moeder te wreken. Om mezelf te wreken. Zo moest het gebeuren. Pas nu ben ik werkelijk vrij. Ik houd van je. Je was als een boodschap uit een betere wereld, maar je hebt me te laat ontmoet, toen er al te veel gebeurd was.

Mocht ik nog leven: je zult nooit iets van me horen, wees maar niet bang. Maar je moet weten, dat ik bij je zal zijn. Voor altijd, ook als we allebei dood zijn.'

DANKWOORD

Niets ontstaat zonder hulp, en een roman al helemaal niet.
Ik bedank de volgende mensen voor hun deskundige raad en meer:
Commissaris Udo Nagel van Afdeling 11
Professor Wolfgang Eisenmenger van het Institut für Rechtsmedizin
Elfi Steuerer, ambtenaar emancipatiezaken van de politie
Dorita Plange, politieverslaggeefster van de *Abendzeitung*
Jens Schnabel
Katrin en Acki Riebartsch
Horst Lindhofer
Sissi Lukschanderl en Franz Diehl
Barbara Heinzius, mijn deskundige redacteur
Veronika Kreuzhage voor de uitstekende public relations
Georg Reuchlein, die alles mogelijk maakte
En niet in de laatste plaats
mijn ouders, die er altijd voor me waren en zijn.

MAX ALLAN COLLINS

CSI: Dubbelblind

De leden van het forensisch onderzoeksteam zijn de onbekende helden van het politiekorps van Las Vegas. Onder leiding van veteraan Gil Grissom combineren Catherine Willows, Warrick Brown, Nick Stokes en Sara Sidle de nieuwste wetenschappelijke onderzoeksmethoden met het aloude, degelijke speurwerk in hun zoektocht naar bewijsmateriaal op de plaatsen delict.

In *Dubbelblind* wordt het team geconfronteerd met een moord in een casino. Het slachtoffer is een maffia-advocaat uit Chicago. Is hier sprake van een afrekening uit de onderwereld? Tegelijkertijd wordt in de bouwput van een nieuw hotel een gemummificeerd lijk gevonden en algauw dringt zich de vraag op of beide doden niet met elkaar in verband gebracht moeten worden, want allebei zijn ze met twee schoten door het hoofd gedood...

CSI: Dubbelblind is een superspannende thriller van Max Allan Collins, gebaseerd op de in Amerika met vele prijzen bekroonde televisieserie.

ISBN 90 6112 252 X

Lees ook van Karakter Uitgevers B.V.

JOHN MAXIM

De virusmaffia

Artemus Bourne, een van de rijkste ondernemers ter wereld, staat aan het hoofd van een gigantisch zakenimperium. Hij is niet alleen schatrijk, maar ook zeer machtig, want met zijn geld heeft hij menig belangrijke politicus in het zadel geholpen.

Op zekere dag bezorgt de post Bourne een pakket met een gruwelijke inhoud, namelijk drie afgehakte mensenhoofden, waaronder dat van de viroloog Cecil Winfield, de directeur van zijn biochemische bedrijf VaalChem in Angola. De boodschap is duidelijk: de anonieme afzender weet wat er zich afspeelt bij VaalChem en dat zijn zaken die het daglicht niet kunnen verdragen.

Want in het diepste geheim worden bij VaalChem vaccins geproduceerd, maar dan voor ziektes die nog helemaal niet bestaan...

De virusmaffia [Bannerman's Ghosts] is opnieuw een fenomenale actiethriller van John Maxim, die verdergaat waar zijn thriller *Zwarte Engel* ophield. Beide boeken zijn los van elkaar te lezen.

ISBN 90 6112 102 7

Lees ook van Karakter Uitgevers B.V.

KYLE MILLS

Rookbom

Met *Rookbom* bevestigt bestsellerauteur Kyle Mills opnieuw zijn reputatie van 'meesterlijke en meeslepende thrillerauteur' (*The Denver Post*)

Trevor Barnett, de laatste telg uit een oude dynastie van tabaksproducenten, is – tegen zijn zin – de voornaamste woordvoerder geworden van de tabaksindustrie op het moment dat deze in grote moeilijkheden verkeert. Er ligt namelijk een claim van miljarden dollars, waar de industrie op geen enkele wijze onderuit kan komen.
In reactie hierop doen de producenten het ondenkbare: ze sluiten hun fabrieken en halen alle tabakswaar terug uit de winkels. De boodschap is duidelijk: als ze geen waterdichte bescherming van de overheid krijgen, zal er geen sigaret meer gemaakt worden...

Al snel is de chaos compleet en wordt Trevor het slachtoffer van woedende rokers, gewapende smokkelaars en een regering die beroofd is van een van haar grootste bronnen van inkomen. En al snel begrijpt hij dat het eigenlijk altijd al de bedoeling is geweest dat hij de eerste en ergste klappen op zou vangen ter bescherming van de machtige mannen die verantwoordelijk zijn voor al deze ellende.

Maar dan slaat hij genadeloos terug...

Een plot die je op het puntje van je stoel houdt, goed uitgewerkte personages en een intrigerend thema. *Rookbom* bevat alle elementen waarmee Kyle Mills keer op keer bewijst dat hij een van de beste thrillerauteurs van dit moment is.

ISBN 90 6112 142 6

Stav Sherez

Op de huid

In een klein park in het hart van Amsterdam wordt het lijk van een oude man gevonden. Zijn hele lichaam vertoont sporen van geweld en is bezaaid met merkwaardige littekens die haast een rituele betekenis lijken te hebben. Is deze man het negende slachtoffer van de seriemoordenaar die de stad al tijden in zijn greep houdt? Maar al diens eerdere slachtoffers waren jong, mooi en vrouw. Als de oude man werkelijk gevallen is door zijn hand, wat is er dan de oorzaak van dat hij zijn modus operandi heeft gewijzigd?

Op het lijk van de man wordt informatie gevonden die leidt naar Jon Reed, een jonge, in Londen woonachtige Engelsman die kort voor de moord bevriend is geraakt met de oude man. Reed wordt naar Amsterdam gehaald om het lichaam te identificeren – en dat is voor hem het begin van een sinistere ontdekkingsreis door de donkerste delen van de stad, waar seks, drugs en decadentie hoogtij vieren.

Welk tragische verhaal schuilt er achter de ware identiteit van de oude man? En welk verhaal vertellen de littekens op zijn lichaam? En in hoeverre hebben het leven en de dood van deze eenzame zwerver te maken met gruweldaden die meer dan zestig jaar geleden in de stad bedreven werden?

Op de huid [*The Devil's Playground*] is het adembenemende thrillerdebuut van de Engelse journalist en muziekcriticus Stav Sherez.

ISBN 90 6112 212 0

ESTHER VERHOEF

Onrust

Een eenling neemt het op tegen de Russische maffia. Wie is hij en wat is zijn motief?

Een in Nederland opererende criminele organisatie wordt keer op keer bezocht door een uiterst gewelddadige overvaller. Het is een eenling, niemand kent zijn gezicht en zijn identiteit, maar zijn werkwijze is koel, berekenend en uiterst professioneel.
En terwijl de klok doortikt, dunt de organisatie steeds verder uit. Alles wordt op alles gezet om de identiteit van de vernietigende indringer te achterhalen.

Natuurfotografe Susan Staal heeft inmiddels zo haar eigen problemen. Ze heeft al tijdenlang een intense, maar platonische relatie met Sil Maier, die haar gevoelens weliswaar deelt, maar toch zijn vrouw Alice niet in de steek wil laten.
Alice is op haar beurt bezeten door de ambitie presentatrice te worden bij het succesvolle televisieproductiebedrijf Programs4You, waarvoor ze bereid is zeer ver – misschien wel té ver... – te gaan.

Niets is wat het lijkt in de debuutthriller van Esther Verhoef, waarin obsessieve liefde, dubbele agenda's en harde, razendsnelle actie met elkaar verweven zijn tot een boek waarin de lezer van het begin tot het eind wordt meegezogen.

'Spannende actie en een vleugje romantiek. Het sterke plot, de vernuftige wendingen en de snelle pen van Verhoef houden je van begin tot eind in hun greep. Een prachtig debuut van een jonge schrijfster van wie we nog veel mogen verwachten.'
– Sander Verheijen, www.crimezone.nl

ISBN 90 6112 242 2